ANGELINA JOLIE, BEAUTÉ FATALE

© Music & Entertainment Books, 2009
16, rue Albert-Einstein – Marne-la-Vallée
77420 Champs-sur-Marne, France
www.musicbooks.fr

Première édition pour la traduction française
Titre original : *Angelina Jolie, The Biography*
English language Copyright © 2008 by Rhona Mercer
Première publication par John Blake Publishing Ltd, Londres
Traduit de l'anglais par Mathilde Gobert
Copyright 2009 © Talents Publishing, LLC
ISBN 978-2-35726-011-5

© Tous droits réservés.
Directeur d'édition : Eddy Agnassia
Collection coordonnée par Flore Law de Lauriston
Relecture et correction : Dorian Tort
Composition et Mise en page : Anthony Gaucher

SOMMAIRE

*« Je vis toujours le moment présent. Je n'aime pas faire de plans
pour l'avenir. Tout peut changer du jour au lendemain.
ma vie, mon image, les gens qui m'entourent, mon métier…
S'il en était autrement, la vie serait ennuyeuse. »*

Angelina Jolie

CHAPITRE - I
LÀ OÙ TOUT COMMENCE…

Depuis les débuts fracassants d'Angelina Jolie sur la scène hollywoodienne il y a plus de dix ans, cette actrice d'une beauté à couper le souffle n'a cessé de faire les grands titres et reste une source de fascination pour ses millions de fans à travers le monde. Au fil des années, nous avons assisté à la métamorphose d'une adolescente rebelle, déprimée et autodestructrice en une mère de trois enfants épanouie, stable et sophistiquée, et observer son cheminement personnel a été captivant. Angelina Jolie est considérée comme l'une des stars les plus ouvertes et honnêtes de sa génération et c'est pourquoi il n'est pas surprenant que sa vie personnelle controversée ait suscité beaucoup plus d'intérêt que n'importe lequel de ses films. Qu'on l'aime ou qu'on la déteste, ce qui est sûr, c'est qu'elle ne laisse personne de marbre.

Née le 4 juin 1975 à Los Angeles (Californie) de parents comédiens, la vie d'Angelina Jolie Voight a été non conventionnelle dès son commencement. En 1971, Jon Voight épousa Marcheline

Bertrand, une actrice canadienne-française peu connue qui donna naissance à leur premier enfant, James Haven, en 1973. Alors que Marcheline attendait leur second enfant, Angelina, leur couple battait déjà de l'aile. On prétend que Marcheline en aurait vite eu assez des penchants séducteurs de son mari ; ce qui est certain, c'est qu'il tomba rapidement amoureux de l'actrice Stacey Pickren, qu'il avait rencontrée sur le tournage du film *Le Retour* (qui lui valut l'oscar du meilleur acteur) et pour qui il quitta sa famille. Lorsqu'Angelina eut un an, ses parents s'étaient déjà séparés.

Durant les quelques années qui suivirent la rupture du couple, Marcheline resta à Los Angeles avec les enfants et Jon put les voir régulièrement, mais ils déménagèrent à Sneden's Landing (à une heure de Manhattan) en 1982 à cause de la pollution de Los Angeles qui ruinait la santé de Marcheline.

Angelina affirma qu'elle ne lui en avait « jamais voulu » d'être parti : « Je ne me souviens pas avoir eu un jour besoin de mon père sans qu'il soit là. » Pourtant, la relation qu'ils auraient allait être extrêmement tendue, complexe et instable.

Pour sa part, Jon fit remarquer une fois : « Elle était encore bébé lorsque Marcheline et moi avons divorcé, c'est pourquoi j'ai été surpris lorsqu'elle m'a dit que ça l'avait aussi profondément affectée. »

Selon l'une des maîtresses de maternelle d'Angelina qui souhaite garder l'anonymat, Jon était un père très impliqué : « Son père venait toujours les chercher, son frère et elle. Il était toujours dans le coin. Je ne sais pas si la relation qu'ils avaient était bonne, tout ce que je sais c'est qu'il jouait son rôle de père. » Et Jon n'était pas uniquement un père au moment de la sortie des classes. Selon la même source : « Il assistait aux journées sportives. Il venait à l'école. Ils vivaient à Palisades, où habitent toutes les grandes stars comme Al Pacino. Angelina était une toute petite gamine, mignonne, vous savez. Elle a toujours été jolie. »

Bien qu'Angelina et son père ne s'adressent plus la parole depuis leur dispute publique en 2003 (lorsque Jon dit à la presse que sa fille avait de « sérieux problèmes émotionnels »), Angelina était une vraie fille à papa quand elle était petite. Jon se souvient : « Lorsque Marcheline et moi avons rompu, j'ai demandé à Angelina de s'asseoir et de me dire avec quel genre de filles elle pensait que son père devrait être. Elle a réfléchi quelques instants et m'a répondu : "En fait, papa, peut-être avec moi, puisque je t'aime plus que tout au monde." »

Jon n'était pas moins fou de sa fille et, dans une interview qu'ils donnèrent ensemble en 2002, il raconta à Angelina le moment de sa naissance : « Tu ne t'en souviens pas, mais quand tu es sortie du ventre de ta mère, je t'ai soulevée, je t'ai prise dans mes bras et j'ai regardé ton visage. Ton doigt était tout près de ta joue et tu semblais remplie de sagesse, comme une vieille amie. J'ai commencé à te dire à quel point ta mère et moi étions heureux que tu sois là, et que nous allions bien prendre soin de toi et guetter tous les signes qui nous indiqueraient qui tu étais et comment nous pourrions t'aider à réaliser ce pour quoi Dieu avait mis ce merveilleux potentiel en toi. J'ai fait ce serment et tout le monde dans la salle s'est mis à pleurer. Mais toi et moi, on ne pleurait pas, on était prisonniers du regard de l'autre. »

Après le déménagement de son ex-femme et de ses enfants à New York, Jon avoua qu'ils lui avaient terriblement manqué : « Angie est une vraie comédienne et Jamie a tellement grandi », révéla-t-il à ce moment. Tenant à ce que ses enfants soient impliqués dans sa vie même s'il n'habitait plus avec eux, Jon donna à sa fille son tout premier rôle au cinéma en 1982 : elle interpréta Tosh dans *Lookin' to Get Out*, un film qui raconte l'histoire de deux joueurs new-yorkais qu'il avait co-écrit et dans lequel il jouait également. Il en fit d'ailleurs une affaire de famille en attribuant le rôle de la « fille dans la jeep » à son ex-femme, Marcheline, et celui de Rusty à sa petite amie de l'époque, Stacey Pickren.

Souhaitant montrer à ses enfants ce que leur père faisait de son temps, Jon les emmenait souvent sur le tournage de ses derniers films, comme par exemple *Le Champion* dans lequel il jouait le rôle d'un ancien boxeur qui tente d'élever seul son fils. « Ça a été un petit peu dur pour eux », raconta Jon quelque temps après, en 1979. « Ils se mirent à pleurer tous les deux. La dernière scène était très perturbante. J'ai dû les prendre dans mes bras et leur expliquer que papa était juste en train de jouer la comédie, qu'il n'était pas mort, qu'il était toujours là avec eux. Vous savez, je n'ai pas l'intention de fuir mes responsabilités. Mais il faut aussi être réaliste. Je sais que Marcheline peut se remarier et qu'un autre homme entrera alors dans leur vie. »

De la même manière, lorsque leur père les emmena voir *Ces enfants sont à moi !* en 1983, James et Angelina eurent du mal à séparer la réalité de la fiction. Le film suit des enfants qui traversent le divorce de leurs parents, et selon Jon : « Ça les a beaucoup touchés, ils ont compris que, dans un certain sens, le film me représentait, il représentait ce besoin profond que j'avais d'être proche d'eux. »

Jon avait grandi au sein d'une famille très unie, à Yonkers (New York), entouré de ses parents, Elmer et Barbara, et de ses frères, Barry et James Wesley (ce dernier changerait plus tard de nom pour devenir Chip Taylor, un parolier légendaire auteur de classiques tels que *Wild Thing* ou encore *Angel of the Morning*). À bien des égards, il aurait lui aussi voulu être un père de famille parfait mais quelque chose l'en empêchait en permanence. Dans une interview, un an après avoir quitté Marcheline, il reconnut : « J'adorais l'image des enfants déboulant dans la chambre de leurs parents et sautant dans leur lit avec eux. Mais je n'ai jamais eu très confiance en moi en tant que "mari". »

En 2004, Chip Taylor affirma au cours d'une interview que son frère ne s'était jamais vraiment remis de sa décision de quitter sa famille : « Jon était marié à une jolie femme [Marcheline]. Je ne sais pas pourquoi ça n'a pas marché, mais il est tombé amoureux d'une autre fille et s'est mis avec elle. Ça n'a pas non plus marché, et maintenant il regarde probablement en arrière et se sent extrêmement coupable de ce qu'il a fait. Il a essayé du mieux qu'il a pu d'être un bon père, mais je ne crois pas que ce soit un rôle dans lequel il se sentait très à l'aise. »

Par le passé, Angelina défendit le comportement de son père en déclarant : « Mon père est le parfait exemple d'un artiste qui ne pouvait pas être marié. Il avait la famille parfaite, mais il y avait quelque chose là-dedans qui le terrifiait. » Et comme sa propre vie amoureuse allait le montrer, elle avait de qui tenir.

Lorsque Jon quitta sa femme, sa carrière était à son apogée. Il était devenu célèbre en 1969 en jouant le rôle d'un gigolo du nom de Joe Buck dans *Macadam Cowboy*, et il se vit décerner un oscar pour son interprétation de Luke Martin, un vétéran du Viêt Nam en chaise roulante, dans *Le Retour* (1978). Même si Angelina allait plus tard profiter de l'expérience de son père et de ses connaissances hollywoodiennes, elle ne voyait pas d'un bon œil l'attention qu'il recevait de ses fans. Jon reconnut dans une interview : « [mes enfants grandissent] dans l'ombre de mon mythe et c'est pourquoi ils ont besoin qu'on leur porte une attention particulière. Récemment, alors que je dînais avec les enfants, un homme s'est approché de nous. Il était à une quinzaine de mètres et s'excusait déjà : "Oh, je suis tellement désolé de vous déranger... mais vous ressemblez tellement à... c'est vous ?" Ma fille Angie, qui ne se sentait pas très bien ce soir-là, a levé les yeux au ciel en s'écriant : "Oh, mon Dieu, pas encore !" Et, évidemment, l'homme ne savait plus où se mettre. »

Malgré les bouleversements causés par son enfance nomade, Angelina était une petite fille pleine de joie. Elle était fan du dessin animé *Dumbo* de Walt Disney (elle avoua avoir pleuré lorsqu'il se rendit compte qu'il pouvait voler), était amoureuse de Monsieur Spock dans *Star Trek* et adorait jouer à se déguiser avec James, son grand frère adoré. « Avant, je me déguisais tout le temps », se rappelait-elle en 2001. « Et j'adorais les talons hauts en plastique. »

Tant de déménagements dans son enfance créèrent chez Angelina le sentiment de ne pas avoir de point d'attache, ce qu'elle commenta ainsi : « J'ai toujours rêvé d'avoir un grenier plein de souvenirs dans lesquels je pourrais revenir me plonger. »

Angelina et son frère furent toujours là l'un pour l'autre et ils n'étaient jamais à court d'idées lorsqu'il s'agissait de s'amuser. Dès l'âge de cinq ans, Angelina enfilait les habits de sa mère, se maquillait et faisait des spectacles devant la caméra de son frère. Cette collaboration se poursuivit jusqu'à leur adolescence : Angelina eut le premier rôle de chacun des cinq films que James réalisa alors qu'il étudiait à l'USC School of Cinema, dont l'un lui valut le prix George-Lucas pour la réalisation.

Le nom d'Angelina Jolie a été synonyme de sexe dès les premières heures de sa célébrité. Il n'est donc pas étonnant qu'elle ait fait partie, en maternelle, d'un groupe appelé les « Kissy Girls ».

Se souvenant de la première fois qu'elle a tenté de séduire un garçon, Angelina raconta : « J'ai grandi en étant très consciente de mes émotions. En maternelle, j'étais déjà très sexuelle et j'ai créé les Kissy Girls. On poursuivait les garçons, on les couvrait de bisous (on leur faisait même des suçons) et ça les faisait hurler. Mais un jour, plusieurs d'entre eux ont arrêté de courir et ont commencé à se déshabiller, et là j'ai eu de gros problèmes. » Tellement de problèmes, d'ailleurs, que ses parents furent convoqués à l'école pour parler des écarts de comportement de leur fille. Il va sans dire que les Kissy Girls furent démantelées après cet incident.

Angelina était pourtant loin d'être le stéréotype de la petite fille rose bonbon. Alors que la plupart des enfants supplient leurs parents de leur offrir un chiot ou un chaton, Angelina était comblée avec son lézard Vladimir et son serpent qu'elle avait appelé Harry Dean Stanton en référence à l'acteur. Elle raconta une fois aux journalistes : « Les autres petites filles voulaient être danseuses d'opéra, mais moi j'avais envie d'être vampire. » À l'époque où les filles de son âge écrivaient sur leur trousse le nom des garçons dont elles étaient amoureuses, Angelina s'occupait en dessinant des visages de personnes âgées, des femmes nues, des bouches déformées par un hurlement ou des fils barbelés tendus sur les yeux de quelqu'un.

Son ambition de devenir vampire céda rapidement la place à un désir encore plus vif : celui de devenir entrepreneur de pompes funèbres. Angelina avait neuf ans lors de la mort de son grand-père maternel, et son enterrement allait se révéler fascinant aux yeux de la fillette impressionnable. La plupart des filles de son âge auraient été bouleversées par l'événement et effrayées par la mort, mais pas Angelina. Elle était bien trop intéressée par la façon dont les funérailles devaient être conduites pour avoir peur. « Le père de ma mère mourut lorsque j'avais neuf ans. C'était un homme merveilleux, très dynamique, mais son enterrement a été horrible. Tout le monde était hystérique. Je pensais qu'un enterrement devait être une célébration de la vie et non pas une pièce remplie de personnes tristes. Je n'ai pas peur de la mort, ce qui fait penser aux gens que j'ai un côté sombre, alors qu'en fait je suis juste positive. » Elle expliqua : « [Je suis] très attirée par tout ce qui concerne les traditions et les racines. C'est peut-être pour cela que je me suis intéressée aux enterrements. » La mort de son grand-père marqua le moment où Angelina commença à porter du noir. Elle alla même jusqu'à se promener dans des cimetières et lire des livres sur l'art d'embaumer ou sur la science mortuaire. « La mort a quelque chose de très rassurant », dit-elle une fois. « La pensée qu'on peut mourir demain nous libère et nous permet d'apprécier le moment présent. »

Dans les souvenirs d'Angelina, sa vie « commença à ne plus être marrante » lorsqu'elle eut dix ans, et son côté rebelle s'accentua lorsque Marcheline décida de revenir à Los Angeles avec ses enfants. De fait, embrasser des garçons en maternelle paraît plutôt gentillet comparé à ce qui se profilait à l'horizon. « J'ai toujours pensé que j'étais saine d'esprit, mais je ne savais pas si j'arriverais à bien vivre dans ce monde. Quand j'étais petite, j'ai beaucoup pensé au suicide – pas parce que j'étais malheureuse, mais parce que je ne me sentais pas utile. J'étais insomniaque, je ne fermais pas l'œil de la nuit parce que mon cerveau tournait à plein régime », dit Angelina de cette période.

Elle affirma qu'elle avait passé le plus clair de son enfance « à regarder par la fenêtre en pensant qu'il y avait certainement un endroit où je pourrais enfin m'installer et être heureuse. Je n'étais pas à ma place. » Ce sentiment ne fut probablement jamais aussi fort que lorsqu'elle rentra à Beverly Hills High, le lycée le plus prestigieux et le plus riche de Los Angeles. Angelina n'aurait pas pu être plus différente de ses camarades de classe, tous riches, beaux et gâtés. Malgré le statut de son père à Hollywood, elle n'avait pas grandi en ayant beaucoup d'argent. Jon s'était forgé la réputation d'être tatillon quand il s'agissait de choisir ses films et il refusa plusieurs gros rôles sous prétexte qu'il ne pensait pas qu'ils étaient faits pour lui ; son refus de jouer le rôle principal de *Love Story*, bien qu'on lui ait proposé dix pour cent des bénéfices, reste notamment marqué dans les annales.

Jon était fier de ne pas avoir gâté ses enfants et déclara en 1979 : « J'ai essayé de faire comprendre à mes enfants la valeur de l'argent. Par exemple, je n'ai pas de piscine, et quand on veut se baigner on doit demander à quelqu'un d'autre la permission d'utiliser la sienne. J'ai conscience de la valeur des choses et je veux qu'il en soit de même pour mes enfants. »

La famille d'Angelina vivait donc relativement modestement par rapport à celles de ses camarades de classe, et au lieu de faire chauffer la carte bancaire de son père dans les magasins de la rue commerçante de Rodeo Drive, l'actrice achetait la plupart de ses vêtements dans des boutiques de seconde main comme Aaardvark's à Pasadena, qui était l'un de ses magasins de prédilection. Comme ce n'est pas rare chez les adolescentes de cet âge, elle était complexée par plusieurs détails de son apparence, et son appareil dentaire, ses lunettes et sa maigreur faisaient régulièrement l'objet de moqueries. Si ses lèvres charnues sont à présent l'une de ses caractéristiques physiques les plus marquantes, elle apprit à ses dépens qu'à cet âge rien de ce qui distingue des autres ne peut être bon. Et comme si elle voulait entretenir sa réputation de marginale, elle avait également tendance à se teindre les cheveux et à s'habiller tout le temps en noir, sa couleur préférée.

Parmi les camarades de classe glamour d'Angelina, nombreuses étaient celles qui faisaient du mannequinat. Pour se faire un peu d'argent et même si elle pensait ressembler à une marionnette du Muppet Show, Angelina voulut elle aussi tenter le coup. Aussi difficile à concevoir que cela puisse paraître sachant qu'on la considère aujourd'hui comme l'une des plus belles femmes du monde, les premières tentatives d'Angelina dans le milieu compétitif de la mode furent un échec lamentable. Elle s'entendit dire par des agents qu'elle était « trop petite, trop couverte de cicatrices, trop grosse, trop tout ». Les cicatrices qui servaient d'excuse aux agents pour ne pas l'embaucher provenaient d'actes d'auto-mutilation qu'Angelina commença à s'infliger dès ses 14 ans, pour essayer de se libérer de ses frustrations d'adolescente. Depuis, elle a reconnu que « treize, quatorze ans, ça a été une période difficile. Ouais, très difficile. » Difficile au point qu'elle se souvient « ne plus avoir eu envie d'être là ». Bien qu'elle ne se soit jamais pardonné son comportement, Angelina parle sans tabou de ce moment de sa vie : « J'ai traversé une période au cours de laquelle je me sentais prise au piège, et je me coupais parce que j'avais l'impression que ça libérait quelque chose. C'était vrai. » Ce besoin de « ressentir » a toujours été l'une des préoccupations d'Angelina et elle admet que, déjà lorsqu'elle était enfant, elle n'aimait qu'on la touche que d'une certaine manière. « Je n'aime pas quand on m'effleure », avoue-t-elle. «Vous voyez, j'aime qu'on m'empoigne et qu'on me serre fort. Si on ne me touche pas comme il faut, ou si on veut essayer de me retenir, alors je déteste qu'on me touche. C'est comme les poignées de main, je n'aime pas celles qui sont trop douces. Si vous voulez me serrer la main, faites pas semblant de me la serrer. »

Angelina savait assurément ce qu'elle attendait de son premier copain en termes de contact physique et, comme nous le verrons, les conséquences ont souvent été à la limite de mettre sa vie en danger.

Comme de nombreux enfants issus d'une famille brisée, Angelina excellait dans l'art de manipuler ses parents, qui se battaient pour avoir le plus d'influence dans sa vie. Lorsque sa famille revint s'installer à Los Angeles, Jon put recommencer à voir ses enfants les mardis, les jeudis et tous les week-ends. Il reconnut dans une interview en 1987 que, même à l'âge de douze ans, sa fille savait comment le faire manger dans sa main. « Les trois quarts d'heure consacrés à ses devoirs se transformaient en une heure et demie. Elle me racontait ses souvenirs, se moquait de moi, et finissait par en faire un jeu. Je suis ravi d'avoir passé ces moments avec elle. On rigolait, on criait et on était presque casse-pieds pour Jamie, qui était d'un naturel complètement opposé. » Lorsqu'on lit ces mots, Jon peut donner l'impression d'être un papa gaga, mais l'acteur avait également conscience du potentiel rebelle d'Angelina. En 1987, il décrivit sa fille comme « assez étonnante, et peut-être même un peu plus comme moi – ce qui est peut-être troublant pour elle – parce qu'elle a un esprit vif, elle a beaucoup d'imagination et elle est très active, elle doit tout le temps faire quelque chose et je l'adore. Elle fait un peu la maligne – en tout cas, c'est comme ça qu'elle est avec moi ! Depuis qu'elle est bébé, elle n'a jamais voulu qu'on l'aide, même quand elle apprenait l'alphabet. Elle disait : "Non ! Je le fais toute seule, je le fais toute seule." C'est comme ça qu'elle est ».

Malheureusement, lorsqu'elle rentra dans l'adolescence,

Angelina commença à trop faire la maligne et perdit complètement la tête.

À Beverly Hills High, Angelina ne réussit pas plus à s'adapter à ses professeurs qu'à ses camarades de classe, et ne sachant plus à quel saint se vouer, ces derniers firent appel à un psychothérapeute. « Ils faisaient cela… avec tous ceux dont les parents avaient divorcé », raconta Angelina à propos de cette période. « Une psychothérapeute m'avait un jour dit que nos "cellules familiales" étaient responsables de tous nos maux. Il lui semblait que nous autres, pauvres petits enfants, ne serions jamais capables de nous adapter à la vie. J'avais beau lui assurer que je m'étais parfaitement bien adaptée, mais pour une raison ou une autre, elle voulait que ça soit l'inverse. Du coup, j'ai inventé une histoire à dormir debout rien que pour elle – oh, elle était si contente ! C'est depuis ce moment-là que je ne crois plus en la psychothérapie. »

Jon partage l'avis de sa fille quant à l'impact d'un divorce sur les enfants : « Le divorce a bon dos quand il s'agit de comprendre le moindre petit problème d'un enfant. Mais ce qu'il faut se demander, c'est si ces problèmes se seraient manifestés quoi qu'il arrive. »

Si Angelina avait son avis sur ces séances, ses professeurs aussi, et l'un des commentaires qui furent faits décrivit la jeune fille comme « immodérée » et « présentant une tendance à la psychopathie antisociale ». Fidèle à elle-même, Angelina ne se laissa pas démonter par cette étiquette et elle admet sans complexe : « Dès mon enfance, on m'a traitée de sociopathe. » Ironiquement, c'est le rôle d'une sociopathe dans *Une vie volée* qui lui vaudrait un oscar.

Quels qu'aient été les gens avec qui Angelina passait son temps, ce qui était sûr pour son ancien camarade de classe Jean Robinson, c'est qu'elle n'était pas très populaire auprès des autres filles de sa classe. Sa réputation de mangeuse d'hommes remonte en effet à bien avant qu'elle ne soit célèbre. « À Beverly Hills High, elle avait quatorze ans mais piquait des garçons qui en avaient dix-sept », se souvient Jean. « Une fois qu'ils étaient à ses pieds, elle les laissait tomber. Ce qui l'intéressait, c'était la chasse. » Et selon Jean, les garçons n'étaient pas ses seules proies. « Angie réservait le même sort aux filles. Elle pouvait vous séduire et vous laissez penser qu'elle était votre meilleure amie, et puis ne plus jamais vous adresser la parole à nouveau. Ce genre de cruauté n'est pas rare, mais le talent d'Angelina à ce petit jeu était dévastateur. »

Jean commenta également le manque de moyens financiers d'Angelina : « Son appartement était du mauvais côté de Beverly Hills, pas du côté où habitent les gens vraiment riches. Elle était délibérément différente et ne voulait rien avoir à faire avec les enfants riches. Elle était aussi sérieusement obsédée par les couteaux. Tous les couteaux – les canifs, les couteaux de cuisine. Des fois, elle en sortait un de nulle part et se mettait à jouer avec. »

À propos du statut de paria d'Angelina, Jean explique : « Beverly Hills était vraiment rigide au début des années quatre-vingt-dix, ce qui importait c'était de rentrer dans le moule et d'avoir de bonnes notes. Tout le monde était impeccablement habillé, avec des fringues BCBG très chères. L'endroit pour traîner et faire du shopping, c'était le Beverly Center, un énorme centre commercial dans l'ouest d'Hollywood, ou alors Rodeo Drive pour les filles, avec la carte de crédit de papa. Angie ne voulait pas faire partie de ça. Elle traînait dans les clubs punk-rock de Sunset Strip et achetait ses fringues dans les magasins punks de Melrose. »

Angelina le reconnaît elle-même : « À l'école, j'étais une punk. Je ne me sentais pas mignonne, ni propre. Et je me suis toujours sentie intéressante, bizarre, obscure… J'étais plus à l'aise dans mes bottes noires, mes jeans troués et mon vieux manteau. J'allais pas faire semblant d'être la fille intelligente, propre, cadrée. Je pouvais comprendre les choses les plus noires, les choses les plus mélancoliques, les choses qui touchent au plus profond. »

Jean revient sur les penchants d'Angelina pour le look gothique : « Son truc, c'était le cuir, les jeans troués, les bottes horribles à talons aiguilles. Les élèves avaient peur d'elle, tout comme les professeurs. Je ne pense pas qu'il y ait jamais eu quelqu'un comme elle à Beverly Hills High. »

S'il ne fait aucun doute qu'on la regardait de haut parce qu'elle osait affirmer sa différence, on peut légitimement penser qu'Angelina, rebelle comme elle est, trouvait plus de plaisir à voir le choc qu'elle suscitait qu'elle n'en aurait trouvé à se voir intégrée.

Avec du recul, le refus d'Angelina de se conformer aux codes de la mode de Beverly Hills aurait peut-être dû soulever plus d'admiration que de mépris, mais il est clair que ses camarades de classe avaient peur de cette fille pour qui les barrières sociales n'avaient pas la moindre importance. Jean déclara à propos des séances de thérapie d'Angelina : « Elle y allait environ trois fois par semaine. Du style : "Je vais voir ma psy", comme si elle allait en maths ou en bio. Cela ne l'a pas du tout changée. Je suis sûr qu'après ça, la thérapeute a elle-même eu besoin de suivre une thérapie. »

Les personnes qui connurent Angelina à cette époque ne sont pas toutes aussi impitoyables avec elle. L'une d'entre elles, en particulier, se souvient d'un aspect beaucoup moins assuré de sa personnalité. « Je ne dis pas qu'elle n'était pas sauvage. Elle l'était. Mais elle avait également une sorte de vulnérabilité et une grande souffrance. Je pense qu'elle avait été profondément blessée par la séparation de ses parents et par le fait que son père continue sa vie sans l'y intégrer pour la plupart des choses. De temps en temps, il venait la chercher et l'emmenait avec lui. Une année, ils sont allés ensemble à la cérémonie des oscars. Mais ce qu'elle voulait, c'était un père à temps plein, pas un rendez-vous pour les oscars. Ça l'a blessée et c'est pour ça qu'elle s'est construit une façade, la plus austère possible, pour ne pas montrer sa douleur. »

Ce qui est peut-être le plus révélateur, c'est que la même source parle de l'ambition profondément ancrée d'Angelina. « Elle était très intelligente et, à sa manière, disciplinée. Elle commença le métier d'actrice très rapidement et eut du succès dès ses 15 ou 16 ans. Elle disait tout le temps qu'elle ne voulait pas marcher sur les traces de son père mais le dépasser, et c'est ce qu'elle a fait. »

Son oncle Chip Taylor voyait également clair dans le comportement rebelle de sa nièce. « Angie a toujours été l'une de ces gosses qui veulent croire qu'ils sont durs », dit-il. « Je ne l'ai jamais considérée comme ça parce que des vrais gosses punks, j'en ai vu, et à côté d'eux elle ressemblait à une caricature, à une gamine d'Hollywood qui se déguisait en motard. »

La conformité étant manifestement le cadet des soucis d'Angelina, il n'est pas surprenant que son premier petit copain sérieux n'ait pas exactement été le stéréotype du champion de basket populaire au lycée. « Quand elle était adolescente, Angelina pouvait littéralement faire ce qu'elle voulait », affirma Jean. « À quatorze ans, elle craqua pour un punk-rockeur de deux ans plus vieux qu'elle. Lui aussi était sauvage. »

Plutôt que d'interdire à sa fille de voir ce garçon, ce qui risquait de créer un fossé entre elles, Marcheline pensa que le meilleur moyen de gérer le problème était de garder un œil dessus et c'est pourquoi elle autorisa le copain d'Angelina à emménager chez eux. Angelina raconta : « J'ai perdu ma virginité à 14 ans. On était dans ma chambre, dans mon environnement, là où j'étais le plus à l'aise et où je n'étais pas en danger. J'étais très jeune, mais aujourd'hui les enfants font beaucoup de choses bizarres et leurs mœurs sexuelles sont de plus en plus libérées. On a habité deux ans ensemble chez ma mère, comme ça je n'étais pas obligée de me cacher. Contrairement à d'autres filles, je n'allais pas faire la fête et traîner dans la rue. »

Elle ne se cachait peut-être pas, mais selon les dires de son ami d'école Jean, le comportement d'Angelina laissait toujours beaucoup à désirer. « Les avoir tous les deux à la maison était un compromis plutôt bizarre, mais sa maman s'en est arrangée du mieux qu'elle put. Angelina s'est teint les cheveux en violet et s'est fait des piercings. C'était une vraie terreur. Son copain et elle allaient dans les clubs punks des coins les plus mal fréquentés, restant dehors jusqu'à pas d'heure. C'est à ce moment-là qu'elle commença à décrocher complètement en cours. »

Depuis, Angelina a défendu le fait d'avoir une relation si sérieuse avec quelqu'un de si jeune : « Est-on jamais suffisamment développé émotionnellement pour s'investir dans ce genre de relation ? Il habitait à la maison avec ma mère et mon frère, donc c'est pas comme si on était seuls tous les deux. Et je pouvais toujours parler à maman s'il y avait un problème. Elle était plus impliquée et attentive à ce qui se passait dans ma vie que la plupart des mères. Elle savait que j'étais à un âge où j'avais envie de faire mes expériences et que je les ferais de toute façon, que ce soit dans des situations glauques ou alors chez moi, dans ma chambre. »

Angelina a toujours insisté sur le fait que c'est sa mère, et non pas son père, qui lui a donné le goût du métier d'actrice, car elle emmenait régulièrement ses deux enfants au théâtre et au cinéma. Ce que la mère d'Angelina n'avait pas prévu, pourtant, c'est que ces sorties seraient à l'origine de la fascination de sa fille pour les couteaux. « Je suis allée à une foire médiévale quand j'étais petite et j'ai été intriguée par tous ces couteaux. Ils dégageaient quelque chose de vraiment magnifique et de traditionnel. Chaque pays a des armes et des couteaux différents, et à mes yeux ils avaient quelque chose de beau. C'est comme ça que j'ai commencé à les collectionner. Je collectionne les couteaux depuis que je suis toute petite. »

C'est comme ça que naquit la fascination d'Angelina pour les couteaux, et sa relation avec son petit copain punk-rockeur allait lui permettre d'en repousser les limites. Elle parla ainsi cette période : « Certaines personnes vont faire du shopping ; moi, je me coupais. J'ai commencé à avoir des relations sexuelles mais c'était pas assez pour moi, j'avais pas assez d'émotions. Mes émotions continuaient à vouloir sortir. Un jour, j'ai voulu quelque chose de vrai, alors j'ai attrapé un couteau et j'ai coupé mon copain, et lui aussi m'a coupée. C'était quelqu'un de vraiment bien, un mec super gentil, pas menaçant ni effrayant. On avait échangé quelque chose, nous étions couverts de sang et mon cœur battait à cent à l'heure, on avait fait quelque chose de dangereux. Tout à coup, la vie me paraissait vraie, beaucoup plus que les relations sexuelles qu'on avait, quoi qu'elles aient pu m'apporter. C'était tellement primitif, tellement vrai… Mais après j'ai dû gérer plusieurs choses, ne pas le dire à ma mère, faire des cachotteries, mettre des pansements pour aller à l'école. »

Elle dit également : « C'était un besoin désespéré de ressentir. Lorsque j'étais jeune, je n'avais pas de "moi" à proprement parler. En grandissant, j'ai existé à travers les personnages que j'ai interprétés, et j'ai fini par me perdre dans les diverses facettes de ma personnalité. » Lors d'une de leurs séances sado-maso, Angelina demanda à son copain de lui dessiner un couteau sur le menton, une coupure dont elle garde encore une légère cicatrice aujourd'hui. « Avec du recul », dit Angelina, « j'attendais de lui qu'il m'aide à m'évader, et j'étais frustrée quand il n'y arrivait pas. »

L'automutilation ne l'aidait pas davantage – ça a d'ailleurs même failli la tuer. Une fois, Angelina s'entailla le cou, dessina un X sur son bras et se coupa le ventre, et elle dut être emmenée d'urgence à l'hôpital. « Je m'étais presque coupé la jugulaire », reconnut-elle en 2000. « À 16 ans, je m'étais débarrassée de cette habitude. »

C'est peut-être parce qu'elle avait décidé de ne plus s'automutiler, ou peut-être aussi parce qu'elle avait frôlé la mort, qu'elle mit fin à sa relation avec son petit copain punk. Quelle qu'en fût la raison, Angelina sentit qu'il était clairement temps de passer à autre chose. « Lorsqu'elle eut 16 ans, Angelina décida qu'elle en avait assez de vivre avec sa mère et son copain », raconte Jean. « Elle prit un appartement pas très loin de chez sa mère et déménagea. Son copain supposa qu'il allait déménager avec elle, mais elle le jeta dehors et ce fut la fin de leur relation. »

Angelina décrivit elle-même cet épisode comme « une rupture difficile. Cette relation ressemblait à un vrai mariage. Il a beaucoup pleuré et ç'a été un drame intense dont j'aurais bien pu me passer. »

Personne ne sait si Marcheline fut soulagée de se débarrasser de sa fille indisciplinée ; ce qui est certain, c'est que ses voisins furent enchantés. L'un d'eux se souvient d'une nuit où il avait fallu appeler la police tôt le matin à cause de la musique trop forte : « Mon Dieu, ils auraient réveillé les morts, ils dansaient, hurlaient, jouaient de la musique. J'ai béni le jour où elle a déménagé. »

Avec du recul, Angelina réalise à quel point elle se complaisait dans sa vie quand elle était adolescente, se souciant de problèmes qui n'avaient pas grande importance quand on fait la part des choses. En parlant de ces années, l'actrice déclara : « Le médecin devait probablement parler en permanence de mon père, de ma mère, alors que je prenais des acides et que mes vêtements cachaient des traces d'automutilation. Aujourd'hui, je pense que si à 14 ans quelqu'un m'avait prise et lâchée au beau milieu de l'Asie ou de l'Afrique, je me serais rendu compte à quel point j'étais égocentrique, j'aurais réalisé qu'il y a des combats qui valent réellement la peine, contre la douleur ou la mort par exemple. Je ne me serais pas autant battue contre moi-même. »

CHAPITRE - II
ANGELINA FAIT SON CINÉMA

Si Angelina se destinait initialement aux pompes funèbres, il était clair depuis toujours, alors qu'elle organisait des spectacles pour son frère, que c'est le sang d'une actrice qui coulait dans ses veines. Elle refuse pour autant l'admettre. Dans une interview pour *People Weekly* en 2004, elle déclara : « Enfant, je ne m'intéressais pas du tout au cinéma. Il [James] m'y emmenait de force. Jamie a toujours adoré les films. C'est lui qui aurait dû travailler dans ce milieu en premier. »

James affirme pourtant le contraire et insiste dans la même interview sur le fait que sa petite sœur était la plus théâtrale des deux, particulièrement lorsqu'il la mettait devant sa caméra. « Je lui demandais de jouer la comédie pour moi. On a repris une publicité pour Subway, dans laquelle elle disait un truc du style : "Si vous n'achetez pas de sandwich, je vous casse la gueule." »

Ce sont certes de bien vilains mots dans la bouche d'une toute petite fille, mais Angelina serait la première à reconnaître qu'elle était beaucoup plus dure que son frère. « On est presque diamétralement opposés. Il ne jure jamais. Je jure comme un charretier quand je suis en colère. Si vous cherchez quelqu'un qui a de grandes qualités morales, c'est à lui qu'il faut s'adresser. Si en revanche vous cherchez quelqu'un de bruyant, grossier et dur, je suis celle qu'il vous faut. »

Les parents d'Angelina encourageaient volontiers les aspirations de leur fille pour le cinéma. « Je me souviens de Jamie en train de me filmer avec la caméra de la maison en me disant : "Vas-y, Angelina, fais-nous un spectacle !" Ni papa, ni maman ne nous ont jamais dit : "Taisez-vous ! Faites moins de bruit !" Je me souviens [que papa] me regardait dans les yeux et me demandait : "Qu'est-ce que tu penses, là tout de suite ? Qu'est-ce que tu ressens ?" » N'étant pas du genre à s'exprimer simplement, Angelina expliqua son intérêt pour le théâtre en termes cryptés : « Je ne savais pas exactement ce que je voulais faire, mais je savais que je pouvais le savoir. J'aimais tout ce qui permettait de s'exprimer. Je voulais tellement essayer d'expliquer des choses à quelqu'un… Je suis très bonne pour essayer d'explorer diverses émotions, pour écouter les gens et de ressentir des choses. Je crois que c'est cela, être acteur. »

Elle ne savait peut-être pas ce qu'elle voulait faire, mais pour son père il était inévitable qu'elle finirait devant une caméra. « Lorsque je regarde en arrière, des signes ont très tôt montré qu'elle serait actrice », dit-il. « Elle parvenait à créer un événement autour de tout et n'importe quoi. Elle était toujours très occupée, très créative, très dramatique. »

Lorsque Marcheline et ses enfants retournèrent s'installer à Los Angeles, il sembla naturel à Angelina (alors âgée de 11 ans) d'intégrer le Lee Strasberg Theatre Institute, comme sa mère des années auparavant. Lee Strasberg était un acteur, réalisateur, producteur et professeur de théâtre qui avait créé sa propre école à Los Angeles en 1969. Parmi les grands noms d'Hollywood qui bénéficièrent de son enseignement, on compte James Dean, Robert De Niro, Steve McQueen, Jane Fonda, Al Pacino ou encore Paul Newman. Marilyn Monroe y avait également étudié : elle était la préférée de Lee Strasberg et avait même habité avec sa famille et lui durant quelque temps. Le maître et l'élève étaient si proches que lorsque Marilyn Monroe mourut, elle laissa à son ami le contrôle entier de soixante-quinze pour cent de sa fortune. Lee Strasberg était un fervent défenseur de la Méthode, une technique de jeu qui amène les acteurs à puiser dans leurs souvenirs, leurs expériences et leurs émotions et à s'en servir pour aboutir à une interprétation réaliste. C'est peut-être pour cette raison qu'Angelina abandonna l'école après deux ans de formation et plusieurs apparitions sur scène lors de diverses représentations, affirmant qu'elle « n'avait pas suffisamment de souvenirs » pour interpréter ses personnages comme il aurait fallu le faire. Elle resta néanmoins incontestablement imprégnée des théories de Lee Strasberg – Angelina dirait plus tard, à propos de son métier : « Jouer, ce n'est pas faire semblant ou mentir. C'est trouver la part de soi qui est le personnage et ignorer toutes les autres. Et il y a une part de moi qui se demande ce qu'il y a de mal à être complètement honnête. »

Après avoir quitté le Lee Strasberg Theatre Institute, Angelina entra au lycée de Beverly Hills High et en ressortit à 16 ans avec son baccalauréat en poche. C'est à ce moment-là qu'elle laissa tomber son copain punk-rockeur et emménagea dans son nouvel appartement. C'est également à peu près à cette période que, pour poursuivre sa formation d'actrice, elle alla chercher de l'aide auprès d'une personne plus proche d'elle : son père. L'acteur récompensé d'un oscar entreprit donc de lui donner des cours de théâtre. Jon raconte : « Elle venait chez moi, on parcourait ensemble une pièce de théâtre et on en jouait plusieurs scènes. J'ai vu qu'elle avait un véritable talent. Elle adorait jouer la comédie. Alors j'ai fait de mon mieux pour l'encourager, la guider et lui donner mes meilleurs conseils. À un moment, on étudiait une nouvelle pièce tous les dimanches. » Jon ne s'est pourtant jamais attribué le succès de sa fille. « J'ai fait ce que j'ai pu pour lui apporter mon aide en termes de technique de jeu, mais elle s'est fait connaître et a construit sa carrière toute seule. Ç'a été le fruit de son travail, et maintenant mon rôle est de la soutenir autant que ça m'est possible et de lui donner des conseils lorsqu'elle m'en demande. »

Alors que la majorité des acteurs découragent fortement leurs enfants de faire partie du monde du show-business, le défi que peut représenter l'industrie du film pour les jeunes ne perturbait pas Jon outre mesure. Dans une interview en 2003, il déclara : « Les gens me demandent quelquefois si je suis content que mes enfants aient choisi de travailler dans ce milieu. Mais je pense que si les jeunes ont quelque chose au fond d'eux, un objectif, un rêve, une vocation, alors il faut l'accepter et les encourager. J'ai toujours cherché à savoir ce que mes enfants voulaient faire, pour les aider à y arriver. Je ne crois pas qu'on se soit jamais inquiété, parce que toutes les vies ont leurs embûches. »

Au moment de choisir les prénoms de leurs enfants, Marcheline et Jon devaient avoir le pressentiment qu'ils étaient appelés à briller. En effet, si les deuxièmes prénoms d'Angelina et de James (respectivement Jolie et Haven) sont aussi exotiques, c'est parce que leurs parents pensaient qu'ils n'auraient de cette façon pas besoin de chercher un nom de scène au cas où ils voudraient travailler dans le milieu du cinéma. Jon souhaitait également stimuler l'imagination de sa fille : lorsqu'Angelina était enfant, il lui fit croire qu'elle avait du sang iroquois du côté de sa mère, rendant par la même occasion les origines de son ex-femme plus originales. « On a toujours aimé imaginer qu'elle était iroquoise et ça me fait plaisir que les enfants aient rebondi sur cette idée. » Une fois adulte, Angelina continua à revendiquer ses origines iroquoises et elle insista même auprès de la tribu pour qu'ils la laissent suivre le rituel de la « tente à sudation » !

Angelina commenta ainsi la réaction de son père face à son désir de devenir actrice : « Lorsque j'ai décidé de devenir actrice, il ne m'a pas forcée ; il savait que je voulais y parvenir toute seule. J'ai abandonné mon nom [Voight] parce qu'il était alors important que je sois moi-même. Mais ce qui est génial maintenant, c'est qu'on a atteint dans nos conversations un niveau que peu de personnes atteignent avec leurs parents. On peut non seulement parler de notre travail, mais notre travail est intimement lié à nos émotions, nos vies, les jeux qu'on joue, tout ce qui nous passe par la tête. »

Lorsqu'elle eut 16 ans, Angelina se rendit compte qu'elle n'avait plus le physique disgracieux qui la caractérisait quelques années plus tôt et qu'elle pouvait à présent gagner sa vie en tant que mannequin. Elle signa un contrat avec une agence appelée Finesse Model Management et travailla aux États-Unis et en Europe, le plus souvent à New York, Los Angeles et Londres. Elle se fit également de l'argent en figurant dans les clips de plusieurs chanteurs ou groupes, parmi lesquels Meat Loaf (*Rock 'n' Roll Dreams Come Through*), les Rolling Stones (*Anybody Seen My Baby*), Lenny Kravitz (*Stand By My Woman*), Korn (*Did My Time*) et The Lemonheads (*It's About Time*). Toujours aussi proche de son frère James, elle se fit un plaisir de l'aider pour les films qu'il réalisa alors qu'il étudiait à l'USC School of Cinema et joua dans cinq d'entre eux. Elle retourna également au Lee Strasberg Theatre Institute après avoir obtenu son baccalauréat et c'est là qu'elle décrocha dans une pièce de théâtre le premier rôle qui fit parler d'elle.

Lorsqu'Angelina décida d'auditionner pour *Room Service* (une comédie de John Murray et Allen Boretz), elle se dit qu'au lieu d'être conventionnelle et de tenter d'obtenir un rôle féminin, elle allait se lancer un défi et décrocher le rôle d'un personnage masculin charismatique : « Je me suis dit : "Bon, quel est le rôle que j'ai envie de jouer ? Le personnage que je veux, c'est celui de l'Allemand de quarante ans grand et gros." »

Le moins qu'on puisse dire, c'est que Jon fut surpris lorsqu'il alla voir la pièce dans laquelle jouait sa fille. « J'ai été un petit peu choqué de voir [Angelina] se balader sur scène dans la peau de Frau Wagner. Mais ce qui m'a le plus choqué, c'est de réaliser : "Oh mon Dieu, elle est exactement comme moi." Elle acceptera des rôles fous et sera ravie de pouvoir faire rire les gens. »

Étant finalement indépendante financièrement, Angelina déménagea à New York et suivit des cours du soir (avec « cinéma » comme matière principale) à l'Université de New York. Elle arrêta le mannequinat à 18 ans, « parce que je ne supportais pas la pression de devoir toujours essayer d'être plus grande, plus mince et tout et tout », et décrocha son deuxième rôle dans un film. Et contrairement à *Lookin' to Get Out*, elle obtint celui-ci sans l'intervention son père.

C'est d'ailleurs à peu près à cette période qu'Angelina supprima le nom de son père (Voight) du sien, pensant qu'il était « important qu'elle soit elle-même ».

Cyborg 2: Glass Shadow est la suite de *Cyborg*, un film qui avait défrayé la chronique en 1989 par son grand succès au box-office. *Cyborg* lança la carrière de Jean-Claude Van Damme, également connu sous le nom de « Muscles de Bruxelles » qui lui serait donné plus tard. Même si l'acteur baraqué était relativement peu connu au moment de la sortie de *Cyborg*, il fut certainement pour quelque chose dans le succès du film : en effet, il ne jouait pas dans la suite et *Cyborg 2: Glass Shadow* fut directement produit en vidéo, sans même sortir en salles. L'action se déroule en 2074 ; Angelina joue le rôle de Casella Reese (alias Cash), un cyborg (une personne dirigée par un appareil mécanique ou électronique) spécialement conçu pour jouer de son pouvoir de séduction afin d'infiltrer les quartiers généraux d'une compagnie concurrente et d'y exploser. Toutefois, le plan ne se déroule pas comme prévu : Casella tombe amoureuse d'un être humain, Colson Ricks, et le couple parvient à s'en sortir grâce à l'aide d'un cyborg mercenaire.

En termes de support artistique, *Cyborg 2: Glass Shadow* n'était pas le choix le plus judicieux de la part de l'ambitieuse Angelina pour révéler au monde ses talents d'actrice, et malheureusement on ne s'en souvient que parce qu'elle y montre sa poitrine. L'échec du film laissa la jeune femme désillusionnée vis-à-vis de son métier et il la plongea dans une dépression si grave qu'elle en vint même à penser au suicide. « Je ne savais pas si je voulais vivre parce que je ne savais pas pourquoi je vivais », se rappelle-t-elle dans une interview en 2001. Angelina reconnaît qu'elle était malheureuse et se sentait très seule lorsqu'elle habitait à New York : « Je n'avais plus aucun ami proche et la ville semblait juste froide, triste, étrange… Tout ce que New York avait de romantique n'était plus que du froid pour moi. »

Des idées suicidaires revinrent donc habiter Angelina. Elle alla même jusqu'à s'asseoir dans une chambre d'hôtel à New York et écrire une note à la femme de ménage lui disant d'appeler la police, afin qu'elle n'ait pas à découvrir le corps elle-même. À la dernière minute, pourtant, Angelina se rendit compte qu'elle ne pouvait pas le faire. « Je ne savais pas si je pouvais m'ouvrir les poignets et me porter le coup fatal », reconnaît-elle.

Alors qu'elle errait dans les rues de New York, elle vit un magnifique kimono qu'elle voulait acheter et réalisa soudainement qu'elle ne pourrait jamais le porter si elle se tuait. C'est quand elle retourna à sa chambre d'hôtel qu'elle se rendit compte qu'elle ne pouvait pas passer à l'acte. « Je me suis allongée là, j'étais plongée dans moi-même, et je me suis dit : "Tu peux très bien aussi vivre à fond, intensément, et t'en foutre, parce qu'après tout si jamais tu veux te tuer, tu pourras le faire n'importe quand." C'est depuis ce jour que je vis ma vie en ayant bien en tête que je peux mourir demain. »

C'est peut-être cette attitude qui la pousse à vivre le moment présent qui conduisit Angelina à son deuxième rôle signifiant dans un film, et, dans le même temps, à sa deuxième véritable relation amoureuse.

CHAPITRE - III
LORSQUE JONNY RENTRE EN SCÈNE

« J'avais 14 ans quand je suis allée à Londres pour la première fois », racontait Angelina il y a quelques années. « Et c'est à ce moment-là que j'ai compris quel était mon problème. Les hommes anglais semblent très réservés, mais en fait ils sont expressifs, pervers et sauvages. C'est avec des hommes anglais que j'ai vécu tous les moments les plus fous de ma vie. »

Quand on sait cela, on se dit qu'il était peut-être inévitable qu'Angelina, alors âgée de 19 ans, tombe amoureuse de l'acteur Jonny Lee Miller sur le tournage de *Hackers*. Réalisé par Iain Softley, ce film suit un groupe de jeunes qui tentent à la fois d'empêcher la propagation d'un dangereux virus informatique et d'échapper aux services secrets américains. Jonny et Angelina jouent deux adolescents mordus d'informatique (Dade Murphy et Kate Libby) qui se voient entraînés dans l'arnaque après avoir accidentellement piraté le système informatique d'un énorme conglomérat. Il s'agissait du premier film de Jonny (il décrocherait un an plus tard le rôle de

Sickboy dans *Trainspotting*, qui reste au jour d'aujourd'hui son rôle le plus connu) et de la première expérience d'Angelina dans un film produit par un grand studio.

Les critiques furent assez déçus par *Hackers* et le film fut ce qu'on pourrait appeler un fiasco, mais Angelina était consciente qu'en tant que femme, elle ne pouvait pas se permettre de refuser des rôles aussi tôt dans sa carrière. « Papa reste fidèle à sa philosophie selon laquelle tous les films dans lesquels il tourne doivent porter un message positif, ou alors il ne les fait pas », dit-elle. « Je veux faire pareil, mais il faut être réaliste. Lorsque mon père a commencé, les films étaient moins nombreux et de meilleure qualité. Je ne dois pas être aussi difficile que lui. De nos jours, c'est pas facile d'être une jeune actrice ; tout le monde vous demande de vous déshabiller. »

Au contraire, Angelina fut soulagée par le fait que *Hackers* n'ait pas beaucoup de succès parce qu'il était ainsi moins probable qu'elle soit cantonnée dans le même type de rôle à l'avenir. « J'avais un peu peur qu'on m'associe au film s'il avait vraiment eu beaucoup de succès. Entendons-nous bien, j'ai vraiment aimé travailler avec Iain, mais je ne veux pas être enfermée dans ce personnage pour toujours. »

Si on se souvient de *Hackers*, c'est plus parce qu'il permit à Angelina de rencontrer son premier mari : Jonny et Angelina tombèrent amoureux, à l'image de leurs personnages Dade et Kate à l'écran.

L'attraction réciproque entre les deux jeunes acteurs fut évidente dès qu'ils posèrent les yeux l'un sur l'autre. Et Angelina, célibataire depuis sa rupture avec son petit copain punk trois ans auparavant, était plus que prête à laisser un autre homme entrer dans sa vie. Elle commenta ainsi sa rencontre avec Jonny : « On s'est rencontré sur le tournage de *Hackers* et je tombe toujours amoureuse quand je travaille sur un film. C'est tellement intense d'être happé dans l'univers d'un film ! C'est comme découvrir qu'on a une maladie incurable qui ne nous laisse que peu de temps à vivre. Donc on vit et on aime deux fois plus intensément. »

En disant cela, Angelina était loin de se douter à quel point cette remarque allait se révéler pertinente dans ses futures relations amoureuses.

Les jeunes acteurs de *Hackers* passèrent de nombreuses semaines ensemble à préparer le film, notamment en apprenant l'informatique (même si Jonny avoua qu'il se serait donné « moins de trois » sur dix en informatique, même à la fin du tournage) et c'est ce moment privilégié qui permit au deux jeunes acteurs en tête d'affiche de tomber amoureux l'un de l'autre.

« Pendant trois semaines, on a appris à taper à l'ordinateur et à faire du roller », raconte Angelina, « et on a passé du temps avec toute l'équipe, c'était un vrai bonheur. La relation entre Jonny et moi reposait en grande partie sur les courses de roller qu'on faisait. On a lu beaucoup de choses sur l'informatique et on a rencontré des pirates informatiques. J'avais pas la moindre idée de ce que je disais dans de nombreuses répliques, mais c'était fascinant. »

Jonny est né en 1972 dans le district londonien de classe moyenne de Kingston-upon-Thames (Surrey). Tourner à New York (où se déroule l'action de *Hackers*) lui ouvrit les yeux. Pour lui, l'expérience avait été « géniale ». « Tourner à trois heures du matin sous le pont de Brooklyn... C'est quelque chose qu'on fait pas tous les jours quand on vient de Kingston. » Il plaisanta également sur le fait qu'il y avait plus désagréable que d'interpréter un personnage dont Angelina est amoureuse : « Ouais, c'était terrible. Il faut vraiment se pincer pour y croire ! »

Tout comme Angelina, Jonny avait du sang d'acteur dans les veines et il sut dès l'âge de sept ans qu'il voulait travailler dans le monde du cinéma. S'il avait besoin de demander conseil à quelqu'un dans ce domaine, le jeune Jonny n'avait que l'embarras du choix : son arrière-grand-père (Edmund James Lee) était artiste de music-hall, son grand-père (Bernard Lee) avait joué M dans les quelque dix premiers James Bond et son père (Alan Miller) avait été acteur de théâtre avant de devenir régisseur. Parallèlement à sa scolarité à la Tiffin School for Boys, Jonny prit des cours de théâtre au National Youth Music Theatre, et aussitôt après avoir obtenu son GCSE (Certificat général de l'enseignement secondaire) à 17 ans, il arrêta les études pour se lancer dans une carrière d'acteur.

Jonny avait 22 ans lorsqu'il décrocha le rôle de Dave dans *Hackers* et il n'avait jusqu'alors jamais rencontré quelqu'un arrivant de près ou de loin à la cheville d'Angelina. Il fut époustouflé tant par sa beauté que par son talent : « Elle est intelligente. Elle a résisté aux trucs qu'on propose habituellement à une actrice jeune et belle... Je suis convaincu qu'elle va cartonner. Je l'espère à fond, elle le mérite. »

Bien que les deux acteurs aient été de natures radicalement opposées (elle était franche et râleuse, il était timide et introverti), leur amour était bien réel et le couple s'enfuit à Los Angeles pour se marier en mars 1996, six mois après la sortie de *Hackers*. Ce qui ne veut pas dire que Jonny n'eut aucun mal à séduire Angelina. Il a depuis reconnu qu'il l'avait poursuivie dans le monde entier. « Je l'ai traquée dans toute l'Amérique du Nord avant qu'elle ne succombe. Ça a pris du temps... et plusieurs milliers de kilomètres. »

Il dut également gérer un autre problème : après être tombé amoureux d'elle sur le tournage de *Hackers*, Angelina lui avait dit que ça la rendait triste d'être si profondément attachée à quelqu'un et qu'il devrait l'oublier lorsque le tournage serait fini. Mais c'était plus facile à dire qu'à faire, et Jonny, imperturbable, continua de la contacter sans tenir compte du fait qu'elle tentait de le repousser.

Angelina tourna ensuite dans *Mojave Moon*. Dans ce road movie, elle joue le rôle d'Ellie, une jeune fille qui se fait prendre en stop par un homme plus âgé (Al McCord, joué par Danny Aiello) pour rejoindre sa mère Julie (Anne Archer) qui vit dans le désert des Mojaves. Angelina réalisa une bonne prestation en jouant la jeune Ellie qui tombe follement amoureuse d'Al au cours du trajet, mais le film ne souleva pas vraiment l'enthousiasme des foules et fut une fois encore instantanément oublié. Avant de tourner dans *Foxfire* (où elle allait à nouveau tomber amoureuse de l'un de ses partenaires), elle fit deux autres films dont on entendit très peu parler : *Without Evidence*, un thriller dans lequel elle joue une junkie (Jodie Swearingen) et *Love Is All There Is*, une version moderne de *Roméo et Juliette* où elle joue le rôle romantique de Gina Malacici. En termes d'impact, au moins sur un plan personnel, *Foxfire* fut donc le film le plus important qu'Angelina fit après *Hackers*. Si Jonny et elle continuaient à être en contact, ils n'étaient pas « engagés » l'un envers l'autre dans le sens d'une relation amoureuse, ce qui était probablement mieux étant donné qu'Angelina tomba amoureuse de quelqu'un d'autre. Et cette fois-ci, il s'agissait d'une femme.

Foxfire raconte l'histoire de cinq adolescentes qui tissent un lien improbable après avoir passé à tabac un de leurs professeurs qui les avait harcelées sexuellement. Tout comme elle s'était rapprochée de Jonny sur le tournage de *Hackers*, Angelina devint très proche de Jenny Shimizu, une top-modèle nippo-américaine reconvertie en actrice, qui est plus connue pour ses apparitions dans les publicités du parfum CK One de Calvin Klein. À propos de sa rencontre avec Jenny, Angelina déclara : « Je suis tombée amoureuse d'elle à la seconde où je l'ai vue. J'avais envie de l'embrasser, de la toucher. J'ai remarqué son pull, et la façon dont son pantalon tombait parfaitement et je me suis dit : "Mon Dieu !" J'avais des pulsions sexuelles incroyablement puissantes. Je me suis rendu compte que je la regardais exactement comme j'aurais regardé un homme. Je ne m'étais jamais dit que j'aurais un jour une expérience homosexuelle. Mais il se trouve que je suis tombée amoureuse d'une femme. »

Angelina fit la même impression sur Jenny, qui décrivit leur relation comme étant plus émotionnelle que sexuelle dans les premiers temps. « Durant les pauses sur le tournage de *Foxfire*, j'ai pu m'asseoir avec cette personne [Angelina], passer du temps, discuter avec elle et apprendre à la connaître avant que quoi que ce soit ne devienne sexuel. D'ailleurs, j'ai senti que mon attachement à Angelina dépassait la relation purement physique. Et je n'avais pas l'impression que c'était une hétéro que j'allais mettre dans mon lit et qui allait flipper en se réveillant le lendemain matin. De toute façon, on avait construit une relation si belle que je savais que quelle que soit sa réaction, il n'y aurait pas de problèmes entre nous. Je savais que cette personne serait loyale et merveilleuse avec moi. »

Les deux filles ne passèrent pas seulement du temps ensemble pendant le tournage, elles sortirent aussi toutes les deux quand il fut achevé. « On allait ensemble dans des clubs de strip-tease », raconte Jenny, « et il y avait cette tension entre nous. On s'est embrassé au bout de deux semaines de tournage. Elle est belle. Sa bouche est extraordinaire. Je n'ai jamais embrassé quelqu'un ayant une bouche plus pulpeuse que celle d'Angelina. C'est une femme magnifique. »

Le seul point noir dans l'histoire entre les deux actrices était la présence de Jonny dans la vie d'Angelina, et si les hommes fantasment souvent sur les relations sexuelles entre femmes, la nouvelle histoire d'Angelina ne l'excitait pas le moins du monde. Jenny déclara à propos du triangle amoureux : « On couchait déjà ensemble quand j'ai rencontré Jonny sur le tournage de *Foxfire*. Elle nous a dit à tous les deux ce qu'elle ressentait et on est allé dîner tous ensemble un soir. Elle a été honnête – elle l'a été toute sa vie. »

Étant une personne ouvertement sexuelle et qui n'a pas peur de repousser les limites, il n'aurait pas été surprenant qu'Angelina suggère à ses deux partenaires de former un trio avec elle, mais selon Jenny il n'en a jamais été question. « On n'a pas fait l'amour à trois », dit-elle. « C'est pas trop mon truc, on était juste amis tous les trois. Mais Jonny et moi n'avions pas grand-chose à nous raconter. Je pense qu'il se sentait très menacé par moi. »

Et qui pourrait lui en vouloir ? Il était profondément amoureux d'Angelina et, l'ayant suivie à l'autre bout du monde, il voulait se fiancer avec elle et non l'entendre dire qu'elle était amoureuse d'une femme. Le sixième sens de Jenny ne l'avait pas trompée et Jonny a depuis reconnu que sa tendance à être jaloux dans une relation était l'un de ses traits de caractère les plus détestables. « J'ai appris que la jalousie doit être évitée à tout prix. Je suis quelqu'un de terriblement jaloux, mais maintenant je me suis calmé », déclara-t-il après avoir divorcé d'Angelina.

À cette époque, la réputation de princesse sado-maso d'Angelina n'était plus à refaire et Jenny n'échappa pas à sa fascination pour les couteaux. « Ça veut pas dire qu'on portait des capes de cuir et des masques ou qu'on utilisait des chaînes. C'était passionnel. Je la maîtrisais avec mes mains, mais on s'est pas mis à acheter des accessoires. On utilisait les objets qu'on avait sous la main si on en avait envie. Elle collectionnait les couteaux et m'a appris des choses sur eux. » Jenny décrivit également Angelina comme une « personnalité très dominante » : « Une fois qu'elle vous montre de l'amour, elle veut savoir à quel point elle compte pour vous. »

Même si Angelina prétend que son attraction pour Jenny lui est tombée dessus sans qu'elle s'y attende, elle avait reconnu avant de la rencontrer que le fait de travailler comme mannequin l'avait aidée à voir les femmes sous un jour sexuel. « Quand j'ai travaillé dans le monde de la mode il y a quelques années, j'ai partagé une chambre avec une femme. Un jour, je regardais la télévision, j'avais un pantalon noir et un T-shirt. Elle portait un petit string et enduisait son corps de lotion, elle soignait ses ongles et révisait de près l'épilation de ses jambes. J'ai trouvé ça sexy de voir une femme sous cet angle-là. Elle paraissait toute brillante et j'avais envie de la dévorer. La vie vaut la peine d'être vécue rien que pour des moments comme ceux-là. »

Angelina affirma que le fait de désirer des femmes n'avait pas forcément modifié son orientation sexuelle. « Je ne veux pas faire de la provocation et dire que je suis bisexuelle, mais je comprends l'amour qu'une femme peut porter à une autre femme parce je l'ai ressenti. Je crois qu'on aime une personne indépendamment du fait que ce soit un homme ou une femme. J'aime tout : les garçons manqués, les hommes efféminés, les gros, les maigres. Et ça pose un problème quand je me balade dans la rue. »

On peut supposer que ça posait aussi un problème à Jonny, mais les efforts qu'il fit en poursuivant Angelina autour du monde finirent par payer : comme il le souhaitait depuis si longtemps, elle accepta finalement de l'épouser. Jonny décrivit leur mariage comme « très romantique », alors qu'Angelina déclara : « On n'a pas fait un gros mariage tout en blanc, plutôt un petit mariage tout en noir. »

Le mariage d'Angelina et de Jonny fut certainement l'un des plus « décalés » de ceux des stars du show-business : Angelina portait un pantalon de cuir noir et une chemise blanche au dos de laquelle elle avait inscrit le nom de son mari avec son propre sang. « Je trouve que c'est poétique », dit-elle après le mariage. « Certaines personnes écrivent des poèmes, d'autres se coupent un petit peu. Ça avait beaucoup de sens pour moi. »

Si Jonny avait déclaré « avoir une relation avec une Américaine habitant à Los Angeles » et qu'Angelina parlait ouvertement du fait qu'ils avaient partagé un appartement durant toute la durée du tournage de *Hackers*, le couple avait d'abord essayé d'être aussi discret que possible. Cela changea du tout au tout après leur mariage et, dans le style candide qu'on lui connaît, Angelina parla sans complexe aux journalistes de sa vie avec Jonny. À propos de leur mariage précipité, elle déclara : « On partage cette vision de la vie qui nous pousse à vivre le moment présent, sans penser au lendemain. Même si on divorce, j'aurai été mariée à quelqu'un que j'aurai réellement aimé et je saurai ce que ça fait d'être une épouse pendant quelques années. Le mariage, ce n'est rien de plus qu'une signature en bas d'une feuille de papier qui vous engage envers quelqu'un pour toujours. »

Il suffit de lire ces quelques lignes pour comprendre qu'Angelina voyait certainement davantage le mariage comme une expérience que comme un engagement qui durerait toute la vie, et c'est finalement son manque d'investissement qui allait mettre un terme prématuré à leur union. Elle avait déclaré d'un air assez désinvolte : « J'aurais épousé Jenny si je n'avais pas épousé Jonny. » Jenny dit de sa partenaire : « Je ne crois pas qu'on puisse contrôler Angelina. Elle recherche en permanence quelque chose qui l'excitera. J'arrive pas à imaginer qu'elle puisse être heureuse simplement parce qu'elle est mariée. »

Jonny voyait l'avenir de leur mariage avec un peu plus d'optimisme : « Quand on aime quelqu'un, on a envie d'être avec cette personne. On est un couple porté vers les extrêmes et, en l'occurrence, l'extrême c'est de se marier. Cette relation honnête, qui nous permet de comprendre beaucoup de choses, nous ouvre vraiment des portes intérieures. »

Lorsqu'il parlait de ces « portes » métaphoriques, peut-être Jonny se référait-il entre autres choses à la sexualité très expérimentale à laquelle sa femme et lui se livraient. De manière aussi peu conventionnelle, le couple avait au pied de son lit une cage qui abritait leur animal de compagnie, une couleuvre des blés albinos. « On la gardait dans une cage en verre qu'on avait dans la chambre », raconta Jonny. « On a fini par devoir lui trouver un autre foyer parce qu'on ne pouvait pas lui donner tout l'amour et l'attention dont elle avait besoin. Il faut donner beaucoup d'amour à un serpent, sinon ça devient une vraie saloperie. » Il expliqua également que pour le nourrir, ils lui donnaient des souris qu'il tuait de ses propres mains : « Je ne vais pas vous expliquer comment je faisais, parce que sinon je sens qu'on va se bousculer pour déposer des bombes sur mon paillasson ; tout ce que je peux vous dire, c'est que je le faisais très, très vite. »

Jonny, loin d'être intimidé comme auraient pu l'être beaucoup d'hommes par les penchants sado-maso d'Angelina ou son affection pour les serpents, était sans aucun doute le compagnon idéal pour l'actrice. Elle le décrivit une fois comme étant « plutôt sauvage » et commenta à une autre occasion : « Les Anglais sont peut-être inhibés, mais ce sont de bons coups au lit ! » Peu d'actrices hollywoodiennes accepteraient de parler ouvertement de leur vie sexuelle, mais ayant toujours voulu être aussi honnête que possible avec ses fans, la jeune Angelina donna de son plein gré des détails sur ce qu'elle aimait au lit. « Je me suis toujours sentie très indécente. J'ai commencé à avoir un mode de vie sado-maso, et à ce niveau-là il y a beaucoup de gens qui vont beaucoup plus loin que moi. Je devais faire attention parce que je suis une actrice et on peut facilement me reconnaître. Pourtant, ça me fascine. Je me suis toujours dit que si quelqu'un me proposait d'essayer quelque chose, je serais la dernière à refuser. Je tenterais l'expérience. »

Elle parla également de sa fascination pour la domination. « Avant, je pensais que le mieux, c'était de dominer. Puis j'ai réalisé que, des deux partenaires, le véritable esclave est celui qui domine puisque c'est lui qui fait tout le boulot. Il s'épuise pendant que l'autre est allongé et prend son pied. Je me suis dit : "Au bout du compte, j'en profite pas." Du coup j'ai changé d'avis et je pense qu'il faut être à la fois le maître et l'esclave. »

Qu'il ait été son « maître » ou son « esclave », il ne fait aucun doute que Jonny voulait faire de nouvelles expériences, et lors de la promotion de *Dracula* (dans lequel il avait le rôle principal) en 2001, il avoua avoir sucé le sang de son ex-femme et affirma qu'elle « aimait bien ce genre de choses ». Et la réputation qu'Angelina lui fit en disant qu'il était sauvage au lit n'était certainement pas pour lui déplaire : il admit, après leur divorce, que les anecdotes sado-maso qu'elle avait révélées à son propos étaient « bonnes pour [s]on image ».

Angelina était la première relation sérieuse de Jonny sur le long terme, et il était sans l'ombre d'un doute fou amoureux d'elle, mais cela ne l'empêchait pas d'avoir conscience des problèmes qu'ils avaient. « Il y a eu des hauts, des bas, c'était fou. Ça a beaucoup aidé qu'on fasse le même métier : on se comprend l'un l'autre, et on comprend le besoin de l'autre d'avoir son espace. »

Pendant un moment, tout alla pour le mieux entre eux et Jonny emménagea aussitôt après leur mariage dans l'appartement d'Angelina à Los Angeles. Ce fut un changement considérable pour le garçon de Surrey, mais il expliqua que son déménagement était une décision autant professionnelle que personnelle. « J'étais fou d'elle et ça a bien entendu joué [dans le fait qu'il déménage], mais je devais aussi ne pas perdre de vue que c'était une super opportunité d'explorer d'autres univers, de m'installer et travailler à Los Angeles avec un objectif. Si je ne l'avais pas fait, je me serais peut-être répété des "et si ?" tout le reste de ma vie. »

Sa relation avec Angelina avait évolué si vite que Jonny ne fit la connaissance de son beau-père qu'après le mariage et, de manière compréhensible, il appréhendait sa première rencontre avec Jon Voight. « Ça m'a fait vraiment bizarre de dire "Bonjour, je suis votre gendre" à Jon Voight. Mais Jon est un homme bien et il reste un être humain comme vous et moi. » Concernant la réaction de ses propres parents face à son mariage extravagant, Jonny déclara : « Ben, ils ont un album photos du mariage. C'était pas aussi effroyable que ça en a l'air. Je crois que [les gens] imaginent une sorte de cérémonie satanique. C'était pas du tout comme ça. »

Malheureusement, c'est ce besoin « d'espace » dont nous parlions précédemment qui finit par affecter leur relation et Angelina reconnut qu'elle n'était pas capable d'accorder à son mari le temps et l'attention qu'il méritait. « C'est juste que je n'étais pas une épouse. Je crois qu'on avait vraiment besoin de grandir et on parlait toujours de se remarier. Mais il a vraiment dû supporter beaucoup de choses. Ma carrière passe en premier. Et j'ai l'impression de rencontrer beaucoup d'hommes qui prétendent être pareils, mais pour une raison ou pour une autre, ça ne se passe jamais comme ça. »

On peut en déduire que, contrairement à sa femme, Jonny voulait faire passer leur relation avant sa carrière. Angelina serait la première à reconnaître que son désir insatiable d'indépendance pourrait fort bien être une conséquence directe du divorce de ses parents. « Je ne sais pas si mon enfance a été pire qu'une autre, mais c'est triste et perturbant de voir que l'un de ses parents ne respecte pas l'autre. Ça a probablement beaucoup joué sur le fait que je ne veuille dépendre de personne. J'ai grandi avec le sentiment que je ne laisserais personne m'enlever ce que j'ai, et donc à 14 ans je travaillais déjà [en tant que mannequin]. Je ne voulais demander de l'aide à personne, et ça s'est retrouvé dans mes propres mariages. »

Angelina avait beau aimer Jonny profondément, elle était incapable de se donner entièrement : malheureusement pour lui, il l'avait rencontrée à un moment où sa carrière passait avant tout. « Je ne suis pas suffisamment présente dans mes relations, tant physiquement qu'émotionnellement, pour qu'elles deviennent sérieuses. Et c'est injuste pour l'autre personne que je porte autant d'attention à ma carrière et que je sois souvent distante, même quand je suis avec quelqu'un. »

Si Angelina et Jonny continuèrent pendant quelque temps à habiter ensemble, ils étaient à mille lieues l'un de l'autre sur le plan émotionnel. Angelina décrivit ainsi leur relation : « On vivait l'un à côté de l'autre, mais on menait deux vies différentes. Je voulais plus pour lui que ce que j'étais en mesure de lui donner. Il mérite mieux que ce que je suis prête à lui donner à ce moment de ma vie, mais il y a de grandes chances qu'on se remarie un jour. »

Le destin du couple fut finalement scellé lorsqu'Angelina, lassée de vivre à Los Angeles, voulut déménager à New York. À ce moment-là, Jonny avait le mal du pays et s'il devait déménager quelque part, ça serait pour rentrer à Londres et non pas pour aller à New York, une ville qu'il jugeait « trop oppressante » pour lui. « Je sais que ça semble fou, mais plein de petites choses me manquaient, comme le journal télévisé de neuf heures, les bus rouges, les odeurs typiques de l'Angleterre, notre musique rock, l'émission de foot *Match of the Day*. Au lieu de ça, Angie voulait déménager à New York. J'avais pas envie de devoir recommencer à zéro dans une autre ville encore une fois, alors je suis rentré et j'ai emménagé dans un appartement à Londres. »

Au début, les époux allaient se rendre visite, mais Angelina reconnut que la distance avait creusé un fossé encore plus large entre eux et elle en vint à ressentir qu'il n'était pas naturel pour elle d'aller le voir chez lui à Londres. « Ce n'est pas ma maison, même s'il veut que je m'y sente comme chez moi. Ça ne me semble pas naturel d'aller le rejoindre sous la douche sans le prévenir ou de me promener nue dans l'appartement. »

Le couple prit la décision inévitable de se séparer, mais (et c'est assez remarquable) ils n'avaient que des commentaires positifs à faire l'un sur l'autre après leur rupture. Angelina décrivit leur mariage comme une « bonne expérience », disant que ça avait « enrichi leur vie à tous les deux » mais qu'elle « savait que ça ne durerait pas pour l'éternité ». Elle souligna également qu'en dépit de leurs problèmes, leur relation n'avait pas été destructrice. « Jonny et moi, on ne s'est jamais disputé et on s'est jamais fait de mal. Je voulais vraiment être sa femme. Je voulais vraiment m'engager avec lui. »

Jonny fut sans aucun doute celui des deux qui souffrit le plus de leur rupture, même s'il ne garda aucune rancune contre son ex-femme (ou s'il le fit, il n'en parla jamais en public). Quelque temps après, il déclara dans une interview : « Je pense que l'amour existe, même si on ne sait jamais combien de temps ça va durer. C'est rare que ça dure toujours. » Après le divorce, on lui demanda s'il croyait encore au coup de foudre, ce à quoi il répondit : « Wouu-ouh. Ben, je crois à quelque chose qui se passe au premier regard. Mais l'amour se fonde sur la confiance. Et ça, on peut pas le savoir au premier regard. » Naturellement, l'acteur souhaitait éviter d'attirer l'attention sur ses sentiments, et quand on lui demanda si quelqu'un lui avait déjà brisé le cœur, il répondit : « Ouais, ça m'est déjà arrivé. Mais je peux pas vous en parler, sinon vous sauriez de qui il s'agit. » Il affirma aussi, à propos du mariage, qu'il ne se « précipiterait pas pour recommencer ».

Ils n'étaient peut-être pas faits pour être mariés, mais Jonny et Angelina avaient incontestablement beaucoup d'amour l'un pour l'autre et, même s'il en souffrit, Jonny ne considéra jamais leur mariage comme une erreur. « Je n'ai aucun regret. Notre mariage n'a pas marché, et je devais prendre une décision tôt ou tard. J'ai décidé de le faire le plus tôt possible. Nous sommes restés en très bons termes. D'ailleurs, on s'est rendu compte que notre nouvelle relation nous convient bien à tous les deux... Une des principales raisons pour lesquelles ça s'est fini, c'est que j'en ai eu marre d'Hollywood. Je m'y suis plu au début, mais j'ai réalisé que c'est en Grande-Bretagne que je me sens bien, professionnellement comme personnellement. Nous sommes de très bons amis. On se parle tout le temps. C'est pas noir ou blanc. »

Et à toutes les mauvaises langues qui disaient dès le début que ça ne marcherait pas entre eux, il répondait : « Les gens trouvaient ça bizarre et extraordinaire qu'on soit ensemble. Pas moi. Angelina reflète l'image d'une femme fatale sauvage et folle, mais c'est faux. C'est une personne très bien, très généreuse. Une fille qui a le cœur sur la main. Elle dit seulement ce qu'elle ressent. Elle ne fait pas plus de bêtises que vous et moi... ou d'accord, peut-être un peu plus. »

Avec Angelina à New York et Jonny de retour à Londres, leur mariage prit officiellement fin. Personne ne le regretta plus qu'Angelina, qui reconnut quelques années plus tard : « Me séparer de Jonny a probablement été la chose la plus stupide que j'aie jamais faite, mais j'essaye de ne pas trop y penser. J'ai eu tellement de chance de rencontrer cet homme formidable, que je voulais épouser. Ça a juste été un mauvais timing. Je crois qu'on ne pourrait pas rêver de meilleur mari que lui. Je l'aimerai toujours, mais on était trop jeunes. »

CHAPITRE - IV
ANGELINA FAIT SES PREUVES

A près *Foxfire*, Angelina perdit toutes ses illusions sur le monde du cinéma et elle pensa sérieusement à laisser tomber. Aucun de ses films n'avait été un véritable succès commercial et elle était jusque-là passée largement inaperçue aux yeux des critiques, même si beaucoup d'entre eux avaient souligné le potentiel de la jeune actrice. Cette situation changea radicalement quand elle décrocha un rôle dans deux téléfilms qui allaient finalement lui apporter la reconnaissance qu'elle méritait et dont elle avait terriblement envie.

Le premier était *George Wallace*, avec Gary Sinise dans le rôle principal du tristement célèbre gouverneur d'Alabama. Angelina jouait Cornelia, la deuxième femme de George Wallace, et sa superbe prestation lui valut le Golden Globe de la meilleure actrice dans un second rôle dans une série, une mini-série ou un téléfilm. Angelina remercia le réalisateur George Frankenheimer pour avoir été « exceptionnel » et lui fit plus tard le plus beau compliment qui soit en disant que c'était lui, ainsi que l'équipe du film, qui lui avait redonné foi dans le métier d'actrice. « *George Wallace* fut le premier film que j'ai fait en pensant que leurs idées étaient meilleures que les miennes », dit-elle. Dans un discours semblable à celui qu'elle fit quelques années plus tard quand on lui remit son oscar pour *Une vie volée*, elle parla également de sa famille. Dans un flot de paroles, Angelina s'exprima ainsi : « Maman, arrête de pleurer, arrête de crier. Ça va, Jamie, mon frère, mon meilleur ami, je pourrais rien faire sans toi. Je t'aime tellement. Papa, où es-tu ? Salut ! Je t'aime. Merci beaucoup. Merci. »

Le deuxième téléfilm qui lui assurerait une place à Hollywood était *Gia*, un film biographique d'HBO qui raconte la vie d'une top-modèle toxicomane, Gia Marie Carangi, et dans lequel elle jouait le rôle principal. Née le 29 janvier 1960 à Philadelphie, Gia était un mannequin populaire de la fin des années 70 et du début des années 80, et l'histoire de sa vie est à la fois celle d'un immense succès et d'une terrible tragédie. Propulsée sous les feux des projecteurs à seulement 18 ans, l'ascension fulgurante de la jeune top-modèle dans le monde de la mode s'avéra trop lourde à porter, et peu après s'être installée dans une vie ponctuée des fêtes caractéristiques de ce milieu à New York, elle devint dépendante de la cocaïne. Gia, qui avait des origines italiennes, galloises et irlandaises, faisait fureur auprès des photographes, d'autant que le succès de Janice Dickinson avait suscité un engouement pour les mannequins aux traits exotiques. Janice et Gia étaient des habituées du Studio 54, la légendaire discothèque new-yorkaise, et Janice dirait plus tard de cette période : « On adorait cette boîte. C'était vraiment un endroit pour nous, un endroit où on pouvait être avec les gens beaux, où on pouvait se droguer, se lâcher, sans que ça paraisse anormal. »

Malheureusement, la consommation de drogue de Gia dépassa de beaucoup la « normale » et en 1980, elle se présentait aux séances photos dans un état déplorable : elle s'esquivait pour aller s'injecter ses doses d'héroïne, avait de violentes crises de colère et elle s'endormit même plusieurs fois devant l'objectif du photographe. En 1981, ayant perdu les bonnes grâces du monde de la mode, elle rentra en cure de désintoxication. Les relations amoureuses les plus importantes de Gia étaient avec des femmes et à ce moment-là, elle sortait avec une étudiante du nom d'Elyssa Stewart (qui se faisait appeler Rochelle). Elyssa avait elle aussi des problèmes de drogue, ce qui n'aida pas Gia à se rétablir, mais le coup de grâce lui fut asséné par le décès, dans un accident de voiture, de Chris von Wangenheim, un photographe de mode de qui elle avait été très proche.

Gia fit sa dernière couverture en 1982 pour le magazine *Cosmopolitan* : la photo la montre les bras cachés derrière le dos pour dissimuler les cicatrices laissées par les piqures d'héroïne. Ses heures de gloire étaient derrière elle et son cher ami Francesco Scavullo, le photographe qui prit ce cliché, déclara que « la merveilleuse âme qui l'habitait s'était éteinte ». En 1983, Gia avait commencé à se prostituer (elle fut d'ailleurs violée plusieurs fois) et elle apprit un an plus tard qu'elle avait le sida, une maladie qu'on venait à l'époque tout juste de découvrir. C'est le sida qui eut finalement raison de sa vie et elle mourut le 18 novembre 1986 à l'âge de 26 ans. Si personne du milieu de la mode n'assista à ses obsèques à Philadelphie (sa mère l'avait fait transférer au Hanhemann University Hospital de Philadelphie dans les derniers mois de sa vie), tous ceux qui avaient travaillé avec elle portèrent le deuil de cette magnifique jeune fille qui avait un jour eu le monde de la mode à ses pieds.

Angelina, qui n'est pas du genre à faire les choses à moitié, allait être consumée par le rôle de Gia. Elle fut dans un premier temps réticente à jouer une femme si déséquilibrée et si complexe (elle refusa le rôle à quatre reprises), mais après avoir accepté, elle ne pouvait plus faire marche arrière et son investissement dans le téléfilm allait même être préjudiciable à son mariage. Angelina déclara : « Gia et moi avons beaucoup de points communs et j'ai pensé que ça allait soit me débarrasser de mes démons, soit me faire beaucoup de mal. »

L'immersion d'Angelina dans la vie de la top-modèle n'arrangea pas sa relation déjà mouvementée avec Jonny et pendant la durée du tournage, elle refusa même toute communication avec lui. Elle lui dit un jour : « Je suis seule ; je me meurs ; je suis lesbienne ; on ne se verra pas pendant plusieurs semaines. » Si Jonny était incontestablement admiratif de l'implication d'Angelina dans son métier, il avait aussi conscience de ne pas être ce qui importait le plus dans la vie de sa femme, et Angelina admet elle-même que c'est l'une des raisons qui expliquent l'échec de leur relation. D'ailleurs, pendant toute la durée du tournage, Angelina se coupa du monde, préférant « ne rien faire, ne pas avoir d'amis, ne pas sortir ».

Si le rôle de Gia était de loin le plus difficile de tous ceux qu'Angelina avait dû jouer jusqu'alors, les deux femmes avaient néanmoins beaucoup de choses en commun et il est évident que l'actrice s'inspira énormément de ses propres expériences pour interpréter la top-modèle. L'une comme l'autre, elles s'étaient senties rejetées dans leur enfance, avaient exploré leur sexualité, avaient été mannequins et avaient souffert de ce milieu où tout peut changer du jour au lendemain ; mais plus important que tout, les deux femmes avaient laissé la drogue jouer un rôle dans leur vie. L'expérience qu'Angelina avait de la drogue n'était ni aussi sérieuse, ni aussi problématique que l'addiction de Gia, mais ça l'a certainement aidée à comprendre cet aspect de la personnalité de la top-modèle. Cela dit, Angelina ne portait pas spécialement dans son cœur ce personnage à qui elle consacrait tant d'énergie. Après avoir visionné une interview donnée par Gia en 1983 au cours d'une émission télévisée appelée *20/20*, Angelina aboutit à la conclusion que Gia était fausse et antipathique : « Je la détestais. Elle parlait avec un accent maniéré et se la racontait. »

Angelina avait beau ne pas aimer le mannequin, jouer le rôle de Gia fut sans aucun doute utile pour elle dans le sens où il lui montra une voie dans laquelle elle n'avait pas envie de s'engager. « Gia et moi avions définitivement les mêmes leçons à apprendre. J'avais surtout besoin de comprendre que le physique est plus important que tout, et qu'on n'est ni plus ni moins doué ou intelligent que ce que la personne en face pense de nous. Ça a vraiment été important pour moi de me regarder dans le miroir et de me dire qu'il était hors de question que je sombre comme elle l'avait fait. » Elle était pourtant la première à admettre que Gia et elle avaient de nombreux points communs : « Elle me ressemblait beaucoup, même si la clé chez elle était qu'elle avait besoin d'être aimée. Moi, j'ai besoin d'être comprise. C'est peut-être pareil. C'est quelqu'un de bien qui s'est détruit quand les choses ont commencé à aller mal. »

Angelina avait peut-être été déstabilisée en interprétant Gia, mais Michael Cristofer, le réalisateur du film, était sûr d'avoir fait le bon choix en lui confiant le rôle et il n'avait que des compliments à la bouche quant à l'attitude de l'actrice. « C'est une chasseuse », dit-il. « Je pense qu'on est des lâches, pour la plupart d'entre nous ; on se sent bien dans nos beaux petits mondes, et les artistes sont ceux qui font avancer les choses, les aventuriers, ceux qui s'éloignent du feu de camp pour s'enfoncer dans l'obscurité et qui reviennent ensuite nous faire le récit de leurs aventures. Angelina est l'une de ces personnes. Pour elle, la vie est une aventure. »

Angelina avait toujours eu un regard incroyablement candide sur sa vie ; elle a toujours soutenu qu'il fallait que ses fans connaissent toutes ses failles et ses faiblesses afin de la voir telle qu'elle était, et que ce n'était pas parce qu'elle occupait le devant de la scène que sa vie était parfaite. « Ça serait pas plus utile pour une jeune fille de savoir les choses que j'ai découvertes, les erreurs que j'ai faites, de voir à quel point je suis humaine et à quel point je lui ressemble ? C'est plus intéressant que "Voilà ce qu'elle possède et à quel point sa vie est fabuleuse !" »

Angelina n'a pas tort sur ce point, mais il y a toutefois un sujet sur lequel elle s'est toujours beaucoup moins étendue (vraisemblablement par peur de donner le mauvais exemple) : l'héroïne.

Alors qu'elle parle sans trop de tabous des autres drogues qu'elle a consommées, Angelina est restée très discrète quant à son expérience de l'héroïne, bien qu'elle ait admit qu'elle avait aimé en prendre et qu'à un moment « c'était très important pour elle ». Et s'il y eut bien une chose que Jonny fit pour elle pendant qu'ils étaient ensemble, ce fut de la sortir de l'engrenage dangereux dans lequel elle s'était laissé entraîner. Angelina raconte : « J'ai essayé à peu près toutes les drogues possibles et imaginables. La cocaïne, l'ecstasy, le LSD et ma favorite, l'héroïne. Même si je suis passée par des moments difficiles, Jonny m'a aidée à voir le bout du tunnel. » Toutefois, lorsqu'on lui demanda de parler de son expérience de l'héroïne, elle répondit catégoriquement : « Je ne veux pas rentrer dans les détails. »

L'actrice parle beaucoup plus volontiers des autres drogues et se rappelle comment, de toutes celles qu'elle a prises, c'est le cannabis qui avait l'effet le plus puissant sur elle. « Curieusement, c'était l'herbe qui avait le pire effet sur moi. Je me sentais incontrôlable, ça me rendait stupide et je rigolais bêtement. J'ai aimé le LSD jusqu'à ce que j'aille à Disneyland et que je commence à voir sous le costume de Mickey un homme petit, d'une cinquantaine d'années et qui détestait sa vie. Ça m'a retourné le cerveau et je me suis mise à penser : "Regarde toutes ces fausses fleurs, ces enfants tenus en laisse par leurs parents qui n'ont pas envie d'être là." Ces drogues peuvent être dangereuses. J'ai des amis qui ne sont plus heureux ni intéressants, qui ne vivent que pour la drogue et qui se servent des gens. »

Le fait qu'Angelina prenne de la drogue ne fit bien entendu pas plaisir à son père, et pour son oncle Chip Taylor, c'est à cause de l'esprit rebelle de la jeune fille en pleine crise d'adolescence que la relation entre le père et la fille se dégrada. « Elle avait des problèmes de drogue et ça inquiétait beaucoup Jon, et ensuite il y a eu toutes ces histoires d'automutilation, puis les tatouages... »

Jon avait manifestement du mal à comprendre la plupart des décisions de sa fille quant à son style de vie et c'est un sujet de discorde qui revenait continuellement dans leur relation et qui est encore d'actualité.

Angelina avait peut-être mis toutes ses relations personnelles de côté pour se concentrer sur son rôle dans *Gia*, mais son travail acharné et ses sacrifices finirent par payer, et en 1999 elle gagna deux prix pour son interprétation du personnage tragique : le Golden Globe de la meilleure actrice dans une mini-série ou un téléfilm et le Screen Actors Guild Award de la meilleure actrice dans un téléfilm ou une mini-série.

Après le tournage de *Gia*, Angelina se sentit épuisée et désillusionnée (ce qui est plutôt paradoxal quand on connaît les nombreux éloges que sa prestation allait lui valoir) et décida une nouvelle fois de renoncer au métier d'actrice, déclarant : « J'avais l'impression d'avoir donné tout ce que j'avais et je n'arrivais pas à concevoir qu'il puisse y avoir encore quelque chose en moi. »

Ayant passé des mois dans la peau d'un personnage qui avait un succès professionnel incroyable mais qui n'était pas comblé sur le plan personnel, Angelina était terrifiée à l'idée de finir comme Gia si elle continuait à faire des films sans avoir à côté de cela une vie familiale dont elle pouvait parler. « Après avoir vu à quel point Gia n'était pas épanouie et comment sa vie privée était quasi inexistante, même si d'apparence elle était étincelante, j'ai eu peur que ce rôle me rende célèbre », reconnut Angelina. « Alors je donnais des interviews et je rentrais chez moi toute seule, ne sachant pas si je serais un jour dans une relation ou si je ferais un bon mariage, ou si je serais une bonne mère, ou même… si je serais épanouie en tant que femme. »

Se sentant apathique, sans objectif dans la vie, Angelina sombra dans une autre dépression qui l'amènerait encore une fois à considérer le pire. Mais cette fois, elle n'avait pas l'intention de passer à l'acte elle-même et repoussa les limites du dramatique jusqu'à engager un tueur pour la supprimer.

« Ça va paraître fou, mais à un moment j'ai été sur le point d'engager quelqu'un pour me tuer. L'homme en question m'avait parlé très gentiment, me demandant d'y réfléchir pendant un mois. Et un mois après, des choses avaient changé dans ma vie et je commençais à relever la tête. Le suicide va de pair avec le sentiment de culpabilité de vos proches, qui pensent qu'ils auraient pu faire quelque chose, ce qui n'est pas le cas quand on se fait assassiner. »

Les prix qu'Angelina reçut pour sa prestation dans *Gia* lui avaient redonné la confiance dont elle avait besoin et elle eut enfin l'impression que sa contribution au septième art avait importé. « Quand *Gia* a été diffusé, le film a suscité une réaction chez le public. D'un coup, j'avais l'impression que les gens me comprenaient. Je pensais que ma vie était dénuée de sens, que je ne serais jamais capable de communiquer quoi que ce soit, et que personne ne me comprenait… Et puis j'ai réalisé que je n'étais pas seule. D'une certaine manière, ma vie avait changé. »

Le succès des deux téléfilms dans lesquels elle avait joué un rôle majeur avait construit les bases solides dont elle avait besoin pour lancer sa carrière cinématographique. Son mariage avec Jonny était derrière elle et sa dépression n'était plus qu'un mauvais souvenir : Angelina était prête à passer à autre chose, tant sur un plan professionnel que personnel.

CHAPITRE - V
ET DE FILM EN FILM...

Si Angelina avait repris confiance en elle sur le plan professionnel grâce à ses rôles dans les deux téléfilms chaudement accueillis par le public, elle avait encore du chemin à parcourir avant de devenir une référence dans le circuit hollywoodien, même si elle devait se battre pour obtenir de vrais rôles exigeant d'elle qu'elle fasse bien plus qu'être belle à l'écran. « Je dois faire des pieds et des mains pour rester habillée ou pour ne pas être prise dans des rôles de petites copines », déclara-t-elle dans une interview qu'elle donna avec son père en 1997.

Ironie du sort, à ce moment-là Angelina était en train de tourner *Urban Jungle* où elle jouait Gloria McNeary, la petite amie d'un voleur, et elle venait tout juste de terminer *Le Damné* dans lequel elle interprétait Claire, la femme dont Eugene Sands (David Duchovny) et Raymond Blossom (Timothy Hutton) sont amoureux. *Le Damné* raconte l'histoire d'un chirurgien toxicomane (Eugene Sands) qui rentre en affaires avec un malfrat (Raymond

Blossom) et tombe dans le même temps amoureux de sa petite amie. Le film fut descendu par les critiques, qualifié par l'un d'entre eux « d'expérience pénible » et de « ramassis de conneries ». Malgré ces attaques, Angelina s'était éclatée à faire le film et décrivit l'expérience comme « très rock'n'roll, tripante, terrible. »

Une fois de plus, le film lui serait plus bénéfique d'un point de vue personnel que professionnel et, peu de temps après sa relation avec Jonny, elle tomba encore amoureuse de l'un de ses partenaires à l'écran. Né en Californie en 1960, Timothy Hutton était de 15 ans l'aîné d'Angelina – elle n'avait que 5 ans lorsqu'il remporta l'oscar du meilleur acteur dans un second rôle pour sa prestation dans *Des gens comme les autres*. Entre 1986 et 1990, il avait été marié à l'actrice Debra Winger avec qui il avait eu un fils, Noah. Malgré leur grande différence d'âge, Angelina et Timothy avait tellement de choses en commun qu'ils eurent l'impression d'avoir trouvé leur âme sœur : tout comme Angelina, Timothy venait d'une famille d'acteurs et avait joué dans un film (*Never Too Late*) avec son père Jim Hutton lorsqu'il avait 5 ans. Comme elle, il venait d'une famille brisée et avait beaucoup déménagé après le divorce de ses parents.

L'actrice savoura d'autant plus la compagnie d'un homme plus âgé qu'elle sortait d'une relation qui avait souffert d'un manque de maturité tant de sa part que de celle de Jonny, et elle aima Timothy si profondément qu'elle se fit tatouer la lettre H à l'intérieur de son poignet gauche en signe de son attachement. Angelina affirma plus tard que la lettre H représentait également son frère James Haven, un coup de chance puisque son idylle avec Timothy allait durer moins d'un an. « C'était bien le temps que ça a duré », dit-elle. « C'est un homme charmant et sensible et on se comprenait très bien, mais en fin de compte ça n'a pas marché entre nous. »

Ce tatouage n'était pas le premier qu'Angelina se faisait faire et elle était très intéressée par l'art corporel depuis son adolescence. Malheureusement pour elle, ce passe-temps était encore vu avec suspicion et ne fit qu'accentuer sa réputation malsaine. « Les gens interprètent les choses d'une manière étrange », songea-t-elle. « Pour moi, un tatouage, c'est romantique, mystérieux, tribal. Et de toute façon, je crois vraiment que tout ça n'a été qu'une ruse de ma part pour que les gens se focalisent sur mes tatouages ou mes couteaux, et comme ça [ils] ne sauraient pas vraiment grand-chose sur moi. Et pourtant, tout le monde pense savoir des choses personnelles sur moi. » Elle aime également penser que ses tatouages reflètent sa nature spontanée : « Pour moi, ils représentent le moment présent. Exactement comme quand on saute en parachute. Y en a un, je l'ai fait faire dans un salon de tatouages, en Écosse, seule, en plein milieu de la nuit. Je ne regrette pas de l'avoir fait. Il me rappellera toujours ce moment. »

La lettre H n'est pas le seul tatouage d'Angelina. Sur l'avant-bras gauche, elle a une citation de Tennessee Williams : « *A prayer for the wild at heart, kept in cage* » (« Une prière pour les libres dans l'âme, gardés en cages »). Elle a aussi une croix latine en bas à gauche de son ventre, un grand tigre et un dragon dans le dos, « *Know your rights* » (« Connais tes droits ») entre les omoplates et deux tatouages tribaux noirs dans le bas du dos. Elle a encore « *Strengh of will* » (« La force de la volonté ») écrit en arabe sur son avant-bras droit et « *Quod me nutrit me destruit* » (« Ce qui me nourrit me détruit également » en latin) sous le nombril. Elle se fera tatouer plus tard « Billy Bob » sur le bras gauche, en hommage à son deuxième mari, ainsi qu'une inscription sur son avant-bras droit dont eux seuls connaissent la signification. Après leur séparation, Angelina se fit retirer ces tatouages au laser et tatoua à la place les coordonnées géographiques des endroits d'où sont originaires ses enfants d'adoption Maddox et Zahara. Un des tatouages dont Angelina a le plus parlé est une fenêtre qu'elle s'était fait dessiner dans le bas du dos pour représenter le fait qu'elle cherchait toujours quelque chose de mieux dans la vie. « Je l'ai faite parce qu'à ce moment-là, je regardais toujours par la fenêtre », dit-elle. « Je voulais toujours être ailleurs. Plus maintenant. Maintenant, je suis heureuse. »

De la même manière, Angelina marqua d'une pierre blanche l'adoption de Maddox en se faisant tatouer une longue prière de protection sur l'épaule gauche. Le travail fut réalisé par des moines et c'est l'un de ses tatouages préférés. « Il s'agit de cinq rangées verticales d'un texte ancien cambodgien destiné à éloigner la malchance. Je l'aime beaucoup. Il a l'air très sacré. »

Les tatouages d'Angelina étaient un véritable cauchemar pour les maquilleurs chargés de les couvrir sur les tournages, mais elle appréciait le fait que le nombre de scènes de nu dans lesquelles elle devait tourner était revu à la baisse grâce à eux. Elle avait aussi l'impression que les réalisateurs ne se bornaient plus à lui demander de retirer ses vêtements et qu'ils étaient obligés d'être plus créatifs au moment de concevoir les scènes de nu. Sur le plan professionnel, l'une des préoccupations constantes d'Angelina était d'être engagée uniquement pour son physique : personnaliser son propre corps lui donnait l'impression de reprendre un peu le contrôle et de réduire la probabilité qu'on lui demande de se déshabiller.

À la fin des années 90, Angelina fit une série de films qui n'eurent pas beaucoup de succès. Parmi eux, *La Carte du cœur* s'avéra être le plus important pour Angelina, par le simple fait que son interprétation de Joan, la coureuse de clubs de Los Angeles, lui valut le prix de la meilleure révélation féminine du National Board of Review. Cette comédie romantique dépeint les vies de onze personnes vivant à Los Angeles qui cherchent l'amour, et bien que les personnages n'aient apparemment aucun lien les uns avec les autres, leurs histoires convergent à la fin du film. Angelina, qui jouait le plus jeune des personnages féminins face à Ryan Phillippe (Keenan), était en bonne compagnie dans ce film, entourée entre autres de Patricia Clarkson, Sean Connery, Dennis Quaid et Gena Rowlands. Comme le prouve sa récompense, Angelina se montra à la hauteur de ses partenaires et le film créa la surprise à sa sortie sur les écrans.

Avec *Bone Collector*, Angelina put enfin se plonger dans un vrai rôle et développer un personnage qui serait autre chose que la petite amie de quelqu'un. Il y a bien une histoire d'amour au cœur de ce thriller, mais il s'agit d'un amour tu et non consommé qui se crée peu à peu en toile de fond de l'intrigue principale. Dans ce film, Angelina joue le rôle d'un flic débutant, Amelia Donaghy, qui se lance à contre-cœur dans une enquête sur une affaire de meurtre en compagnie d'un détective tétraplégique, Lincoln Rhyme (Denzel Washington). Ce dernier, confiné dans son lit, ne peut bouger que la tête et l'un de ses doigts, et Amelia devient alors ses yeux et ses jambes pour résoudre le crime. Les personnages développent peu à peu un respect professionnel mutuel et finissent par créer un lien émotionnel profond. « Pour moi, c'est l'histoire d'amour la plus sexy et la plus romantique de tous les films que j'ai faits », dit Angelina. « La vérité écœurante est qu'on peut coucher avec n'importe qui, mais pas avoir ce lien profond, quand quelqu'un vous regarde dans les yeux, voit tout au fond de vous et vous pousse à être ce qu'il y a de plus beau en vous. Denzel jouait un tétraplégique et on ne s'est jamais touchés, mais il m'a regardée droit dans les yeux et je suis sûre que j'aurais été moins effrayée par la perspective de me faire dévorer. »

Si Angelina apprécia la subtilité de l'amour tacite entre Lincoln et Amelia, tout le monde ne fut pas de son avis. Un critique de cinéma que le film n'avait pas impressionné écrivit : « S'il y a un seul mystère qui mériterait d'être résolu dans ce film, c'est pourquoi il peur montrer une femme que l'on torture et un homme qui se fait dévorer le visage par des rats, mais pas un flic noir et infirme embrasser une femme blanche. »

D'autres qualifièrent le film de « stéréotypé, stupide et sanglant » et critiquèrent le scénario qui était selon eux « plus troué qu'un drogué new-yorkais ».

Aussi virulente que fut la critique, elle ne s'attaqua que très peu à Angelina et Denzel dont on disait généralement qu'ils avaient fait de leur mieux compte tenu de la médiocrité du script. Il ne fait aucun doute qu'Angelina a fait tout son possible pour rentrer dans la peau de son personnage. En effet, après avoir rendu visite à de vrais officiers de police pour avoir une idée de ce en quoi consistait leur métier au quotidien, elle ramena chez elle des photos de vrais cadavres, prises sur les lieux du crime, afin de s'habituer à voir des choses aussi effroyables. On ne sait pas dans quelle mesure ce type de démarches aida Angelina à jouer les scènes les plus difficiles du film, mais elle aurait dû se rendre compte, vu l'état de dépression dans lequel elle se trouvait après le tournage de *Gia*, qu'elle appliquait parfois avec un peu trop de zèle les techniques de la Méthode. « J'ai besoin d'apprendre à me détendre et à ne pas trop me préparer, à apprécier la vie », dit-elle. « J'ai remarqué que mes personnages vont au restaurant, s'amusent, font tous ces beaux voyages, et que moi je passe tellement de temps dans leurs vies que je n'ai pas vraiment de vie personnelle. Je devrais en quelque sorte penser à remplir ce petit carnet avec des choses sur moi. »

Phillip Noyce, le réalisateur de *Bone Collector*, salua l'investissement de l'actrice dans le film ; comme beaucoup de ses collègues, il avait vu Angelina dans *Gia* et sentait qu'elle était capable de tout. « Pour *Bone Collector*, on cherchait un type d'actrice très précis », dit-il. « Elle devait être jeune, dans les 25 ans, assez forte pour jouer un flic de New York mais en même temps particulièrement vulnérable. Ce sont toutes ces qualités que j'ai vues dans la prestation d'Angelina jouant *Gia*. »

Plusieurs actrices célèbres étaient prêtes à faire n'importe quoi pour obtenir le rôle d'Amelia, et Phillip Noyce dut vraiment se battre pour qu'Angelina fasse partie de son équipe (il dut notamment se confronter à des questions telles que « Angelina qui ? » en évoquant le nom de la jeune fille à sa hiérarchie). *Bone Collector* fut peut-être considéré comme un navet, mais ça ne fut pas aux dépens des efforts d'Angelina : elle avait prouvé son talent au monde en montrant qu'elle était capable d'être autre chose à l'écran qu'un joli minois. Et si jamais un quelconque doute subsistait, elle allait le dissiper rapidement dans le film qu'elle tournerait juste après et qui serait le plus important de toute sa carrière.

CHAPITRE - VI
UNE VIE VOLÉE

Lorsque Susanna Kaysen écrivit *Une vie volée*, mémoires dans lesquels elle décrit les deux années qu'elle passa en hôpital psychiatrique entre 18 et 20 ans, elle était loin de se douter que son livre deviendrait un jour un film récompensé aux oscars. L'auteur revient dans cet ouvrage sur son expérience au Boston's McLean Psychiatric Hospital, où elle fut internée à sa demande après avoir fait une overdose à la fin des années 60. Ayant elle-même eu des pensées suicidaires, Angelina tomba immédiatement sous le charme du récit de Susanna Kaysen. Le personnage de Lisa Rowe, une autre patiente de l'hôpital, attira particulièrement son attention et Angelina surligna tous les passages où il en était question, parce qu'elle « l'aimait et s'identifiait à elle ». Le personnage troublé et rebelle de la jeune sociopathe parlait à Angelina, et lorsqu'elle apprit que le livre allait être adapté au cinéma, elle supplia littéralement les producteurs de lui attribuer le rôle de Lisa.

Tout comme Angelina, Winona Ryder avait été très touchée par le récit de Susanna Kaysen lorsqu'elle avait lu son livre à l'âge de 21 ans ; déterminée à l'adapter au cinéma, elle voulut en acquérir les droits mais découvrit qu'un producteur (Doug Wick) avait eu l'idée avant elle. Winona le contacta immédiatement et fut consternée d'apprendre qu'il avait été stoppé dans son élan par le refus de Columbia Pictures de financer le film, ne voyant pas comment il pourrait attirer le public avec des personnages aussi lugubres et provocateurs. Ils ne changèrent d'avis que lorsque Winona leur dit à quel point elle avait envie de jouer le rôle principal de Susanna : une telle célébrité dans l'équipe garantissait le succès du film auprès des spectateurs.

Née dans le Minnesota en 1971, Winona avait comme Angelina souffert de problèmes psychologiques par le passé. Après s'être fait connaître grâce à des films comme *Lethal Attraction* en 1989 ou encore *Les Deux Sirènes* et *Edward aux mains d'argent* en 1990, elle demanda à 20 ans qu'on l'admette à l'hôpital pour soigner une dépression, des crises d'angoisse et un état de fatigue extrême. Ayant été élevée dans une communauté en Caroline du Nord, Winona (qui tient son nom de la ville dans laquelle elle a vu le jour) n'avait pas eu l'éducation la plus conventionnelle qui fût, et le fait de devenir célèbre si jeune avait soulevé beaucoup de questions et créé un grand sentiment d'insécurité en elle. Dans *Une vie volée*, Susanna Kaysen explore la frustration d'une jeune femme qui se sent incomprise, et Winona pensa que ces sentiments méritaient d'être montrés au grand public. Durant son séjour à l'hôpital, on diagnostiqua à Susanna un trouble de la personnalité borderline, qui se caractérise par une certaine instabilité dans l'humeur, les relations avec autrui, l'image de soi, l'identité et un sens individuel de soi-même. Dans son livre, elle remet son diagnostic en question et se demande si elle est vraiment si différente de beaucoup d'autres filles du même âge pour qui l'adolescence est également un moment difficile.

Comme Angelina, Winona pensait qu'il était important de parler ouvertement de ses propres démons afin que les jeunes filles qui suivaient sa carrière depuis le succès de *Lethal Attraction* réalisent qu'être riche, célèbre et connaître la réussite n'était pas forcément synonyme d'épanouissement personnel. « Depuis que j'ai parlé de mes angoisses, j'ai vraiment eu un très bon retour. Les jeunes femmes me remercient de leur avoir fait comprendre que ça arrive à tout le monde, même à des gens qu'elles considèrent parfaits. »

Dès que Columbia Pictures donna son feu vert pour le film, James Mangold (qui réaliserait plus tard *Walk the Line* avec Reese Witherspoon et Joaquin Phoenix) rejoignit l'équipe en tant que réalisateur et décida de retravailler le script pour en faire « un film audacieux sur les femmes ». Ayant compris qu'il était la personne à qui il fallait s'adresser, Angelina le contacta et le supplia à genoux de lui attribuer le rôle de Lisa. Il s'avéra qu'elle n'en aurait pas eu besoin : après l'avoir auditionné, James Mangold sut qu'il avait trouvé la personne parfaite pour interpréter la franche et farouche Lisa, un personnage qu'il avait décrit comme « Jack Nicholson en travesti ». Il raconta ainsi l'audition d'Angelina : « Angelina s'est assise, et puis c'est Lisa que j'ai eue en face de moi. J'avais l'impression d'être l'homme le plus chanceux de la terre. Elle a un pouvoir volcanique, énorme, électrique. »

Après les récompenses qu'Angelina avait reçues pour ses rôles dans *Gia* et *George Wallace*, Winona, qui était aussi l'un des producteurs exécutifs du film, avait également très envie de la voir y participer et savait que sa présence à l'écran serait un atout non négligeable. Cela dit, les deux actrices ne furent pas exactement les meilleures amies du monde sur le tournage, et étant donné que Winona voyait ce projet comme une chance unique de gagner un oscar, elle fut peut-être blessée de se voir finalement voler la vedette par Angelina. Cette dernière expliquait leurs rapports distants principalement par le fait que Winona passait tout son temps libre avec Matt Damon, son copain de l'époque. Pourtant, selon une personne qui a assisté au tournage, quand Winona allait chercher du réconfort auprès d'Angelina après avoir tourné des scènes éprouvantes, tout ce que cette dernière trouvait à lui répondre était qu'elle ne pouvait pas l'aider parce que ce n'est pas ce que Lisa aurait fait. « Pour jouer une crise d'angoisse », raconte Winona,

« vous devez avoir une crise d'angoisse. Et je ne savais pas comment me contenir après ça. »

En réponse au besoin de Winona d'avoir un soutien psychologique, Angelina dit : « J'ai besoin de ne pas ressentir les choses. J'ai besoin de ne pas me sentir comme si on était tous ensemble. » Elle décrivait elle-même Lisa comme « une sociopathe finie, dénuée d'émotions et de sensibilité », alors le moins qu'on puisse faire, c'est féliciter Angelina pour la rigueur avec laquelle elle applique la Méthode !

Pourtant, selon Angelina, le tournage du film fut pour elle une expérience durant laquelle elle tissa beaucoup de liens très profonds, mais dans ce tableau sa partenaire faisait figure d'exception. « J'étais très sociale pendant le tournage, sauf avec Winona », dit-elle. « C'est juste comme ça que ça s'est passé. » Lisa, qui est une véritable meneuse pour les autres patientes, est l'un des personnages les plus dominants du film et est toujours au centre de l'action. Angelina déclara qu'elle était « très sociale [sur le tournage] parce que c'est comme ça qu'est Lisa ». « Il y avait tout le temps des gens dans ma loge. J'étais comme le chef de la bande. On avait des ballons en forme d'animaux et plein d'autres trucs marrants de ce style-là, et j'avais qu'une envie, c'était d'organiser la fête. »

Le film fut en grande partie tourné à Harrisburg, en Pennsylvanie (notamment dans les locaux du Harrisburg State Hospital, qui ressemblent à ceux de l'hôpital dans lequel Susanna Kaysen fut internée). Les week-ends, Angelina embarquait quelques-unes de ses partenaires dans sa voiture (notamment Brittany Murphy qui jouait le rôle de Daisy, une jeune fille qui abuse des laxatifs, et Elisabeth Moss, qui incarnait Polly, une autre patiente qui s'automutile) et elles partaient toutes à New York. « Je me suis beaucoup rapprochée de certaines des filles », raconte Angelina. « Parmi les actrices qui jouaient avec moi, nombreuses étaient celles qui entretenaient une relation avec une femme, qui couchaient avec des femmes ou étaient bisexuelles. Winona était probablement l'une des seules hétérosexuelles du tournage. »

On ne sait pas si les autres actrices étaient autant intimidées par leur « chef de bande » que leurs personnages l'étaient par Lisa dans le film, mais ce qui est sûr, c'est qu'elles savaient que l'une d'entre elles méritait de gagner un oscar. Selon Elisabeth Moss, « Quand [Angelina] entrait en scène, elle changeait l'énergie de la salle. Comme si un tigre rôdait dans les parages. On avait tous conscience, pendant qu'ils filmaient, qu'elle était en train de réaliser quelque chose d'extraordinaire. »

Lorsqu'on lui demanda si Winona se sentait menacée par son talent et sa personnalité explosive, Angelina répondit : « Je ne crois pas que j'intimidais Winona. Mais peut-être qu'elle pensait que j'allais la draguer et essayer de l'embrasser ! »

Angelina disait de son personnage qu'il était à la fois « libérateur » et « effrayant », et à l'image de Lisa, elle se surprit à se laisser aller et à laisser ses instincts s'exprimer dans son jeu. « Je pensais que ça allait être très difficile [d'interpréter Lisa], et ça l'a souvent été », dit-elle. « Mais le truc, c'est que ses pulsions sont complètement débridées, et je me suis rendu compte que mes pulsions étaient complètement débridées aussi. Et mes pulsions sont un peu bizarres ! »

On pourrait légitimement penser que retapisser les murs de sa loge avec des photos pornographiques constituait une des « pulsions bizarres » d'Angelina, mais James Mangold quant à lui voyait exactement où elle voulait en venir : « Elle jouait juste à se mettre dans la peau de Lisa, et elle sautait sur l'occasion de le faire dès que ça se présentait. Angie est comme ça. C'est une provocatrice. »

Si Angelina décrivait Lisa comme une personne qui « vivait trop intensément, qui était trop honnête, trop affamée, qui était trop pleine de vie », il est clair qu'aucun de ces qualificatifs n'était péjoratif dans sa bouche ; ce sont d'ailleurs des termes qu'elle aurait très bien pu utiliser pour se décrire elle-même. Même si elle avait conscience que le caractère hostile et menaçant de Lisa était souvent destructeur à la fois pour elle et pour les personnes qui l'entouraient, Angelina était persuadée que son personnage était « une force réellement positive… quelqu'un qui mérite de la compassion ».

Parmi les démarches qu'elle fit pour préparer le rôle, Angelina se rendit dans une librairie et demanda au vendeur de lui indiquer où trouver des livres traitant des sociopathes. Elle fut affligée lorsqu'il lui dit de « regarder dans la rubrique "tueurs en série" » car, ayant tourné *Bone Collector* quelque temps auparavant, elle savait qu'il y avait une grande différence entre un meurtrier et quelqu'un dont la personnalité n'était pas considérée comme « normale ». « Je me suis rendu compte que les gens comme elle ne sont pas habités par des forces obscures », dit Angelina. « C'est juste qu'ils ont certains instincts. Parce qu'en fin de compte, Lisa ne pense pas qu'il y ait quoi que ce soit qui n'aille pas chez elle. Et je ne pense pas qu'il y ait quoi que ce soit qui n'aille pas chez moi non plus, mais je peux m'énerver contre certaines choses et penser qu'il n'y a pas de mal à avoir juste envie de vivre. Je pensais que Lisa était sensible et malheureuse, mais on la voit comme une femme psychotique et forte. Pour moi, l'objectif de ce film n'était pas d'étudier les patients atteints de maladie mentale mais d'analyser la vie et de l'apprécier. »

Si Angelina pensait que l'objectif du film était « d'apprécier la vie », elle se rendit pourtant compte après le tournage qu'elle avait poussé trop loin sa préparation : elle avait perdu tellement de poids qu'elle était devenue horriblement mince. Le rôle d'Angelina n'exigeait pas qu'elle fût squelettique et l'actrice mit cette perte de poids sur le compte de la grande quantité d'énergie nerveuse que le tournage avait générée en elle et qui s'était répercutée sur son corps. « J'essaye de prendre du poids », déclara l'actrice après *Une vie volée*. « Ça a été un moment très dur dans ma vie. Quand je suis nerveuse, je ne mange pas beaucoup, même si je me rappelle à l'ordre. Et ne serait-ce que, je sais pas, moi, un petit kilo, ça change tout. » L'actrice insinua qu'elle avait peur de devenir anorexique lorsqu'elle déclara : « J'espère bientôt commencer un programme. J'adorerais retrouver mes formes. J'ai toujours eu l'impression que je n'en avais pas. »

Angelina était très susceptible quand il s'agissait de Lisa, ce personnage dans lequel elle s'était tant investie, et elle fut choquée et énervée en découvrant le montage final du film. Elle eut en effet l'impression que James Mangold avait gommé le côté vulnérable de la personnalité de Lisa, faisant d'elle un personnage qui suscitait moins de compassion. « À la fin du film, j'ai eu l'impression que dans un certain sens, ils disaient à Lisa : "Personne ne veut que tu vives, personne n'aime ce que tu es, ça serait mieux pour toi qu'on te gave de sédatifs, qu'on t'attache et que tu la fermes." Si vous avez l'impression d'être le genre de personne qu'elle est, alors c'est vraiment difficile, parce que vous vous battez contre des réflexions du style : "Putain, est-ce qu'on me voit autrement que comme une nuisance ? Est-ce que je suis trop sauvage, est-ce que je fais trop de bruit, est-ce qu'il faut pas juste que je laisse les gens vivre leur vie, que je la ferme, que je me calme ?" Si être sain d'esprit c'est penser que c'est un problème d'être différent, putain je préfère carrément être complètement cinglée. » Et c'est peut-être parce qu'Angelina se reconnaissait beaucoup dans son personnage que ce qui lui fut le plus insupportable, c'est qu'on est amené à penser à la fin du film qu'un asile psychiatrique est le seul endroit qui convienne pour les gens comme Lisa. « Je déteste penser qu'on considère qu'il est normal qu'une personne comme elle soit enfermée. »

Elle ne supportait pas non plus que Lisa soit à ce point perçue comme un prédateur sexuel alors que c'est le personnage joué par Winona qui a des relations sexuelles dans le film. « Les gens n'arrêtaient pas d'écrire que Lisa était obsédée par le sexe, même si je ne touche personne dans le film. À côté de ça, le personnage de Winona couche avec une tripotée de gens mais personne ne l'accuse d'être "obsédée". »

Angelina a toujours dit assez ouvertement qu'elle voyait la plupart de ses rôles comme une sorte de thérapie, et elle insinua que jouer Lisa était un autre moyen pour elle d'apprendre à se connaître. « Je ne sais pas si jouer est un besoin pour moi », dit-elle, « ou si c'est quelque chose qui coïncide d'une manière positive avec mon développement personnel. »

James Mangold confirma la théorie d'Angelina : « Il était clair pour moi que quand je la regardais, je ne voyais pas quelqu'un en train de jouer un rôle. Quelqu'un parlait à travers elle. C'était une partie d'elle-même. »

En l'occurrence, Angelina ne fut pas la seule à ne pas aimer le résultat du tournage : Susanna Kaysen reprocha à James Mangold d'avoir pris des « libertés hollywoodiennes » en réécrivant le script et l'intrigue. Par exemple, la scène où Lisa et Susanna s'échappent de l'hôpital avec dans l'idée d'aller travailler à Disney World est de la pure fiction, et Susanna Kaysen eut l'impression que le réalisateur avait trahi son livre pour faire en sorte que le film soit mieux classé au box-office. En revanche, elle fut très impressionnée par le travail de Winona, ce qui enchanta l'actrice. Winona était tellement attachée au film qu'elle le décrivit comme un « enfant de son cœur » et fut extrêmement soulagée d'avoir l'approbation de cet auteur qu'elle admirait tant.

Mais Susanna Kaysen n'était pas la seule que Winona souhaitait impressionner : elle avait également très envie que son interprétation de la jeune fille déséquilibrée fasse une forte impression sur l'Académie des Arts et Sciences du Cinéma, qui organise la cérémonie des oscars. Mais si elle avait déjà été nominée à deux reprises pour ses rôles dans *Les Quatre Filles du docteur March* et *Le Temps de l'innocence*, ce fut cette fois la prestation d'Angelina qui eut de loin le plus grand impact. Winona passa inaperçue et Angelina fut nominée dans la catégorie de la meilleure actrice dans un second rôle, en compétition avec Toni Collette (*Le Sixième Sens*), Catherine Keener (*Dans la peau de John Malkovich*), Chloë Sevigny (*Boys Don't Cry*) et Samantha Morton (*Accords et Désaccords*). Sachant que Winona avait travaillé sur *Une vie volée* pendant quatre ans avant que le projet puisse se concrétiser, ne pas voir son nom sur la liste des nominées fut un coup dur pour elle, surtout quand on sait à quel point Angelina et elle s'appréciaient. Mais même Winona n'aurait pas pu prétendre qu'Angelina ne méritait pas l'intérêt que lui portait l'Académie : son travail est extraordinaire et il n'est pas difficile d'oublier le personnage de Winona lorsqu'Angelina joue à ses côtés. Si Winona n'a pas à rougir de sa prestation dans le rôle de Susanna, qui est beaucoup plus introvertie que Lisa, elle est totalement écrasée par l'interprétation énergique et tonifiante d'Angelina. À un moment du film, Lisa rôde dans la salle d'hôpital comme un animal à la recherche d'une proie : il est tout simplement impossible de la quitter des yeux. Si les commentaires suscités par *Une vie volée* ne furent pas tous positifs, les critiques n'en furent pas moins unanimes sur la performance d'Angelina, qui était pour eux un vrai triomphe.

Le soir de la cérémonie des oscars, Angelina faisait assez penser à un vampire dans sa longue robe noire à manches longues, et elle vint avec son « superbe accessoire » qui n'était autre que son frère adoré James. Plus tard, elle décrivit le 27 mars comme « une belle journée » : « J'ai passé la matinée avec mes amis, qui m'ont aidée à me préparer, puis ma famille est venue. Ils m'ont dit que quoi qu'il arrive, ça ne changerait rien pour eux, et qu'ils m'aimaient et étaient fiers de moi. Rien qu'avec ça, c'était déjà le plus beau jour de ma vie. »

Si c'était déjà le plus beau jour de sa vie avant même qu'elle ne remporte l'oscar, on imagine l'euphorie qu'elle dut ressentir lorsque James Coburn (qui avait remporté un an plus tôt l'oscar du meilleur acteur dans un second rôle pour *Affliction*) révéla le nom de la meilleure actrice dans un second rôle, qui n'était autre que le sien.

Manifestement dépassée par les événements, Angelina se leva de son siège et ce qui se passa ensuite allait jeter de l'ombre sur sa victoire et nourrir les conversations d'Hollywood dans les mois suivants. La première chose qu'elle fit après s'être levée fut d'aller embrasser son frère, mais au lieu de lui lancer le traditionnel baiser hollywoodien, leurs bouches se rencontrèrent et le frère et la sœur échangèrent un baiser digne de deux amants. Ça n'aurait peut-être pas créé un tel scandale si dans le discours qu'elle prononça immédiatement après, Angelina déclara à quel point elle était « amoureuse » de son frère. En arrivant sur l'estrade, Angelina, intimidée, s'écria : « Mon dieu, je n'arrive pas à croire que personne ne se soit jamais évanoui en montant ici. Je suis complètement retournée. Là, tout de suite, je suis juste trop amoureuse de mon frère. Il m'a soutenue et m'a dit qu'il m'aimait. Et je sais qu'il est super heureux pour moi. Winona, tu es géniale. Et toi aussi, Whoopi, vous tous. [Je voudrais remercier] ma famille, pour m'aimer. Geyer Kosinski [son manager], ma maman, qui est la femme la plus courageuse, la plus belle que je connaisse. Et mon papa... tu es un excellent acteur, mais tu es un père encore plus formidable. Et Jamie, sans toi je n'ai rien. Tu es l'homme le plus extraordinaire que je connaisse et je t'aime. »

Cet étalage de compliments ne sortait pas vraiment de l'ordinaire dans la bouche d'une actrice submergée par l'émotion qui vient de se voir remettre un oscar, mais les commentaires d'Angelina sur Jamie ainsi que le baiser qu'ils avaient échangé donnèrent aux médias de quoi transformer le triomphe d'Angelina à la cérémonie des oscars en un scandale incestueux. Pour la presse, il ne pouvait s'agir que de cela : Angelina avait non seulement toujours été ouverte à de nouvelles expériences en matière de sexualité, mais en plus on considérait généralement qu'elle avait un côté malsain. On raconta toutes sortes d'histoires : Angelina était vraiment amoureuse de son frère, ils avaient des relations sexuelles secrètes... Pour la première fois de sa vie, l'actrice fut incroyablement choquée et furieuse que ses mots et ses gestes puissent avoir été à ce point mal interprétés.

Jusque-là, elle ne s'était pas beaucoup souciée de ce qu'on pensait d'elle et de son comportement extravagant, et elle avait d'ailleurs plutôt tendance à aller à contre-courant et à être provocatrice. Mais qu'on puisse suggérer qu'elle pouvait avoir une quelconque relation sentimentale ou sexuelle avec son frère fut la goutte d'eau qui fit déborder le vase, même pour une Angelina suceuse de sang, et elle fut scandalisée par tout le bruit qu'on fit autour de son geste à la cérémonie des oscars.

« J'ai pas roulé une pelle à mon frère », protesta-t-elle. « Toute ma vie, j'ai voulu avoir un oscar, comme mon père. Mon frère et moi avons eu une enfance vraiment difficile. On s'en est sorti ensemble et c'est très important pour moi qu'il m'ait soutenue toute ma vie. Alors quand ce moment arrive, je vais pour l'embrasser et il se trouve que je l'embrasse sur la bouche. Qu'est-ce que ça peut faire ? C'est pas comme si je lui avais roulé une pelle, ce n'était pas un baiser romantique. »

Pour elle, les médias avaient eu une réaction « complètement folle » : « Je trouve ça assez triste que, lorsqu'on dit quelque chose comme ça, ça soit interprété d'une manière malsaine. Avant, je pensais que je devais peut-être la jouer fine et répondre aux questions qu'on me posait d'une manière superficielle, professionnelle, comme le font beaucoup de gens. Et puis j'ai réalisé que je me détesterais si je faisais ça, parce que je ne voulais pas montrer au monde l'image de quelqu'un que je n'étais pas. » Elle fut aussi vraiment déçue que son oscar soit passé aux oubliettes au profit de cet incident : « Pour je ne sais quelle raison, les gens ont pensé qu'il était plus intéressant de voir dans tout ça quelque chose de troublant et de dégueulasse plutôt que de l'amour entre un frère et une sœur qui s'encouragent. En plus, si vraiment je couchais avec mon frère, je le dirais aux gens. Tout le monde sait que je suis comme ça. »

Depuis que leur père était parti de la maison quand Angelina et James avaient respectivement un et trois ans, ils avaient toujours été comme les deux doigts de la main. On pouvait légitimement s'attendre à ce que le petit garçon qui avait fait jouer sa petite sœur devant sa caméra dès qu'elle avait été en âge de parler et de marcher ait envie de la soutenir lors de la soirée la plus importante de sa carrière. Ils avaient beau avoir confiance en leur amour et savoir qu'ils n'avaient rien fait de mal ou de bizarre, Angelina admit que la frénésie de la presse leur fit tout remettre en question. « On en a parlé », dit Angelina. « Est-ce que les gens pensent vraiment qu'on couche ensemble ? Non, c'est pas possible. Mon frère adore le cinéma. Il sait quelle personne a gagné quel oscar. Et il me soutient beaucoup. Alors quand j'ai dit "Là tout de suite, je suis juste trop amoureuse de mon frère", ce que je voulais dire c'est que plus que recevoir cette putain de récompense, j'arrive pas à croire que cette personne m'aime à ce point. Les enfants qui viennent d'une famille où les parents sont divorcés se rapprochent quelquefois beaucoup et sont là l'un pour l'autre. »

Malheureusement pour Angelina, les spéculations de la presse affectèrent beaucoup James et toute cette attention négative le rendit si paranoïaque qu'il fut difficile pour lui de rester proche de sa sœur, craignant que ça réalimente les rumeurs d'inceste. « Ça nous a éloignés », dit Angelina peu après la cérémonie des oscars. « Jamie pense qu'il doit garder ses distances. Ça fait plusieurs mois que je ne lui ai pas parlé. Je pense que… je ne suis pas sûre, mais je crois qu'il a pris la décision de ne plus trop me voir pour ne pas qu'on ait à répondre à des questions stupides. »

Et comme si tout ça n'était pas suffisamment pénible, Angelina s'inquiétait aussi de la manière dont ses parents allaient supporter les rumeurs autour d'une possible aventure contre-nature entre elle et son frère. Angelina et son père, dont la relation a toujours été inconstante, étaient proches l'un de l'autre à ce moment-là, et comme tout bon pères, Jon su trouver les mots pour lui parler. « Il m'a appris qu'il ne suffisait pas d'avoir le succès et la gloire à Hollywood pour être heureux », dit Angelina. « Je n'ai jamais pensé une seule seconde qu'en faisant un film à succès et en étant reconnue, je me sentirais super bien, que tout irait super bien. » Elle ne pouvait pas être davantage dans le vrai. Alors que sur le plan professionnel son talent était reconnu, Angelina se vit attaquée personnellement, mais comme à son habitude l'actrice décida que le seul moyen de survivre dans ce monde était d'être honnête envers elle-même. « J'ai compris que je ne pouvais vivre que d'une seule manière : vivre une vie honnête. C'est comme ça que j'ai envie de vivre, peu importe ce que les gens pensent de moi. »

Ces rumeurs d'inceste avaient peut-être gâché la nuit des oscars pour Angelina, mais les membres de l'équipe de *Péché originel*, le film qu'elle tournait au même moment au Mexique, avaient trouvé le moyen de lui rendre le sourire à son retour parmi eux. Angelina, fidèle à sa réputation de droguée du travail, retourna dès le lendemain sur le tournage du film dont elle partageait la vedette avec Antonio Banderas. Elle se leva aux aurores et en ouvrant la porte de sa loge, elle se trouva nez à nez avec un groupe de musique mexicaine. Le réalisateur de *Péché originel* n'était autre que Michael Cristofer, avec qui elle avait travaillé sur *Gia*, et la majorité de l'équipe de production était la même que celle qu'Angelina avait côtoyée lors du tournage de l'histoire tragique de la top-modèle. Ayant collaboré si étroitement sur deux productions, le groupe était très soudé et les collègues d'Angelina étaient naturellement fiers de sa réussite. L'équipe au grand complet, Antonio Banderas y compris, l'attendait donc devant sa loge et tous défilèrent devant elle au son de la musique mariachi pour lui offrir chacun une rose rouge. Angelina Jolie se retrouva avec plus de 200 roses dans les bras et fut très touchée par ce geste si attentionné.

« Tout le monde était ému », raconta Angelina. « J'avais un peu l'impression d'être leur petite fille. Et je me suis dit qu'en fin de compte, la petite fille allait peut-être finir par s'en sortir. Ils m'avaient tous connue très fragile [sur le tournage de *Gia*]...

Ils m'avaient rencontrée à un moment où j'étais vraiment, vraiment inquiète parce que je pensais que j'allais mourir jeune et avoir une vie très courte. Et donc ça a été extraordinaire. »

Dans *Péché originel* (qui s'inspire du roman *Valse dans les ténèbres* de Cornell Woolrich), Angelina joue le rôle d'une femme fatale du nom de Julia Russel. Antonio Banderas incarne Luis Vargas, un riche homme d'affaires cubain qui passe une annonce pour trouver une Américaine qui accepterait de l'épouser ; il finira par tomber éperdument amoureux de Julia Russel pour finalement souffrir de son comportement conspirateur et manipulateur. Angelina Jolie était parfaite dans le rôle de la belle et séduisante artiste arnaqueuse qui, après elle aussi être tombée amoureuse de Luis Vargas, se retrouve en proie à un dilemme moral.

À ce moment de sa carrière, il n'était plus rare qu'Angelina fasse la vedette de productions descendues par les critiques (ce qui tombait à point nommé, puisque cette fois les critiques étaient nombreuses). *Péché originel* fut qualifié « d'ennuyeux », de « lent » ou encore de « jamais véritablement passionnant ni irrésistiblement intéressant ». Les scènes de sexe de ce film qui n'était apparemment pas « véritablement passionnant » soulevèrent pourtant beaucoup d'émotion, spécialement lorsque plusieurs d'entre elles qui avaient été coupées au montage furent révélées à la presse. En effet, après avoir visionné les scènes érotiques entre Angelina et Antonio, les producteurs avaient décidé d'en couper près de dix minutes par peur que leur nature explicite ne dissuade certains spectateurs d'aller voir le film.

S'il était évident qu'un film réunissant Angelina et Antonio Banderas allait forcément se finir en feu d'artifices, personne ne se doutait que l'affaire deviendrait à ce point torride. Selon les acteurs, cela faisait partie de l'interprétation, et ils insistèrent sur le fait que tourner des scènes d'amour étaient loin d'être une partie de plaisir. « C'est pas un truc facile à faire », dit Antonio Banderas. « J'y vais pas en me disant, "Génial, je vais passer le reste de l'après-midi sur Angelina Jolie !" Pour elle comme pour moi, c'était une journée de boulot. Et en ce qui me concerne, ça ne m'a pas excité, pas même un peu. »

Pour rendre justice à Antonio, il faut souligner que sa femme (Melanie Griffiths) s'était sentie un peu menacée par la jeune et jolie Angelina, ce qui explique probablement qu'il n'ait pas apprécié ces scènes. Elle dira, à propos de la partenaire de son mari : « C'est une des femmes les plus belles et les plus sexy au monde. Comment ça pourrait ne pas me faire bizarre ? »

Si les médias sautèrent sur cette remarque et s'en donnèrent à cœur joie pour suggérer une liaison entre Angelina et Antonio, Melanie Griffiths n'avait pourtant aucun souci à se faire. Dans une déclaration délibérément provocatrice, Angelina affirma que si elle devait avoir une liaison avec l'un des deux, ça ne serait pas avec Antonio. « Antonio est marié à une femme magnifique », dit-elle. « Si je devais coucher avec l'un des deux, ça serait avec elle. » Et même si Angelina reconnaissait qu'il y avait une bonne « alchimie » entre Antonio et elle, elle déclara également que les scènes de sexe paraissaient plus sensuelles à l'écran qu'elles ne l'avaient été dans la réalité. « Il n'y a rien de romantique ou de sexuel à tourner des scènes d'amour », dit Angelina. « C'est comme une danse étrange. On ne s'expose pas à l'autre, on ne ressent pas l'autre, on n'est pas vraiment intimes. On fait juste semblant de l'être. » Angelina affirma également qu'elle n'aurait jamais de liaison avec un homme marié. « Lorsque je sais qu'une personne est mariée et a des enfants, c'est comme si elle portait un masque bizarre », dit-elle. « Je trouve ça tellement beau que je ne vois rien de sexuel dans ces personnes. »

Antonio Banderas avait déjà eu affaire à des femmes de caractère dans sa vie, mais il reconnut lui-même qu'il était intimidé par la réputation d'Angelina. D'ailleurs, jusqu'à ce qu'il la rencontre en personne, il pensait que travailler avec elle pouvait potentiellement être problématique. « J'avais un peu peur », reconnut-il. « J'avais survécu à Madonna dans *Evita* et, tout à coup, j'apprends que je vais travailler avec Angelina. Elle a la réputation d'être une femme qui a un sacré caractère. Du coup, je suis arrivé un peu en avance sur le tournage parce que je voulais lui parler, mais en fait, je l'ai trouvée vulnérable et douce. Sa dureté est clairement un mécanisme de protection. »

Angelina complimenta également Antonio et révéla qu'à la fin du film, elle le considérait un peu comme un membre de sa famille. « On a vraiment appris à se connaître. Il est comme une sorte de frère. Il est adorable, mais nous ne sommes qu'amis. »

Les médias du monde entier, trop occupés à inventer des histoires sur la relation profonde d'Angelina et de son frère ou sur les scènes de sexe passionnées qu'elle avait tournées avec Antonio Banderas, ne se rendirent pas compte que l'actrice était discrètement tombée amoureuse. La presse n'aurait en effet pas pu davantage se tromper quant à l'identité de la personne sur qui Angelina avait jeté son dévolu. « La demoiselle était amoureuse, ça sautait aux yeux », affirma Antonio à propos de sa partenaire. Mais qui était donc cet amant secret ?

CHAPITRE - VII
LE MONDE MERVEILLEUX DE BILLY BOB

Si c'est à son frère qu'Angelina avait publiquement déclaré son amour le soir de la remise des oscars, c'est pourtant un autre homme qui hantait alors son esprit. La première chose qu'elle fit après avoir reçu sa récompense fut d'appeler Billy Bob Thornton, qu'elle avait rencontré sur le tournage des *Aiguilleurs* en 1998 et dont elle était secrètement amoureuse depuis des mois. Dès qu'elle eut fait une apparition de rigueur aux soirées qui suivirent la cérémonie, Angelina alla directement le retrouver au Sunset Marquis Hotel où il séjournait. Lorsqu'elle arriva, il était en pyjama et venait tout juste de coucher ses fils William et Harry ; Angelina et lui s'assirent dans le parc de l'hôtel et parlèrent de sa victoire. On aurait pu s'attendre à ce qu'une actrice qui vient tout juste de se voir remettre un oscar veuille fêter dignement son succès, mais tout ce qui importait à Angelina à ce moment-là était d'être avec Billy Bob. Et si pour cela elle avait dû aller jusqu'au bout du monde, elle l'aurait fait sans hésiter.

Elle dut d'ailleurs se lever à quatre heures le lendemain matin pour prendre l'avion qui la ramènerait au Mexique, où elle tournait *Péché originel* avec Antonio Banderas, mais l'actrice folle amoureuse n'aurait pas pu moins se soucier du manque de sommeil.

Angelina et Billy Bob n'étaient pas deux parfaits inconnus quand ils se rencontrèrent sur le tournage des *Aiguilleurs* : ils avaient entendu parler l'un de l'autre par le biais de leur manager de longue date Geyer Kosinski, qui se doutait que le courant passerait bien entre eux. Une fois, il avait dit à Billy Bob : « Il y a cette fille, vous êtes un peu le même genre d'acteurs. C'est toi en femme. J'ai peur de te la présenter parce que j'ai peur que vous finissiez par vous marier. »

Les deux acteurs s'étaient d'ailleurs déjà retrouvés dans la même pièce avant même de s'adresser la parole pour la première fois, mais peut-être parce qu'elle était intimidée par la prédiction de son manager, Angelina avait alors soigneusement évité Billy Bob. Elle n'eut pourtant pas de porte de sortie lorsqu'elle le rencontra à nouveau dans un ascenseur, peu de temps après être arrivée à Toronto pour le tournage des *Aiguilleurs*. Et selon les acteurs, lorsqu'ils sortirent de cet ascenseur, ils savaient tous les deux que leur vie ne serait jamais plus la même.

Dans une interview pour le magazine *Rolling Stone*, les deux acteurs racontèrent avec la franchise qui les caractérise le moment où ils posèrent les yeux l'un sur l'autre. Billy Bob expliqua comment il avait brisé la glace : « J'ai dit : "Je suis Billy Bob, comment ça va ?" Après je me souviens juste… avoir voulu que le temps s'arrête, vous voyez ce que je veux dire ? Souhaiter que cet ascenseur aille jusqu'en Chine. Comme un coup de foudre. Il s'est passé un truc qui ne m'était jamais arrivé avant. »

Angelina fut aussi troublée que lui par leur rencontre : « Dans cet ascenseur, il s'est passé quelque chose en moi. Quelque chose de chimique. Je me suis pris un mur, dans le premier sens du terme. On sortait [de l'ascenseur] et je me suis cognée contre la porte. Après il est monté dans une camionnette et m'a dit : "Je vais essayer des pantalons. Tu veux venir ?" J'ai failli m'évanouir. La seule chose que j'avais retenue de ce qu'il avait dit, c'était qu'il allait enlever son pantalon. Je lui ai dit non. Puis je me suis éloignée, je me suis assise contre un mur, essoufflée, et j'ai pensé : "C'était... quoi... ça ? Mon Dieu, comment je vais arriver à travailler ?" Je ne comprenais plus rien. »

Cet incident aura au moins aidé Angelina à se mettre dans la peau de Mary Bell, la femme quelque peu obsédée du personnage de Billy Bob (Russell Bell) dans *Les Aiguilleurs*. Le film raconte l'histoire d'un groupe de contrôleurs aériens de New York mené par Nick Falzone (John Cusack) qui voient leur quotidien bouleversé par l'arrivée de Russell Bell dans leur équipe. Si John Cusack est parfait dans le rôle du personnage névrosé et égocentrique de Nick, Billy Bob était fait pour interpréter l'homme solitaire, énigmatique et insaisissable qu'est Russell. Il ne faisait aucun doute pour le réalisateur Mike Newell qu'Angelina serait elle aussi à la hauteur dans le rôle de Mary, l'épouse belle mais perturbée de Russel : « Angelina a un don d'actrice indiscutable et la caméra l'aime. »

Angelina avait initialement été pressentie pour jouer Connie Falzone mais elle déclina l'offre en objectant qu'elle n'en savait pas suffisamment sur la maternité pour interpréter une mère de famille, et le rôle fut donc attribué à Cate Blanchett. Elle reste fantastique dans le rôle de la femme de Russell, qui a un besoin maladif d'attention de la part de son mari, et on pourrait presque dire que la réalité avait dépassé la fiction lorsque Billy Bob envoûta Angelina dans cet ascenseur.

Les deux acteurs furent incontestablement attirés l'un par l'autre dès le premier regard mais ne se revirent pas pendant les quelques mois qui suivirent leur rencontre. À cette époque, Billy Bob vivait avec sa fiancée, l'actrice Laura Dern, qu'il avait rencontrée en mars 1997 lors de l'enregistrement de l'épisode « Coming out » de la série télévisée *Ellen*. Quant à Angelina, même si elle avait eu une relation d'un an avec Timothy Hutton après s'être séparée de Jonny, leur divorce n'avait pas encore été prononcé. Néanmoins, Billy Bob et elle se rapprochèrent pendant le tournage du film dont ils partageaient l'affiche et allaient souvent dîner ensemble, quoique jamais seuls. Angelina raconta : « On disait des trucs bizarres. On parlait de tout et de rien, de choses de nos vies, par exemple à quel point il est difficile de vivre avec quelqu'un, et il me disait : "Moi, je pourrais vivre avec toi." »

Angelina savait qu'ils « ne pouvaient pas être ensemble à ce moment-là », mais Billy Bob avait volé son cœur et elle se fit tatouer son nom sur l'aine peu de temps après l'avoir rencontré, en l'honneur de cette personne si spéciale qui avait fait irruption dans sa vie (Billy Bob n'apprendrait l'existence de ce tatouage que très longtemps après). Malgré la tension sexuelle qui grandissait entre eux, ils se comportèrent en vrais professionnels sur le tournage, et selon le producteur Art Linson : « Ils formaient un couple extrêmement convaincant devant la caméra, mais j'ai pensé qu'il s'agissait simplement d'un très bon jeu d'acteur, rien de plus. »

Ils ne se sont pas non plus avoué leurs sentiments à ce moment-là. Billy Bob confia plus tard : « On ne s'est jamais dit qu'on serait ensemble un jour. Mais maintenant, je sais que ça n'aurait pas pu se passer autrement. »

Quand on sait que les ragots du show-business inventent une liaison entre Angelina et tous les hommes avec qui elle travaille, il paraît étonnant que Billy Bob ait fait exception à la règle : peut-être est-ce à cause de leur grande différence d'âge, ou bien de l'engagement de Billy Bob envers Laura Dern, mais personne ne vit autre chose qu'une sincère amitié derrière les sentiments qu'ils avaient l'un pour l'autre. Quand on lui demanda comment ils étaient parvenus à garder leur histoire secrète, Angelina fit remarquer que « personne ne s'y attendait ».

Plusieurs mois passèrent après la fin du tournage sans qu'Angelina et Billy Bob ne se donnent de nouvelles, mais ils finirent par reprendre contact par téléphone. Lorsqu'enfin ils se retrouvèrent, leur relation ne fut cependant pas des plus simples et quelques jours avant leur mariage à Las Vegas le 5 mai 2000, Angelina passa soixante-douze heures au centre médical UCLA après avoir eu des « crises d'angoisse paralysantes » et des pensées « suicidaires » à l'idée qu'elle ne pourrait pas être avec Billy Bob.

Angelina décrivit plus tard l'enchaînement des événements au magazine *Rolling Stone* : « Ce qui s'est passé, c'est qu'on ne savait pas si on allait pouvoir être ensemble. Je me souviens qu'il avait pris la voiture et que je ne savais pas s'il allait bien… On avait décidé de se marier et puis, pour toutes les raisons que vous connaissez, on avait pensé qu'on ne pouvait pas. Et je ne sais pas pourquoi, mais je me suis dit que quelque chose lui était arrivé et j'ai perdu la capacité de… Je suis juste devenue un peu folle. »

L'ironie du fait qu'elle venait juste de gagner un oscar pour avoir joué le rôle d'une malade mentale n'échappa pas à l'actrice. « Croyez-moi, c'était marrant, avec du recul. Les filles [de l'hôpital] ont dû rester comme deux ronds de flan. Je bégayais, j'avais perdu la raison, et elles m'avaient vue jouer ce rôle dans un film. Très étrange. J'ai appris à les connaître. L'une d'elles écoutait en permanence de la musique déprimante qui donnait envie de se tirer une balle. Je voulais l'aider à se sentir mieux alors je lui ai laissé mon baladeur avec de la musique agressive comme les Clash, de la musique qui donne envie de se battre. »

Même si beaucoup de gens pourraient considérer Angelina comme un mauvais exemple parce qu'elle s'exprime sans tabou sur sa consommation de drogues, ses actes d'automutilation ou encore son obsession du sang, il y a quelque chose qui mérite d'être dit à propos de cette actrice qui désire à ce point mettre son âme à nu. Si l'honnêteté lui tient tant à cœur, c'est qu'elle pense que révéler des détails sur des épisodes de sa vie tels que sa crise de nerf ne peut avoir que du bon. « Je n'ai pas honte de montrer mes faiblesses. J'aide d'autres filles à comprendre qu'elles peuvent y arriver. Je vis à cent pour cent, j'aime à cent pour cent, je fais tout à cent pour cent. Je suis la patiente rêvée de tous les thérapeutes. »

Juste avant sa crise de nerfs, Angelina s'était rendue à Nashville pour voir Billy Bob et quand Marcheline alla chercher sa fille à l'aéroport à son retour, elle « ne pouvait pas s'arrêter de pleurer » et était très angoissée. Faisant ce que toute bonne mère ferait dans cette situation, Marcheline demanda conseil à un professionnel et Angelina fut presque immédiatement conduite à l'hôpital. Les médecins comparèrent son état à celui de quelqu'un en deuil. Elle reconnut qu'elle pensait à ce moment-là que Billy Bob « était parti » et en déduisit : « Peut-être qu'une partie de moi avait besoin de s'éteindre pendant quelques jours pour pouvoir digérer tout ça ; je sais pas. »

N'écoutant pas les protestations de sa fille, Marcheline pensa que ce qu'il y avait de mieux à faire était de retrouver Billy Bob et de lui dire ce qui se passait. Et c'est comme ça qu'Angelina épousa Billy Bob quelques heures seulement après être sortie de l'hôpital.

Si c'était le second mariage d'Angelina, il s'agissait du cinquième pour Billy Bob. À l'annonce de la nouvelle, personne ne fut moins surpris (pour ne pas dire anéanti) que Laura Dern, qui n'était même pas au courant que sa relation avec Billy Bob était terminée. Encore huit mois plus tôt, il disait à quel point il était heureux avec elle : « Je suis dans une relation heureuse avec une fille qui est ma meilleure amie. Nous avons un chien et un jardin. »

Ils avaient peut-être un chien et un jardin, mais leur relation manquait clairement de communication. Laura Dern raconta : « Je suis partie travailler sur un film et pendant que je n'étais pas là, mon petit ami s'est marié ; après ça, je n'ai plus jamais entendu parler de lui. J'ai eu l'impression de mourir foudroyée. »

Tout comme Angelina, Billy Bob n'était pas du genre à faire les choses à moitié quand il était question d'amour. Né à Hot Springs (Arkansas) le 4 août 1955, il était de vingt ans son aîné mais les deux acteurs n'accordaient aucune importance à leur différence d'âge et se considéraient comme des âmes sœurs. « L'âge ne veut strictement rien dire pour moi », dit Angelina. « J'ai été mariée à un homme de mon âge et ça n'a pas marché. »

Leurs histoires étaient également très différentes. Angelina avait grandi parmi les grands noms du show-business. Pour sa part, Billy Bob avait grandi « dans les bois » en compagnie de sa mère Virginia, qui était médium (elle avait prédit qu'il travaillerait avec Burt Reynolds et qu'il gagnerait un oscar, deux prédictions qui se réalisèrent ; c'est d'ailleurs d'elle que Billy Bob s'inspira quand il écrivit *Intuitions*), son père Billy Ray, professeur d'histoire au lycée et entraîneur de basketball, et ses deux jeunes frères John David et Jimmy Don. Ce qui les rapprocha, c'est ce sentiment partagé de n'être nulle part chez eux. Ils étaient tous deux des âmes torturées qui se sentaient souvent incomprises, et en se trouvant l'un l'autre, ils avaient enfin l'impression d'avoir trouvé leur place. « Je n'ai jamais pensé que je serais un jour calme, stable ou satisfaite », confia Angelina. « Je pensais que je ne vivais ma vie qu'à cinq pour cent et que ça ne pouvait plus durer, je pensais que je ne m'installerais jamais vraiment quelque part, que je ne pourrais jamais vraiment être intime avec quelqu'un, d'une certaine manière je me sentais vide. Maintenant je suis complètement sereine, j'ai l'impression que ma vie est pleine de sens, je me sens tellement lucide. Il a rempli ce vide que j'avais en moi. Je l'admire, tout simplement, et je m'amuse comme une folle avec lui. » Elle reconnut aussi à son mari le mérite de lui avoir appris à s'aimer et à s'accepter, chose qu'elle avait clairement eu du mal à faire durant les périodes les plus sombres de sa vie. « On n'était nulle part chez nous avant de se rencontrer. On se comprend parfaitement. Je ne savais même pas comment m'aimer jusqu'à ce que Billy m'apprenne ce qu'est l'amour. »

Billy Bob n'était pas moins élogieux envers Angelina quant à l'impact qu'elle avait eu sur sa vie : « Elle a sauvé mon âme. J'étais en train de perdre pied. Je vivais un mensonge dans lequel je n'étais pas à ma place. J'étais en train de me noyer dans la tristesse, et Angelina m'a ramené à la surface. »

Billy Bob avait eu quatre femmes avant Angelina : Melissa Gaitlin, qu'il épousa en 1978 (et qui lui donna une fille, Amanda Spence), l'actrice Toni Lawrence, avec qui il fut marié de 1986 à 1988, Cynda William, une autre actrice qu'il épousa en 1990 et enfin Pietra Dawn Cherniak, avec qui il fut marié de 1993 à 1997 et dont il eut deux fils. Malgré tout, l'acteur ne doutait pas une seule seconde que la cinquième fois serait la bonne : « On passe sa vie à se dire : "C'est la bonne", "C'est la bonne", "C'est la bonne." Et quand c'est vraiment la bonne, on passe pour le garçon qui criait au loup. Mais cette fois c'est véritablement, réellement la bonne. »

Aux cyniques qui doutaient dès le début de la viabilité de leur union, Billy Bob répondait : « Écoutez, on ne peut pas vous prouver qu'on va rester ensemble pour toujours, mais c'est ce qui va se passer, c'est tout. Quand on se reverra dans cinq ans, vous me demanderez : "Et comment va votre femme ?" Et moi je vous répondrai : "Elle va très bien." Avant, j'étais jamais à ma place, c'est tout. Et vous savez quoi ? Une fois qu'on est là où on aurait toujours dû être, on s'y sent bien. »

L'excentricité d'Angelina n'avait d'égale que celle de Billy Bob et, alors qu'elle parlait avec le plus grand naturel de sa collection de couteaux, il était connu pour son trouble obsessionnel compulsif, sa phobie des antiquités et son faible pour les aliments de couleur orange. Les acteurs avaient aussi en commun d'avoir eu une relation conflictuelle avec leurs pères respectifs. Pour Billy Bob, son père était un « monstre » qui ne l'avait « jamais vraiment aimé ». Tout comme Angelina, c'est sa volonté inébranlable qui avait causé des problèmes dans leur relation : « On dit qu'il était fou de moi quand j'étais bébé. Mais quand j'ai commencé à parler, ç'a été fini. Il n'aimait pas les gens qui avaient leurs propres opinions. »

Comme Angelina, Billy Bob avait pris de la drogue dans sa jeunesse, mais lui aussi avait arrêté avant qu'il ne soit trop tard. « Tu peux faire des choix. T'es pas idiot. Quand je regarde mes enfants, je me dis : "Il faut que je sois là pour eux." » Il affirma en 2001 : « J'ai pas bu d'alcool depuis six ans. Et ça fait vingt ans que je n'ai pas pris de drogue. Je veux dire, tu te sens mieux, point. » Il est même allé jusqu'à arrêter de fumer en même temps qu'Angelina, quand elle dut le faire pour préparer le rôle de Lara Croft dans *Tomb Raider*. Et le fait que son père soit mort d'un cancer du poumon alors qu'il n'avait que 18 ans l'a certainement aussi fait réfléchir.

Angelina aurait été la première à refuser l'idée de se servir de ses connaissances pour réussir à Hollywood, mais il ne fait aucun doute que ses connexions l'aidèrent à y mettre un pied. Si elle affirme qu'elle ne révélait pas l'identité de son père aux réalisateurs lorsqu'elle allait auditionner, le fait de grandir avec un papa vedette de cinéma lui avait au moins montré à quelles portes frapper. Billy Bob n'avait pas eu cette chance et lorsqu'il arriva à Los Angeles en 1991 en compagnie de l'un de ses amis d'enfance, Tom Epperson, ils luttèrent pendant des années avant de réussir à Hollywood. À un moment, Billy manquait tellement d'argent qu'il dut être admis à l'hôpital pour malnutrition après une longue période de jeûne. Sa chance fut de se faire soigner par un médecin qui venait lui aussi de l'Arkansas et qui le laissa y séjourner une semaine, bien qu'il n'eût pas d'assurance maladie.

Comme la plupart des acteurs, Billy Bob (qui était également musicien et jouait dans le groupe de soul Blue and the Blue Velvets) n'avait pas eu d'autre choix que de faire des petits boulots avant que ça ne marche pour lui. Alors qu'il travaillait comme serveur dans une soirée privée, il rencontra par hasard Billy Wilder ; les deux hommes discutèrent un moment, puis ce dernier lui recommanda d'essayer d'écrire des scénarios. Billy Bob suivit son conseil et écrivit d'abord *Un faux mouvement* (1992) avec son ami Tom Epperson, puis *Sling Blade* (1996) dont il serait aussi le réalisateur et l'acteur principal. *Sling Blade* met en scène Karl Childers, un handicapé mental interné après avoir tué sa mère et son amant lorsqu'il avait 12 ans et qui, devenu adulte, sort de son asile pour revenir dans sa ville natale où il doit retrouver ses marques. Le film apporta à Billy Bob la reconnaissance dont il avait toujours rêvé dans le milieu du cinéma : en 1996, il fut nominé aux oscars dans la catégorie du meilleur acteur ainsi que dans celle du meilleur scénario adapté, et remporta celui du meilleur scénario adapté.

Angelina fut fascinée par Billy Bob dès leur première rencontre, particulièrement par sa créativité. Elle avait une fois fait remarquer qu'elle sortait avec des hommes qu'elle aurait aimé être, et à ses yeux Billy Bob était indiscutablement un artiste. Peu de temps après leur mariage, il écrivit deux chansons pour elle : *Your Blue Shadow* et *Angelina*. L'actrice fut à la fois subjuguée par son talent et extrêmement touchée par cette attention. « Je n'oublierai jamais la première fois qu'elle a entendu *Angelina*. Quand je l'ai jouée pour elle, elle s'est mise à pleurer. Les paroles veulent toutes dire quelque chose de spécial pour nous, des choses que personne d'autre ne pourra jamais comprendre, donc oui, je comprends que ça ait été émouvant. Pareil pour *Your Blue Shadow*. Tout le monde peut comprendre de quoi ça parle, mais les paroles ont un sens plus profond pour nous deux. »

On pourrait légitimement se dire qu'Angelina s'abaissait en sortant avec Billy Bob. Après tout, elle est peut-être l'actrice la plus belle et la plus convoitée au monde, alors qu'il est sudiste gringalet et un peu hirsute sur les bords. C'est pourtant un homme qui respire la sexualité et exerce un certain magnétisme sur les autres. Sa partenaire dans *À l'ombre de la haine* déclara à ce propos : « Il est très sexy. Je pense qu'il est beau, oui, absolument. Mais son sex-appeal ne vient pas de son physique, c'est la façon qu'il a de vous regarder, la façon dont il vous hypnotise. »

Bien qu'Angelina soit certainement la compagne idéale de Billy Bob sur le plan sexuel, l'actrice ne pensait vraiment pas qu'elle serait à la hauteur. Avec un air de collégienne amoureuse, elle affirma peu de temps après leur mariage : « Je ne pensais pas que j'étais assez bien pour Billy et je suis honorée d'être avec lui. Il soutient les mêmes causes que moi, lui et moi avons la même éthique. On a aussi le même sens de l'humour, les mêmes rêves, les mêmes désirs. J'arrive toujours pas à croire qu'il m'ait épousée ! »

Leur mariage, comme on pouvait s'y attendre, ne fut pas des plus traditionnels. S'il ne fut pas aussi bizarre que le premier mariage d'Angelina, ce ne fut pas pour autant une cérémonie en robe blanche avec lancer de riz à la sortie de l'église. Angelina portait un jean et un pull bleu sans manches, tandis que Billy Bob portait lui aussi un jean et arborait sa sempiternelle casquette de baseball. Ils choisirent la cérémonie la moins chère (le « Beginning Package » à 189 dollars) et se marièrent le 5 mai 2000 dans la petite église de la West Wedding Chapel à Las Vegas. Angelina voulut toutefois suivre deux traditions du mariage et c'est avec un bouquet de roses rouges et blanches à la main qu'elle remonta l'allée de l'église sur les accords de la marche nuptiale. La cérémonie fut brève (elle ne dura que vingt minutes) et pleine de tendresse, et Angelina promit d'aimer et d'honorer Billy Bob, mais pas de lui obéir. Le témoin et garçon d'honneur était le cameraman Harvey Cook, l'ami avec qui Billy Bob avait travaillé sur *De si jolis chevaux*. Bien qu'aucun membre de la famille d'Angelina ne fût présent, on pense qu'ils approuvaient tous sa nouvelle relation. James l'avait aidée à faire sa valise pour aller à New York, et pour ce qui est de son père, Angelina déclara : « Mon père savait qu'il y avait quelqu'un dans ma vie parce qu'il avait remarqué à quel point j'étais heureuse, donc il était forcément très heureux aussi. »

Jon avait pourtant l'air un peu moins convaincu par toute cette histoire : « Ils se soutiennent l'un l'autre et s'aiment profondément. Les jeunes passent toujours par des moments difficiles et on espère qu'ils finiront par s'en sortir. J'espère juste qu'elle ne fait rien dont elle ne puisse se remettre. » Peut-être partageait-il les mêmes réserves que tout le monde sur cette relation sans oser les formuler. Après tout, il dut avoir peur de voir sa fille tomber folle amoureuse d'un homme qui avait déjà été marié à quatre reprises.

Les deux acteurs continuèrent sur leur lancée et furent considérés jusqu'à leur divorce comme le couple le plus excentrique et original d'Hollywood, ce qui n'est pas surprenant vu la franchise avec laquelle ils parlaient de leur vie dans les interviews. Dès que l'occasion se présentait, ils se répandaient sur l'amour éternel qu'ils avaient l'un pour l'autre, à tel point que ça semblait par moments trop beau pour être vrai. « On s'aime d'une manière obsessionnelle, à la folie », disait Angelina. Et Billy Bob de confirmer : « À la maison, on est tout le temps fourrés ensemble. »

Ils n'avaient également aucun tabou sur leur vie sexuelle, chose à laquelle les médias ne sont pas habitués de la part des plus grandes célébrités. Angelina raconta aux journalistes qu'elle avait des « brûlures causées par le frottement » de son corps sur leur table de billard à force d'y faire l'amour, et qu'ils étaient « drogués l'un de l'autre ». Elle déclara : « Billy est un amant incroyable et il connaît bien mon corps. Il me fait certaines choses au lit qui sont, comment dire... belles. Il arrive à me rendre calme et heureuse. »

Billy Bob n'était pas plus discret : « Plus on couche ensemble, plus ça devient excitant. »

En 2000, un journaliste arrêta Billy Bob et Angelina sur le tapis rouge des MTV Awards et leur demanda : « Quelle est la chose la plus excitante que vous ayez faite dans une voiture ? » La réponse qu'il reçut dépassa de loin celle qu'il attendait : « Ben, on a baisé », dit Billy Bob en haussant les épaules d'un air nonchalant.

Il ne fait aucun doute que leur vie sexuelle était intense. Tellement intense que le désir qu'ils avaient l'un pour l'autre était selon eux à la limite de la violence. « Je la regardais dormir et j'ai littéralement dû me retenir de la serrer dans mes bras à l'en étouffer. Le sexe, pour nous, c'est presque trop. C'est tellement intense que des fois, on se regarde et on se dit : "On peut pas faire ça maintenant ou sinon il va se passer quelque chose." »

Plutôt que d'être effrayée par ce sentiment, Angelina était ravie : « Vous savez, quand vous aimez quelqu'un au point de pouvoir limite le tuer ? Une nuit, j'ai failli mourir et c'est la plus belle chose qui me soit jamais arrivée. » Elle avoua ensuite qu'elle avait envie de « manger le lobe de son oreille » et qu'elle « tuerait quiconque le regarderait avec trop d'insistance. »

La première maison qu'ils achetèrent fut celle de Slash, le guitariste des Guns'n'Roses (ce qui était plutôt approprié quand on sait que le mot anglais « slash » signifie « frapper »). Elle retint particulièrement leur attention parce que la star du rock y avait aménagé un studio au sous-sol dans lequel Billy Bob pourrait enregistrer sa musique. Jon aida sa fille à emménager et il ne fallut pas attendre longtemps avant que les murs ne soient recouverts de poèmes qu'il avait écrits pour eux car, même s'il était inquiet pour Angelina, il souhaitait le meilleur au jeune couple.

Comme on pouvait s'y attendre, la maison d'Angelina et de Billy Bob était décorée d'une manière tout à fait insolite. Une fois, Angelina se rendit au Harrods, et sans s'attarder sur les créations des grands couturiers, elle alla directement au rayon jouets pour y commander un cheval grandeur nature. L'idée était d'en acquérir cinq pour pouvoir regarder la télévision assis sur leurs chevaux lorsqu'ils accueilleraient des amis. Les deux acteurs avaient également la collection complète des DVD de la série *Le Roi du Texas* et ils n'avaient pas de plus grand plaisir que de commander un plat à emporter chez Why Cook (le traiteur favori d'Angelina) et de se blottir sous la couette pour regarder des épisodes.

Billy Bob et Angelina achetèrent un rat et un mainate qu'ils appelèrent respectivement Harry et Alice. Pendant que Billy Bob passait des heures à essayer d'apprendre à Alice à dire « Va te faire foutre », Angelina jouait avec Harry, qu'ils avaient installé dans une cage au pied de leur lit. « Un jour, Billy m'a trouvée en pyjama, assise dans la baignoire, en train de donner de la tarte au potiron au rat sur mes genoux. Vous voyez, ça fait partie des choses que seule une personne qui m'aime réellement trouverait mignonnes. »

L'importance de ces animaux à la maison était telle que lorsqu'Angelina et Billy Bob renouvelèrent leurs vœux chez eux devant une femme membre de la Church of Enlightenment, cette dernière mentionna « leurs compagnons à deux ailes et à quatre pattes Alice et Harry » au cours de la cérémonie. Selon Billy Bob, ils pensaient renouveler leurs vœux « de temps à autre », vraisemblablement pour réaffirmer l'amour qu'ils se portaient mutuellement. Lors de cette cérémonie-là, ils ne se contentèrent pas uniquement d'échanger des anneaux : ils se coupèrent le doigt et chacun but le sang de l'autre, mais avant que l'assistance ait eu le temps de se remettre de ses émotions, Angelina insista sur le fait que ça avait été fait « avec beaucoup de tendresse ».

Billy Bob avait même dit en rigolant qu'ils feraient un jour une cérémonie où ils échangeraient leurs rôles : « Je serai la mariée, et elle, le marié. Elle m'a déjà trouvé un pantalon rose avec un gros nœud. »

Billy Bob fut d'ailleurs une fois surpris portant les sous-vêtements de sa femme à son club de gym, alors qu'Angelina était partie tourner *Tomb Raider* en Angleterre. « Je pensais qu'on ne pouvait pas les voir », déclara-t-il, « mais un gars n'arrêtait pas de me regarder avec un drôle d'air. J'ai dit : "Ce sont ceux de ma femme." » Il avoua les avoir également portés plusieurs jours sur le tournage de *Bandits* (dont il partage l'affiche avec Bruce Willis), juste pour avoir sa femme « tout près de lui ».

Angelina encourageait activement ce type de comportement et avoua : « Le fait est que j'aime le voir sous toutes ses facettes, y compris, ouais, dans mes sous-vêtements. »

Billy Bob avait lui aussi sa petite idée sur ce qu'il voulait voir sur sa femme et il lui acheta une série de tenues dont un tutu et un déguisement du petit chaperon rouge. Si Angelina avoua « aimer les costumes », elle révéla que ce qu'elle portait à la maison n'était souvent pas si déluré : « En général, je me balade juste en robe de chambre avec des petites chaussettes blanches aux pieds. »

William et Harry, les fils que Billy Bob avait eus de son mariage avec Pietra Cherniak, venaient régulièrement leur rendre visite et adoraient les distractions que leur père et sa nouvelle femme concevaient pour eux. Un journaliste se rendit un jour au domicile des deux acteurs pour les interviewer et découvrit deux grandes tentes montées dans la chambre principale pour que les enfants y dorment. Billy Bob avait aussi eu la lumineuse idée de créer une chambre-velcro dans laquelle ses fils pouvaient jouer : « La chambre-velcro, c'est parce qu'on a deux petits enfants qui aiment jouer. Tu mets un vêtement spécial, tu sautes contre les murs et tu restes collé. C'est excellent ! Au moins, on assume. » Angelina et lui avaient même imaginé une version adulte de la pièce et rêvaient de faire construire une chambre molletonnée où ils pourraient « faire tout ce qui leur passait par la tête » quand ils faisaient l'amour. « Le sexe, on l'aime intense, fou, du style "fais moi tout ce que t'as envie de me faire", mais on ne fait pas de trucs malsains. On se fait pas mal, on s'aime, c'est tout », expliqua Billy Bob.

Le couple avouait également faire l'amour dans l'ascenseur de leur maison puisque c'était dans un ascenseur que leurs chemins s'étaient croisés pour la première fois, même si Angelina était la première à reconnaître que c'était « fleur bleue ».

Déjà à cette époque, Angelina adorait laisser libre cours à son instinct maternel, même si c'était en tant que belle-mère. L'actrice appréciait manifestement beaucoup la relation proche qu'elle construisait avec les fils de Billy Bob et elle était enchantée qu'ils fassent partie de leur vie quotidienne. « Billy Bob a deux beaux enfants », dit-elle un jour. « Ils viennent d'avoir sept et huit ans donc ce sont encore des bébés, vraiment. Ils vivent avec leur mère et je trouve ça formidable qu'elle leur permette d'apprendre à me connaître. On est déjà une famille. »

Quand on sait à quel point elle fut malheureuse à certains moments dans sa jeunesse, on a plutôt l'impression qu'Angelina vivait par procuration à travers les enfants : « En ce moment, c'est presque comme si j'étais retombée en enfance. Je suis superficielle et bête, et pour la première fois depuis des années, avec mon mari et ses enfants, je peux enfin être moi-même une gamine. »

En novembre 2001, Angelina raconta avec enthousiasme les fêtes d'Halloween qu'elle avait passées en leur compagnie : « On s'est tous déguisés en lapin, on s'est baladés dans des tunnels faits avec des boîtes en carton et on a mangé des carottes. Billy et moi avions des déguisements complets de lapins, comme de grands pyjamas roses. Après, on a regardé *Charlie Brown* et *Scooby Doo* puis on a creusé des citrouilles. Vous auriez dû voir ça. C'était vraiment du n'importe quoi. »

Il ne fait aucun doute qu'Angelina se régalait dans cette vie de famille si intense et équilibrée et qu'elle adorait la sécurité que ça lui procurait : « Quand on habitait en appartement, je regardais les maisons, je ne pouvais pas les quitter des yeux quand je passais devant en voiture ; j'ai toujours voulu habiter une maison, avec un chien, prendre le dîner en parlant de tout et de rien. » Billy Bob n'aurait rien pu faire pour porter une ombre au tableau : Angelina n'était pas moins heureuse qu'une mère qui s'extasie devant son enfant faisant ses premiers pas. « L'autre jour, on était à l'étage et on rigolait parce qu'on avait réalisé : on est marié et ça, c'est notre maison. Pareil : on a un lave-vaisselle. Je suis fière et émerveillée par la moindre petite chose qu'on y fait, comme quand il allume la cheminée dans mon bureau. » Et elle fit ce qu'il fallait faire en laissant sa collection de couteaux à New York lorsqu'ils emménagèrent, afin de ne pas mettre les enfants en danger. Comme elle le dit elle-même : « Les couteaux n'ont rien à faire là où il y a des enfants. »

Même si elle disait que Billy Bob et elle avaient l'intention d'adopter quand les deux garçons seraient plus grands, Angelina rêvait aussi d'avoir des enfants biologiques. Elle s'inquiétait pourtant des effets que ça pourrait avoir sur leur relation : « J'adorerais avoir des enfants avec Billy, mais je sais aussi qu'il y a des gens qui aiment tellement leurs enfants qu'ils finissent par délaisser leur conjoint. Donc pour l'instant, j'apprends juste à connaître mon mari et ses enfants. Mais ça serait merveilleux qu'on ait un enfant. »

Elle était loin de se douter qu'elle avait mis le doigt sur ce qui conduirait à la fin de sa relation avec Billy Bob.

Angelina pensait déjà à l'adoption et semblait n'avoir aucun doute quant au fait que son mari partageait tous ses rêves et tous ses espoirs. Elle voyait leur histoire sur le long terme et semblait persuadée qu'ils allaient réaliser leurs rêves ensemble. « On a tous les deux envie d'adopter plusieurs enfants. Il y a des frères et sœurs qui ont du mal à se faire adopter ou à rester ensemble, et nous on a la chance d'avoir les moyens de prendre en charge plusieurs enfants et d'éviter que les fratries soient séparées. Je pense que dans ce monde, une mère trouve ses enfants exactement comme les amoureux ou les époux se trouvent et sont là pour prendre soin l'un de l'autre. J'ai voyagé dans de nombreux pays, j'ai vu des camps de réfugiés et je sais qu'un jour, nous adopterons. » Le couple allait effectivement finir par adopter un enfant, mais ça ne se passerait malheureusement pas du tout comme Angelina l'aurait souhaité.

En attendant, tout allait pour le mieux entre Angelina et Billy Bob qui continuaient d'honorer leur amour par des déclarations débordantes d'émotion et, parfois, des gestes franchement bizarres. Angelina avait prouvé avec Jonny Lee Miller qu'elle n'avait pas peur de le dire avec du sang (par opposition aux fleurs) et cette fascination atypique se retrouva dans sa relation avec Billy Bob. Si on ne devait se souvenir de leur couple que pour une seule raison, ça serait parce qu'ils portaient tous les deux une fiole de sang autour du cou. Selon Angelina, « certaines personnes pensent que c'est vraiment joli de porter un diamant. Pour moi, il n'y a rien de plus beau que le sang de mon mari. Il y a tellement de moyens de dire à quelqu'un qu'on l'aime, de dire "Je serais vraiment prêt à mourir pour toi. Je veux passer mes journées, ma vie avec toi. Je suis ton complice, ton sang et on partage la même vie." C'est pas malsain, l'intention n'était pas du tout de faire de la provocation. » Elle assura même à un moment : « S'il y avait un moyen sûr de boire son sang, je le ferais. »

Si certains maris prendraient leurs jambes à leur cou à l'idée de porter le sang de leur femme en pendentif, Billy Bob fut enchanté de participer à cette preuve d'amour excentrique. Il dit à propos des fioles : « Angie les a achetées pour Noël. On s'est piqué le doigt et on les a remplies de sang, comme ça même quand on est séparés il y a un petit bout de l'autre avec nous. Je la porte tous les jours et elle porte la même, avec mon sang. »

Ils ne s'arrêtèrent pas en si bon chemin et le sang serait au cœur de bien d'autres manifestations d'amour extravagantes. Pour le premier Noël qu'ils passèrent ensemble, Angelina inscrivit avec son sang « *Till the End of Time* » (« Jusqu'à la fin des temps») sur une plaque qu'elle accrocha au-dessus de leur lit, afin de lui dire qu'elle l'aimerait à jamais. Billy Bob lui rendit la politesse lors de leur premier anniversaire en recopiant les mêmes mots avec son propre sang juste en dessous des siens ; il fit même appel à une infirmière pour qu'elle lui fasse une prise de sang, avec lequel il pourrait faire des dessins. Angelina mit la barre encore plus haut en offrant à son mari une boîte remplie de son sang. Et pour s'assurer qu'ils seraient vraiment ensemble jusqu'à la fin des temps, elle célébra leur anniversaire de mariage en achetant leurs deux tombes dans l'Arkansas près de celle de Jimmy Don, le frère de Billy Bob qui était mort à 30 ans d'une maladie cardiaque et dont il n'avait jamais vraiment réussi à faire le deuil. Billy Bob en fut très touché et déclara que ce cadeau les « réconfortait tous les deux ». Leurs gestes étaient si extrêmes qu'il concéda qu'ils pouvaient difficilement faire mieux : « Qu'est-ce que je peux faire de plus pour prouver mon amour ? Si je comprends bien, je vais devoir voler jusqu'à la lune, la couper en deux et lui en ramener un morceau ! »

Si la plupart des gens se moquaient de la manière dont Angelina et Billy Bob exprimaient leur amour, il y a pourtant quelque chose de romantique (et d'agréablement surprenant venant de deux stars d'Hollywood) dans le fait que leurs cadeaux n'ait pas véritablement été matériels. Ils auraient certainement eu les moyens de se couvrir de diamants s'ils l'avaient voulu, mais leur adoration mutuelle était telle qu'il leur fallait bien plus que de l'argent pour se la prouver. Et James, le frère à jamais loyal, prit la défense d'Angelina lorsque son comportement fut critiqué : « Si porter une fiole de sang la rend sereine, savoir que tout va bien aller parce qu'elle va le revoir, c'est super. C'est génial pour elle. »

En 2001, Billy Bob révéla qu'Angelina et lui s'étaient lancé un défi concernant les cadeaux qu'ils allaient s'offrir à Noël : « On a décidé de ne se donner qu'un seul cadeau. Quand on sait à quel point on est doué pour fabriquer des choses, c'est assez marrant. Elle a déjà fait pas mal de ravages en essayant de me faire quelque chose. Par exemple, elle a essayé de me tricoter une écharpe mais elle m'a dit que ça avait été un vrai désastre. Je crois qu'elle va aimer ce que je vais lui donner. Je vais juste lui fabriquer un tout petit truc. Je veux dire, ce que je fais pour elle est très simple. C'est pas bizarre ni particulièrement intéressant, mais pour elle, ça le sera. »

Angelina finit par réussir à faire quelque chose et elle lui offrit un album photos qui mêlait des photos de leurs deux enfances de telle sorte qu'on avait l'impression qu'ils avaient grandi ensemble.

Angelina et Billy Bob étant tous deux de grands fans d'art corporel, ça n'était qu'une question de temps avant qu'ils ne se fassent tatouer le nom de l'autre, et si Angelina avait déjà le nom de Billy Bob tatoué sur l'aine, elle s'en fit faire un plus visible sur le bras gauche lorsqu'ils se mirent officiellement en couple (c'est d'ailleurs quand elle l'afficha en public que leur relation fut découverte). Billy Bob se fit tatouer « Angelina » sur le bras gauche, avec le « L » dessiné le long d'une de ses veines, et il fit rajouter quatre gouttes de sang (pour Angelina, ses deux fils et lui-même) qui semblaient s'échapper de la veine. Le couple se fit également tatouer une formule mystérieuse à l'intérieur de l'avant-bras droit. « Ça a un sens pour nous, mais personne d'autre [ne doit savoir] ce que ça veut dire ou le sort sera rompu », expliqua Billy Bob.

Le couple décida même de mêler un notaire à leur histoire d'amour. Angelina modifia son testament pour signifier sa volonté d'être enterrée avec Billy Bob et le fit certifier ; au même moment, sans savoir ce que sa femme avait fait, Billy Bob signa avec son propre sang et devant un notaire un document déclarant qu'ils seraient mariés pour l'éternité. Lorsqu'ils se racontèrent ce qu'ils avaient fait, Angelina raconta qu'ils avaient « ri d'avoir tous les deux fait appel à un notaire ».

Connaissant l'empressement des journalistes à s'emparer des plus petits détails sordides de la vie des célébrités, Billy Bob et Angelina devaient bien se douter de la fureur médiatique que les révélations sur leurs préférences personnelles allaient susciter. Ils n'étaient pas moins blessés et déçus que leur comportement soit regardé comme sortant de l'ordinaire, et ils s'acharnaient à répéter à quel point leur vie était profondément « normale ». Billy Bob voyait la chose avec philosophie et se rendait compte que les aspects les plus déjantés de leur style de vie étaient toujours ceux qui faisaient la une des journaux.

« Angelina et moi sommes considérés comme des gens dérangés, mais on ne l'est pas vraiment. Notre vie est super. On vit dans notre petit monde et on ne se soucie pas vraiment du reste. Quand votre carrière décolle, la seule chose qui intéresse les gens c'est votre face cachée, alors on l'accentue. »

Il défendait aussi avec force l'idée que sa femme n'était pas la personne sombre et sinistre qu'on en avait fait : « Angie est une personne vraiment adorable qui fait plein de bonnes choses dans ce monde, et pour moi elle est un exemple à suivre. Plus que toute autre chose, on s'est mutuellement apporté un sentiment de paix. On a une maison super et une vie super, on fait tous les deux un travail qui nous plaît, on est là l'un pour l'autre, rien de plus. Je sais que c'est décevant, mais on est en fait bien plus ordinaires que ce que les gens pensent. »

Le couple coupa les liens avec Hollywood à bien des égards. C'est une ville où les images sont créées (et les secrets bien gardés) par les agents, les managers et les agences de relations publiques, et la franchise dont Billy Bob et Angelina faisaient preuve en parlant de leur vie était une manière de montrer à quel point ce système les dégoûtait. « La société nous apprend à mentir et à dissimuler ce qu'on pense vraiment, ce qui est vraiment questionnable », dit Angelina. « On est tous tellement obnubilés par les apparences qu'on perd de vue la vérité… J'ai pris le risque de parler ouvertement de moi parce que je veux célébrer la vérité et avoir le sentiment que je n'ai rien à cacher sur l'amour que je porte à mon mari. Je veux que les gens sachent à quel point le fait d'être avec lui m'a remplie de bonheur. Comment ça pourrait être mal ? »

Ce n'est pas une coïncidence si peu de temps après avoir renvoyé son agent Pat Kingsley, Tom Cruise se rendit sur le plateau de l'émission d'Oprah Winsfrey et, ne tenant pas en place sur le canapé, déclara qu'il était amoureux de Katie Holmes. Il s'agissait d'un aspect de Tom Cruise que personne ne connaissait parce que son image avait jusqu'alors été contrôlée par son agent.

Comme le dit Angelina : « L'amour est un risque. La vie est un risque. » Et ceux qui tirent les ficelles à Hollywood ne sont pas prêts à prendre des risques si ça implique que le public n'ira pas voir un film parce que l'actrice principale suce du sang à ses moments perdus.

Billy Bob avait conscience que son histoire d'amour avec Angelina n'était pas différente de celles portées à l'écran, et il en vint à la conclusion paradoxale que, si les gens aimaient voir de telles histoires dans les films, ils n'aimaient pas y être confrontés dans la réalité. « Vous savez quoi ? Si on leur met sous le nez, la plupart des gens ne l'acceptent pas. On va vivre comme ce que les gens voient [dans les films]. Courir sous la pluie avec un putain de bras en moins… c'est quelque chose que je ferais pour elle dans la vraie vie. Il y a des trucs qu'on fait, si on était dans un film les gens diraient que c'est romantique, mais quand on le fait dans la vraie vie, ils te prennent pour un cinglé. »

Heureusement, Billy Bob n'eut jamais besoin de se couper un bras pour Angelina. Malheureusement, leur relation allait se confronter à des problèmes qui ne pourraient pas être résolus par un grand geste romantique.

CHAPITRE - VIII
LARA CROFT

L'oscar d'Angelina pour *Une vie volée* ayant braqué les projecteurs d'Hollywood sur elle, on pensa qu'elle allait faire plus de films sérieux afin de tirer parti du fait que les gros bonnets de l'industrie du cinéma la considéraient comme l'une des actrices les plus talentueuses de sa génération. Elle créa donc la surprise lorsqu'elle opta pour des rôles moins difficiles après avoir fini *Péché originel*. C'est notamment pour cette raison que *60 Secondes chrono* (le remake d'un film du même nom datant de 1974) lui plut : « J'avais passé des mois dans un hôpital psychiatrique avec une tripotée de femmes », dit-elle en parlant de son expérience dans *Une vie volée*. « Ça m'a demandé beaucoup d'énergie, ça m'a mis à vif, ça a été dur. Ça, c'était léger. C'était marrant de faire partie d'une équipe. » Elle ne se souciait pas le moins du monde que sa participation à un tel projet pût nuire à sa réputation : « Je veux jouer un personnage, je veux faire n'importe quoi et jouer avec des voitures : si en faisant ça je ne donne pas l'image d'une "actrice sérieuse", pas de problème. »

Après avoir fait équipe avec une « tripotée » de femmes dans *Une vie volée*, le fait que *60 Secondes chrono* permette à Angelina d'être immergée dans un environnement majoritairement masculin n'était pas non plus pour lui déplaire : « Le script qu'on m'avait donné, c'était Ferraris, Nic Cage et Giovanni Ribisi, et j'ai bien aimé l'idée. C'est un film marrant et j'ai essayé de m'amuser. » Toujours heureuse d'acquérir de nouveaux savoirs, elle fut ravie qu'on lui apprenne à démarrer une voiture sans les clés pour le rôle de Sara « Sway » Wayland, une mécanicienne sexy le jour et serveuse de bar la nuit qui participe au gigantesque vol de voitures formant la base de l'intrigue. L'actrice ne voulait surtout pas faire faux bond à la douce criminelle aux dreadlocks blondes qu'elle incarne dans le film : « Ils nous ont appris beaucoup de choses, ce qui est super. C'est un aspect de mon métier que j'adore, le fait d'apprendre des choses auxquelles je n'aurais jamais pensé. »

Bien que *60 Secondes chrono* ait fait plus d'entrées lors de sa sortie en salles que tous les autres films dans lesquels Angelina avait joué, ce ne fut pas non plus un succès énorme. Un critique écrivit : « Ce n'est presque pas un film. On dirait plutôt un millier de publicités pour des voitures mises bout à bout. »

Les commentaires négatifs des critiques n'enlevèrent rien au plaisir qu'Angelina avait pris à tourner le film et, comme toujours, elle s'entendit particulièrement bien avec l'un de ses partenaires masculins. « Nic est fabuleux », dit-elle de Nicolas Cage (qui jouait le rôle de Randall « Memphis » Raines, un voleur de voiture à la retraite). « C'est un très bon meneur et il encourage les autres acteurs. Il les laisse faire leur boulot. Il paraît très sérieux comme ça, mais il est aussi complètement cinglé et libre. » Comme on pouvait s'y attendre, Angelina avait une relation avec Nicolas Cage, même si elle prétendait qu'ils étaient juste amis : « Il est adorable. On est amis, on travaille ensemble, rien de plus… »

Si elle pensait qu'il n'y avait « rien de plus », ce n'était pas nécessairement le cas de Nicolas Cage et on dit qu'il lui envoya des fleurs et des lettres d'amour lorsqu'il se sépara de sa femme Lisa Marie Presley en novembre 2002. Les deux acteurs furent vus tous les deux en ville et on raconte qu'ils passèrent toute la nuit ensemble à une fête du show-business organisée sur le thème de « danser et s'embrasser ». Peut-être se sont-ils embrassés ; ce qui est sûr, c'est qu'à ce moment-là Angelina ne s'était pas encore remise de la fin de son second mariage et qu'elle venait tout juste d'adopter un enfant. Il est donc peu probable que sa prétendue liaison avec Nicolas Cage ait été sur la liste de ses priorités (pas plus certainement que sur celle de l'acteur).

60 Secondes chrono avait donné à Angelina le goût des films d'action et elle signa ensuite pour l'adaptation cinématographique de *Tomb Raider*, déjà populaire en jeu vidéo et en bande dessinée. Si le rôle de l'archéologue et photo-journaliste Lara Croft allait certainement être un défi pour Angelina sur le plan physique, il ne fut en revanche pas celui qui exigea le plus de talent de la part de l'actrice. Angelina défendait pourtant avec véhémence sa décision d'incarner le personnage de la femme d'action : « Les gens pensent que, si vous avez gagné un oscar, il faut se prendre au sérieux. Je trouve ça stupide. On devrait faire ce qu'on a envie de faire. Personne ne devrait jamais se prendre au sérieux, c'est tout. »

Paradoxalement, Angelina ne gardait pas un très bon souvenir de sa première rencontre avec l'héroïne aristocrate. Durant son mariage avec Jonny Lee Miller, elle s'était souvent battue pour attirer l'attention de son mari scotché à *Tomb Raider* devant son ordinateur. Réagissant comme toutes les femmes que leur époux tromperait avec une Playstation, Angelina finit par en vouloir à cette rivale virtuelle qui accaparait l'attention de Jonny. Et lorsque le réalisateur Simon West la contacta pour lui proposer le rôle, elle fut écœurée : « Quand ils m'ont appelée pour *Lara Croft*, j'ai dit : "Oh, mon Dieu, pas elle !" Ils m'ont demandé de jouer Lara et je leur ai dit qu'ils étaient cinglés. Comme toutes les femmes, j'ai roulé des yeux et j'ai pensé : "Je la hais." » Cette animosité était peut-être accentuée par le fait qu'Angelina n'était pas ce qu'on pourrait appeler une adepte du jeu vidéo : « J'ai essayé mais ça m'a frustrée. Je n'arrivais pas à la faire sauter par-dessus les murs, alors je me contentais de lancer des trucs. Je ne détestais pas ce jeu, mais je n'arrive pas y jouer. Je casse des ordinateurs. »

Après réflexion, Angelina se dit que si elle ne pouvait pas vaincre Lara Croft, autant rentrer dans son jeu. Elle accepta donc de faire le film, à la plus grande satisfaction de Simon West qui voyait en elle l'incarnation parfaite de Lara : « C'était Angelina de A à Z. Je veux dire, Lara dort avec des couteaux et ne se laisse emmerder par personne. Ce rôle lui allait comme un gant. Et en plus : action et Angelina Jolie ! Quel adolescent viril dirait non à ça ? Vous pouvez avoir de l'action, des frissons et votre première expérience sexuelle en même temps ! »

Il avait raison sur ce point. Elle avait beau être virtuelle, Lara Croft était pour les adolescents du monde entier (ainsi que pour leurs aînés, d'ailleurs) la pin-up par excellence, et l'idée qu'elle allait prendre vie en la délicieuse personne d'Angelina Jolie était presque trop belle pour être vraie. Avec ses longs cheveux noirs, ses courbes appétissantes et son air d'aller droit au but, Lara aurait presque pu s'inspirer d'Angelina. L'actrice elle-même ne pouvait pas nier leurs similitudes : « Je suis pas très discrète, j'ai de l'énergie à revendre et je suis folle, je suis parfaite pour jouer ce rôle. » Et pour ce qui est de leur ressemblance physique, elle concéda : « Ce qui est étrange, c'est qu'elle me ressemble vraiment. Notre peau, nos cheveux et nos corps sont les mêmes. C'est assez effrayant. »

Les concepteurs du film, ravis d'avoir trouvé leur actrice, ne partageaient pas cette angoisse. Ils devaient être rassurés qu'Angelina ait accepté le rôle sachant que peu de temps avant, elle avait laissé passer l'opportunité de jouer dans le remake de *Charlie et ses Drôles de Dames*. Un grand nombre d'actrices rêveraient de participer au remake d'une série culte comme celle-là, mais le côté glamour du film n'avait pas séduit Angelina : « J'ai pris cette décision pour *Charlie et ses Drôles de Dames* parce que je ne regardais pas la série à la télé, et parce que je ne suis pas du genre à me mettre sur mon trente et un. En plus, je ne suis probablement pas la plus douée quand il s'agit de s'intégrer à un groupe, donc ça collait pas avec ma personnalité. » Quand on sait ça, on comprend mieux pourquoi *Tomb Raider* (qui est un véritable one-man-show) lui paraissait tellement attractif.

Angelina était impressionnée par certains aspects du personnage de Lara Croft. Quand elle était enfant, l'actrice passait plus de temps à jouer avec des couteaux qu'à essayer de nouvelles coiffures, et Lara a beau être jolie, elle n'a pas moins une conception sans fioritures de la tenue vestimentaire, passant le plus clair de son temps en short et en débardeur. Dans l'histoire, Lara ne se mêle pas beaucoup à ses camarades du pensionnat de Gordonstoun en Écosse et préfère les promenades solitaires dans les collines aux parties de net-ball avec les autres filles. C'est une battante qui veut découvrir le monde et n'a besoin de personne pour cela. Sur ce plan-là, Angelina était la première à admettre qu'elles se ressemblaient comme deux gouttes d'eau : « Ce que j'ai en commun avec Lara Croft, c'est que j'arrive à m'en sortir toute seule, sans homme pour m'aider, et que je suis une battante. Quand je crois en quelque chose, je fonce et j'y arrive. Lara n'a pas besoin de s'habiller comme un garçon ou de se comporter comme un garçon pour être forte. J'ai grandi en aimant Sophia Loren ou des femmes de son genre, et j'aime que Lara soit une femme forte. C'est génial d'avoir autant de pouvoir. »

Les deux femmes n'ont peut-être pas besoin d'hommes pour les aider, mais il n'en reste pas moins que sur le tournage de *Tomb Raider*, Angelina se languissait de ce mari dont elle était si profondément amoureuse. C'est d'ailleurs la raison pour laquelle Billy Bob et elle s'étaient mariés aussi rapidement après s'être mis ensemble : Angelina savait qu'elle allait être absente pendant des mois et le couple voulait faire quelque chose pour rendre leur relation un peu plus sérieuse. « On savait qu'il n'y aurait jamais personne d'autre dans nos vies », dit Angelina. « Mais j'allais partir en Angleterre pour tourner *Tomb Raider* et on voulait être plus que des petits amis. » L'actrice s'amusait également de devoir jouer une femme impétueuse et indépendante alors qu'elle n'avait jamais été aussi charmée par un homme : « C'est marrant qu'on me demande de jouer la femme la plus invulnérable que j'ai jamais jouée alors que je ne me suis jamais sentie aussi douce. C'est vraiment très ironique. »

Si elle se sentait douce, Angelina n'en était pas moins prête à se lancer dans ce qui s'avéra être des mois de préparation physique pour le rôle. Ce fut un véritable choc pour l'actrice, dont le style de vie était loin d'être sain, et elle dut avoir l'impression d'avoir été envoyée dans un camp d'entraînement militaire. En parlant de sa vie avant *Tomb Raider*, Angelina déclara : « Je fumais beaucoup, je buvais beaucoup trop, j'étais insomniaque et, comme tous les gens que je connais, j'étais déséquilibrée. J'ai dû subir un réajustement complet quand j'ai commencé le film. Dès le lever, je devais boire une certaine quantité d'eau, faire tester mon niveau de protéines, manger des blancs d'œufs et prendre des vitamines, et toutes les mauvaises habitudes de ma vie ont été supprimées. » Elle prétendit également ne jamais « avoir autant mangé » de toute sa vie.

En dépit du choc que ce fut pour son organisme, Angelina accueillit son nouveau régime avec enthousiasme et prit du plaisir à voir son style de vie changer. On lui demanda de prendre une dizaine de kilos de muscles afin de sculpter sa silhouette naturellement svelte. « Je me lève à 7 heures du matin pour faire du yoga, c'est fou ! », dit Angelina. « Je bois des préparations protéinées, je fais du saut à l'élastique, de la plongée et je m'entraîne au maniement des armes avec les Forces spéciales. Je fais du kick-boxing... Je fais de tout, du football à l'aviron. »

Selon son père, Angelina a toujours été bonne en sport : « Angie a toujours été très sportive. Quand j'étais entraîneur de football, elle était la meilleure joueuse de l'équipe, et en classe elle battait tout le monde à la course. »

Contrairement à de nombreuses actrices d'Hollywood qui préféreraient se couper un bras plutôt que de prendre quelques kilos, Angelina aimait sa métamorphose et se trouvait plus attirante que jamais. Elle aurait même aimé prendre plus de poids : « Je préfère les femmes qui ont des formes, mais je n'avais jamais réussi à en avoir autant que maintenant, parce que je suis naturellement longiligne et osseuse. C'est super d'avoir enfin une poitrine et des fesses décentes. »

On dit que la beauté est un pouvoir, et Angelina avait l'impression de n'avoir jamais davantage contrôlé sa vie. « [Lara] m'a fait me sentir belle pour la première fois de ma vie », affirma-t-elle. « On a tourné la majeure partie du film au Cambodge et je n'avais jamais été en meilleure forme physique de toute ma vie. J'adorais courir dans la jungle, transpirer à grosses gouttes et j'ai aimé jouer un personnage très menaçant physiquement. C'est depuis Lara que j'ai confiance en moi physiquement. Maintenant, quand je me réveille le matin, je ne me dis pas que je suis laide, mais au contraire que je suis belle. »

Le fait qu'Angelina Jolie ait pu un jour se trouver laide en se regardant dans un miroir dépasse l'entendement, mais si une chose est sûre, c'est que son mari aimait la nouvelle apparence de sa femme presque autant qu'elle. Lara Croft est connue pour sa poitrine généreuse et l'entraînement d'Angelina visait notamment à ce qu'elle prît du volume à ce niveau-là. « Ces bébés ont bien poussé aussi », déclara Angelina en parlant de ses seins. « Je vous raconte pas le succès qu'on a à la maison ! »

Le régime d'Angelina la fit passer d'un 95C à un 95D, mais elle dut quand même porter un soutien-gorge rembourré pour être à la hauteur du bonnet DD de Lara, car comme l'actrice l'avait dit elle-même : « Je devais avoir sa natte, sa poitrine, ses bottes. »

Amateur de costumes, Billy Bob fut également ravi de voir Angelina se déguiser pour le rôle. « Je n'ai jamais porté de vêtements aussi moulants. De toute ma vie, personne ne m'a jamais vue en T-shirt moulant et en petit short. Mon mari était pour le moins troublé, du style "Tu portes quoi là ?" Avec son short, ses tresses et son air espiègle, c'est une femme sexy. »

S'il ne fait aucun doute qu'Angelina ne s'était jamais autant amusée sur un tournage, l'absence de Billy Bob dépassait parfois ce qu'elle pouvait supporter et, malheureusement pour elle, son mari avait une telle phobie de l'avion qu'il était peu probable qu'il vienne souvent l'encourager. En conséquence, Angelina profitait des moindres moments de répit que lui accordait son travail pour sauter dans un avion et retourner le voir à Los Angeles, ne serait-ce que pour quelques heures. « Sur les huit mois de tournage, j'ai dû retourner à Los Angeles une trentaine de fois. Une fois, je suis revenue juste pour l'avoir rien qu'à moi pendant six heures. Je suis un peu folle dans mon genre et je lui envoyais des fax bizarres, je l'appelais tout le temps, je lui parlais quand j'étais en train de m'endormir comme ça j'avais l'impression qu'il était à côté de moi. »

Si tout ça peut paraître quelque peu unilatéral, Billy Bob réussit toutefois à vaincre sa phobie en une occasion et son courage ne passa pas inaperçu aux yeux de sa femme. « Il ne prend jamais l'avion », affirma Angelina. « Mais il a réussi à venir en Angleterre. Je l'ai appelé et je lui ai dit : "J'ai besoin de toi." Je lui ai dit que j'allais devenir folle s'il ne venait pas. J'ai besoin de lui… dans mon lit ! Il était prêt à le faire pour moi et ça a été un moment incroyable pour nous, parce que ça a encore une fois montré à quel point il m'aime. »

Billy Bob reconnut qu'il trouvait ça plus facile de prendre l'avion en compagnie de sa femme car la pensée de mourir dans un accident était alors moins effrayante. « Quand je prends l'avion avec elle, je n'y pense même pas parce que si quelque chose arrivait alors qu'on est ensemble, je suis sûr qu'on se regarderait dans les yeux, on sourirait, et puis voilà, vous comprenez ? On se complète. »

Angelina, toujours dans l'exagération, affirma qu'elle aurait très certainement eu recours à des mesures drastiques si Billy Bob n'avait pas fait l'effort de venir la voir en Angleterre. Elle reconnut même qu'à un moment, elle avait considéré l'idée d'envoyer quelqu'un aux États-Unis pour le kidnapper tant son absence affectait son jeu ! « Je servais vraiment à rien à ce moment-là », avoua-t-elle.

Les conversations téléphoniques longue distance étaient peut-être réconfortantes pour le couple, mais elles ne faisaient parfois que rendre les choses encore plus difficiles. « On parlait toute la nuit et on criait de frustration au téléphone. C'était horrible ! » Et vu à quel point les journées de tournage étaient éreintantes sur le plan physique pour Angelina, elle avait du mal à panser ses blessures toute seule. Parfois, elle allait se coucher en serrant dans ses bras des affaires appartenant à son mari. « Une fois, je m'étais blessée au genou et je m'étais méchamment écorchée. J'avais vraiment peur. J'allais me coucher en serrant dans mes bras une de ses paires de bottes ou un des T-shirts que je lui avais empruntés pour me réconforter, et j'allais me coucher en pensant : "Donne-moi de la tarte à la meringue de citron, donne moi de la tarte aux pommes, donne moi un truc pour que je me sente mieux, s'il te plaît…" »

Dans *Tomb Raider*, on voit Lara se balancer aux poutres de sa maison à Surrey, courir dans la jungle et tirer à l'arc quand elle se bat contre ses ennemis Manfred Powell (joué par Iain Glen) et Alex West (Daniel Craig). Si Angelina aurait très bien pu demander à être doublée par une cascadeuse, elle était réticente à le faire et insista pendant tout le tournage pour essayer chacune des cascades. Le coordinateur des cascades disait de l'actrice : « C'est la femme la plus bornée que j'aie jamais rencontrée », et Simon West avait peur qu'elle ne se mît parfois en danger. « Elle n'a peur de rien. J'ai dû trouver un équilibre entre mon envie de l'empêcher de prendre des risques et mon envie de lui taper dessus. Elle se balançait sur une branche en mouvement à quinze mètres du sol et elle voulait enlever le harnais de sécurité. Une telle chute l'aurait tuée. J'avais pas besoin de ça. »

Quand Angelina disait qu'elle avait secrètement toujours « voulu être Indiana Jones ou James Bond », elle ne plaisantait apparemment pas. C'est d'ailleurs « l'aspect guerrier » du film qui intéressa le plus l'actrice quand Simon West lui parla pour la première fois de son projet, et elle « appréciait beaucoup les armes » après seulement quelques jours de tournage. Elle disait qu'elle n'avait « jamais pensé que les femmes n'étaient pas fortes » et était déterminée à démontrer sa théorie, ce qui présentait certains risques puisqu'elle fut blessée à plus d'une occasion. « J'ai eu beaucoup de coupures, des bleus, des brûlures et aussi des ampoules à cause du harnais qui me servait pour les cascades. Au bout d'une semaine, l'équipe en charge des cascades m'a fabriqué un harnais avec de la fourrure. C'était pour rire, mais je vais le ramener à la maison et voir ce que Billy et moi pouvons en faire. »

Il s'avéra qu'elle n'était pas aussi téméraire que ce que tout le monde voulait bien croire. « Ce qui m'a fait le plus peur, c'est sans aucun doute le saut à l'élastique », raconta Angelina. « Même si j'ai appris de source sûre que faire du canoë sur la Tamise était potentiellement beaucoup plus mauvais pour la santé. »

Tout comme Simon West, le père d'Angelina (qui avait un petit rôle dans le film) était nerveux de voir jusqu'où elle était prête à aller, mais il devait bien reconnaître qu'elle tenait sa détermination de lui. « Comme elle, je veux en faire le plus possible moi-même, donc je peux pas vraiment la gronder pour ça. Tout ce que je peux lui dire, c'est : "Prends toutes les précautions possibles." Elle a fait des choses que je n'aurais pas pu faire, et j'aurais aimé qu'elle ne les fasse pas », raconta Jon.

Malgré son appréhension, il était évident que Jon était très fier des prouesses de sa fille : « Elle est très adroite et très maligne, elle a travaillé très dur, elle s'est beaucoup entraînée et a de réelles aptitudes physiques. Elle est très impressionnante dans le film, elle est très forte. Elle est incontestablement faite pour les films d'action, on y croit complètement. » Les aptitudes de sa fille n'auraient pas dû le surprendre vu comment elle était douée dans ce domaine étant petite. « Angie a toujours été une athlète », raconta-t-il. « Lorsqu'elle était enfant, j'entraînais une équipe de foot et Angie était la plus jeune. Je la faisais rentrer dans les moments critiques parce qu'elle était la meilleure. Je lui disais qu'elle était une athlète hors du commun. »

Le réalisateur Michael Cristofer, avec qui Angelina s'était liée d'amitié lors du tournage de *Gia*, avait sa propre théorie sur le comportement téméraire de l'actrice : toute son énergie provenait selon lui du fait que sa période de dépression était derrière elle et qu'elle était dans un état d'esprit beaucoup plus positif. « Lorsqu'elle a fait *Lara Croft*, elle avait besoin de trouver, d'explorer et de vivre cette partie d'elle-même qui était forte, en bonne santé et dans une forme physique extraordinaire. Je pense qu'elle était sortie d'un moment de sa vie très difficile et qu'elle se reconstruisait à travers son travail sur le film. »

Cet exercice physique intense fit assurément ressortir ce qu'il y avait de sexuel en elle et, pour le plus grand plaisir des fans de *Tomb Raider* de par le monde, elle prenait un malin plaisir à le faire transparaître dans sa façon d'interpréter Lara. « Je pense que Lara est extrêmement sexuelle », dit Angelina. « Je me sentais moi-même très sexuelle pendant ce film. Lorsqu'on va au combat, l'adrénaline monte, on est en feu. Ça fait le même effet que quand on a envie de faire l'amour. » Il s'agit d'un autre effet secondaire de *Tomb Raider* dont son mari tira les bénéfices : « Je pense que ça excite Billy parce qu'il sait que je le désire. Je suis obnubilée par lui. Je le traque. Il va falloir qu'il s'accroche parce que je lui saute dessus à chaque fois que je le vois ! »

Bien que le film soit essentiellement construit autour des scènes d'action, Angelina réussit à faire de Lara une femme séduisante, pleine d'esprit et gentiment odieuse, et le film ne se prend pas trop au sérieux. C'était l'intention depuis le début, lorsque Simon West et elle s'accordèrent sur le fait que le ton du film devrait être « décalé et stupide ».

L'instant où Jon entre en scène échappe cependant à la règle. Angelina et son père n'avaient pas travaillé ensemble depuis son apparition dans *Lookin' to Get Out* quand elle avait 7 ans et, s'ils avaient déjà parlé, ils étaient arrivés à la conclusion que ça ne serait « ni une bonne, ni une mauvaise idée ». Lorsqu'Angelina lut le script pour la première fois, la relation entre Lara et son père bien-aimé la frappa car elle donnait une dimension plus humaine à la femme d'action. « Simon et moi avons parlé d'elle, de sa relation avec son père, et en quelque sorte elle est devenue belle pour moi », raconta Angelina. Elle avait l'impression de se reconnaître dans ce que Lara ressentait pour son père et se dit que s'il y avait quoi que ce soit que Jon et elle devaient faire ensemble, c'était ça. « On a attendu des années avant de travailler ensemble... Quand j'ai réalisé à quel point le film allait être bien, j'ai donné mon accord pour qu'on lui propose le rôle. »

Le père de Lara est mort mais il reste très présent dans la vie de l'héroïne et revient lui donner des conseils. Lara se rend sur sa tombe le jour de l'anniversaire de sa mort et c'est le seul moment du film où son côté vulnérable et sentimental se dévoile. Lord Richard Croft avait une grande influence sur la vie de sa fille et elle avait suivi son exemple, tant sur le plan professionnel que moral. Bien que la relation entre Angelina et Jon ait toujours été mouvementée, elle traversait à ce moment-là une phase harmonieuse et se réjouissait à l'idée de se plonger dans les similarités que sa relation avec son père avait avec celle de son personnage. « Une bonne partie de l'histoire raconte comment elle reprend contact avec son père », raconta Angelina. « Il est décédé, mais il lui a laissé des messages. En grandissant, elle a fini par être son portrait craché. Dans ma vie, mon père n'a pas toujours été là mais il m'a toujours envoyé des lettres, des livres, des nouvelles, et en fin de compte on a fait la même chose de nos vies. Donc les scènes qu'on joue ensemble ont fini par avoir quelque chose de très personnel. » Personnel au point qu'ils ne s'appuyèrent sur le script que le temps de trouver des mots plus appropriés. « On a adapté des petites choses, peut-être un mot par-ci, par-là, donc on était vraiment en train de se dire des choses », raconta Angelina.

Angelina affirma que ça avait été « génial » de travailler avec son père ; Simon West, en tant que réalisateur, trouva quant à lui la présence de Jon sur le tournage un peu intimidante et dit que ça lui avait « des fois donné l'impression d'emmener une fille au restaurant en ayant son père assis à la table d'à côté ! »

Jon ne fut pas moins expansif à propos de l'expérience : « On n'avait qu'une scène à tourner tous les deux, mais ça a été merveilleux pour nous de pouvoir travailler ensemble. C'était un beau rêve qui se réalisait. On espère que l'expérience se reproduira à de nombreuses autres reprises. » Il concéda aussi que ce rôle n'avait pas vraiment été difficile pour lui étant donné les parallèles existant entre Sir Richard et lui quant à leur relation avec leur fille. « Le père de Lara essaye de donner des nouvelles à sa fille au fur et à mesure des années, et c'est de ça qu'il s'agit à la base. Comme le font tous les parents, ils essayent d'écrire une petite lettre de temps en temps, avec des nouvelles, vous comprenez ? »

Jon avait beau être l'acteur le plus expérimenté du tournage, il lui est apparu très clairement dès le début que c'était Angelina qui commandait dans leur relation professionnelle. Aussi têtue que d'habitude, sa courageuse fille était toujours très heureuse de le remettre à sa place et il était lui-même ravi d'être sous son autorité. Quand ils répétaient leur texte ensemble, les suggestions de Jon se soldaient souvent par des réflexions telles que : « Non, je ne dirais ou je ne ferais jamais ça. » « Elle avait totalement raison », admet-il. « J'étais un peu son secrétaire, je notais tout ce qu'elle disait et c'est ce qu'on finissait par faire. » Peu après la fin du film, Jon déclara que le terrain de golf était à présent le seul endroit où il pourrait apprendre des choses à sa fille.

Si Angelina savait exactement ce qu'elle voulait faire dire à Lara, apprendre comment le lui faire dire fut une autre paire de manches. Née à Surrey, Lara avait grandi dans une famille aristocrate et il était essentiel qu'Angelina perfectionne son accent d'Anglaise distinguée. Les quelques séances qu'elle passa avec son « dialect coach », qui lui en enseigna les subtilités, donnèrent un résultat assez impressionnant même si l'actrice affirmait trouver parfois un peu difficile de ne pas « tomber dans l'accent "cockney" » typique des habitants des quartiers populaires de l'est londonien. L'accent américain d'Angelina n'était cependant pas la seule chose qu'il fallait réussir à dissimuler et les maquilleurs de l'équipe savaient exactement ce qu'ils avaient à faire. L'actrice fut dans un premier temps tentée de ne pas camoufler ses nombreux tatouages mais décida finalement qu'elle préférait que Lara ne lui soit pas identique, d'autant plus qu'il était pour le moins improbable qu'une aristocrate anglaise ait « Billy Bob » inscrit à l'encre sur son bras ! Après le pensionnat de Gordonstoun, Lara partit en Suisse dans une école privée pour jeunes filles et c'est pourquoi Angelina fut aussi envoyée dans une « école des bonnes manières », comme elle l'appelait. Lara a beau être une guerrière, le moindre de ses gestes respire la grâce et l'élégance et c'était quelque chose qu'Angelina, qui manquait un peu de classe, avait aussi besoin d'apprendre.

Mais plus encore que la préparation physique et les cours d'élocution, le plus difficile pour Angelina dans l'expérience *Tomb Raider* fut qu'elle n'avait pas du tout pris la mesure de l'enjeu que représentait le fait d'incarner Lara Croft. « J'avais pas réalisé dans quoi je m'embarquais. C'est une telle icône et un fantasme pour tellement d'hommes », reconnut-elle. « Je pensais que je ferais un film, que j'apprendrais plein de choses et que ça serait une bonne expérience. Il y a une attente énorme. Beaucoup de gens jouent à *Tomb Raider* et ils savent tous ce qu'ils veulent voir ou ne pas voir chez Lara. J'espère que je serai à la hauteur de leurs espérances. » Par contre, s'il y avait bien une chose sur laquelle elle était confiante, c'était son apparence : « J'avais peur de décevoir les gens, mais au moins personne ne peut dire que je n'ai pas le physique du personnage ! »

Angelina n'avait pas pris en compte le sentiment de possession que les indéfectibles fans de *Tomb Raider* ressentaient à l'égard de

Lara, et si elle était contente de donner des interviews et de faire la promotion du film, elle était un peu paniquée à l'idée que des poupées à l'effigie de Lara Croft allaient rapidement être mises en vente dans le monde entier et qu'en gros, tout le monde pourrait l'avoir à la maison. Les produits dérivés de Lara Croft la perturbaient un peu : « Se voir en plastique, c'est un des trucs les plus bizarres qui puissent vous arriver. J'imagine que quelqu'un m'arrache la tête et y met le feu, ou encore qu'on m'enfonce la tête la première dans la boue. » Elle avait l'impression d'être acculée et avoua que lorsqu'elle se vit en poupée pour la première fois, elle dut se retenir « très fort pour ne pas pleurer » et se demanda : « Pourquoi quelqu'un a-t-il mis une arme juste entre mes jambes ? J'aime pas voir ma poupée dans cette position ! »

Elle se battit également pour qu'on « réduise un peu » le tour de poitrine de la poupée, les concepteurs ayant quelque peu exagéré ce détail de son anatomie. Tout cela fut certainement beaucoup plus facile à gérer pour Billy Bob, qui était marié à l'une des femmes les plus désirées au monde, et il déclara avec fierté à propos de la promotion du film que sa femme allait « être sur tous les gobelets McDonald's du monde ! » C'était exactement ce qui faisait peur à Angelina. *Une vie volée*, qui lui avait pourtant valu un oscar, n'avait pas autant attiré l'attention que *Tomb Raider* et l'actrice n'était pas préparée à être une célébrité mondiale : « Ça peut vous faire péter les plombs... C'est le genre de trucs... qui pourrait me renvoyer tout droit à l'hôpital psychiatrique. »

Si elle ne cachait pas sa nervosité quant à l'accueil que le public réserverait à *Tomb Raider*, elle n'avait pourtant rien à craindre et l'actrice se sentit pour le moins soulagée par les cris et les applaudissements des spectateurs à la fin de chaque avant-première. « J'aurais pas pu rêver mieux », dit-elle. « J'espère qu'ils savent que je suis une amie. Et que je suis très, très humaine, et que j'ai beaucoup de défauts. Je ne suis pas différente d'eux, je suis l'une d'entre eux. »

C'était peut-être le cas, mais l'enthousiasme du public était probablement beaucoup plus lié au fait qu'elle était superbe à courir dans son petit T-shirt et son mini-short très moulants.

CHAPITRE - IX
ANGELINA, TRAVAILLEUSE HUMANITAIRE

Quand Angelina retourna à Los Angeles auprès de son cher mari après le tournage de *Tomb Raider*, il n'y avait pas que son physique qui avait changé. Durant son long séjour à l'étranger, elle avait été exposée à d'autres cultures, à des points de vue différents et à une conception du monde beaucoup plus large, et Billy Bob fut consterné de constater qu'Angelina était devenue une femme complètement différente de celle qu'il avait épousée. L'un des principaux facteurs qui avaient influencé cette métamorphose était le temps qu'Angelina avait passé à regarder les infos en Angleterre, et elle était stupéfaite de voir à quel point ça lui avait ouvert les yeux. Ayant grandi aux États-Unis, elle eut l'impression de n'avoir jamais entendu qu'une seule version des événements (quels qu'ils soient) et son expérience au Royaume-Uni la confronta à un certain nombre de choses auxquelles elle n'avait jamais vraiment songé auparavant. « J'ai grandi aux États-Unis et j'ai appris l'histoire américaine, un point c'est tout. Mon attention était focalisée sur ce qui nous concernait, et pas sur le reste du monde », raconte Angelina. « En regardant les infos au Royaume-Uni, j'ai réalisé à quel point on est repliés sur nous-mêmes aux États-Unis. »

Angelina fut aussi tout particulièrement marquée par la période que le tournage de *Tomb Raider* l'amena à passer au Cambodge, qu'elle décrivit comme « le plus bel endroit où je juis jamais allée ». Elle fut tout autant frappée par la beauté du pays que par la gentillesse de ses habitants, et elle n'arrivait pas à croire qu'un grand nombre d'entre eux souffraient encore des conséquences de la guerre civile.

Le Cambodge connut à partir des années 70 de longues périodes de combats entre plusieurs factions rivales qui se disputaient le pays, et son histoire tumultueuse affecta beaucoup la population civile. Les Khmers Rouges prirent le pouvoir en 1975 et on estime que sous leur régime deux millions de Cambodgiens (soit près d'un quart de la population) moururent de faim, de maladies, des conditions terribles de la vie dans les camps de réfugiés ou du travail forcé, ou bien furent torturés et exécutés par le gouvernement. En 1978, une guerre éclata entre les Khmers Rouges et le Viêt Nam (pays voisin du Cambodge) ; un accord de paix fut signé en 1991, mais toutes ces années de troubles avaient détruit la vie sociale, culturelle, économique et politique du Cambodge. Cette longue période de conflit laissa un autre héritage aux Cambodgiens : le pays est encore aujourd'hui parsemé de millions de mines antipersonnel qui n'ont pas été détectées. Depuis 1979, quarante mille Cambodgiens ont dû être amputés après avoir marché sur une mine.

En revenant du Cambodge, Angelina parla de ses habitants « si généreux et ouverts, gentils et spirituels » et déclara : « Avant de m'y rendre, je n'avais aucune idée que des enfants puissent encore marcher sur des mines tous les jours. Ça m'a vraiment ouvert les yeux. »

Angelina fut extrêmement touchée par la terrible situation des Cambodgiens et sut qu'elle devait suivre ce que son cœur lui dictait et agir dès son retour aux États-Unis. L'actrice ne savait pas vraiment ce qu'elle pouvait faire pour aider et c'est pourquoi elle contacta le Haut Commissariat des Nations unies pour les réfugiés

(HCR) et leur dit que s'il y avait quoi que ce soit qu'elle puisse faire, elle le ferait. Angelina savait à juste titre que sa célébrité rendrait les gens plus attentifs à ce qu'elle dirait et qu'ils l'écouteraient plus volontiers que s'il s'agissait d'un inconnu. « Si je peux utiliser ma célébrité d'une manière positive et faire que les jeunes s'impliquent, alors ça vaut le coup », expliqua-t-elle. Angelina fit aussi preuve d'honnêteté en avouant que son désir de s'intéresser à des pays moins chanceux que le sien n'était pas un acte totalement désintéressé : « Assez égoïstement, je savais que comprendre ce qui se passe dans le monde allait changer ma vie. » L'actrice ne se doutait certainement pas à ce moment-là dans quelle mesure sa vie allait effectivement être changée.

En juillet 2001, peu de temps après son premier contact avec le HCR, Angelina réalisa le premier des nombreux voyages qu'elle ferait pour les Nations unies, qui la conduisit en Sierra Leone et en Tanzanie où elle continua de s'éduquer sur le monde. Et sur le chemin du retour, elle eut une révélation. « J'étais passée de la jungle africaine au fauteuil première classe d'un avion qui me ramenait chez moi », raconta-t-elle. « J'avais beau être couverte de poussière, je me sentais vraie, j'avais l'impression de ne jamais avoir été aussi belle. Et d'un coup, je me suis retrouvée entourée de gens qui me connaissaient en tant qu'actrice. Je crois que mon apparence les contrariait, avec leurs costumes, leur maquillage et leurs magazines. J'ai commencé à feuilleter une revue et je suis tombée sur des articles qui parlaient de fêtes, du classement des films, de qui avait quoi et qui était le plus cool, et ça m'a dégoûtée. Je me suis dit que je n'avais pas envie de retourner dans ce monde-là. »

Angelina n'a jamais été attirée par le côté glamour de la célébrité. Elle pourrait comme les plus grandes stars porter des robes de haute couture et avoir l'air de valoir un million de dollars, mais gagner des places sur la liste des femmes les mieux habillées n'a jamais fait partie de ses ambitions. L'actrice n'avait pas choisi son métier pour avoir le style de vie des grands de ce monde. Au contraire, le luxe que ça lui procurait la laissait complètement indifférente.

Quelle que soit la force avec laquelle elle ressentait la détresse de ces pays touchés par la pauvreté, Angelina hésitait à rendre ses opinions publiques par peur de passer pour une célébrité désinvolte qui voulait juste faire comme tout le monde. Elle avait également conscience de sa réputation quelque peu « vampirique » et savait qu'on ne la prendrait pas au sérieux sur un terrain politique. « Ça m'énerve beaucoup », reconnut-elle. « Les gens pensent toujours que je suis folle et un peu bizarre, alors je fais très attention avec mes opinions politiques parce que je ne veux pas qu'elles soient reprises dans le flot de bêtises qu'on écrit à mon sujet. Mais je pense vraiment qu'on a besoin de meilleurs journaux télévisés ici, à Los Angeles. On ne parle pas assez de ce qui se passe dans le monde. »

Angelina ne fut pas davantage prise au sérieux chez elle que partout ailleurs. S'il encouragea initialement sa femme à s'engager dans sa nouvelle passion, ce qu'elle espérait accomplir en se rendant dans ces pays laissait Billy Bob pour le moins sceptique. Angelina raconta : « Il me disait : "Pourquoi tu veux faire tout ça ? Qu'est-ce que tu crois vraiment pouvoir faire ?" J'ai des amis qui trouvent ça fou que je veuille quitter la chaleur et la sécurité de mon foyer. Mais je devais croire que je pouvais faire quelque chose. »

Sa famille et ses amis n'étaient pas moins sceptiques que son mari et ne comprenaient pas pourquoi Angelina devait se rendre en personne dans ces pays. Si elle voulait aider, pourquoi ne pouvait-elle pas le faire à distance ? Sa réponse était simple : « Je ne comprends pas exactement ce qui se passe à moins d'être sur place. »

Au moment de partir pour la Sierra Leone, sa mère en larmes lui remit un message de son frère : « Dis à Angie que je l'aime et de se souvenir que si un jour elle a peur, qu'elle est triste ou en colère, il faut qu'elle regarde le ciel de la nuit, qu'elle trouve la deuxième étoile à droite et qu'elle la suive tout droit jusqu'au matin. » Il s'agissait d'une référence à *Peter Pan*, qui était une de leurs histoires favorites lorsqu'ils étaient enfants.

L'assurance qu'elle dut souscrire pour couvrir l'éventualité où Angelina se ferait kidnapper ou devrait être rapatriée en avion n'aida pas à apaiser les craintes de Marcheline quant à la sécurité de sa fille. Tout aussi inquiet, Jon appela le HCR en personne pour les implorer d'annuler le voyage d'Angelina, mais cette dernière était une adulte capable de prendre ses propres décisions et sa démarche n'aboutit pas. Cela n'empêcha pas l'actrice d'être agacée par le comportement de son père : « J'étais en colère contre lui, mais je lui ai dit que je savais qu'il m'aimait et qu'en tant que père il essayait de me protéger. »

Angelina resta imperturbable devant les protestations de sa famille et partit en mission pour le HCR, d'abord en 2001 où elle passa une grande partie de son temps en Afrique, au Cambodge et au Pakistan, puis l'année suivante en Équateur. Ces voyages la séparèrent peut-être de son mari pendant des semaines, mais Angelina avait été piquée par la mouche de l'humanitaire et elle n'avait pas l'intention de se soigner. Lors de ces missions, elle décida d'écrire un journal (*Notes from My Travels*) qui fut publié en octobre 2003 et dont tous les bénéfices furent reversés au HCR.

Le livre d'Angelina est un récit émouvant et instructif dans lequel elle raconte ses expériences avec simplicité et sans prétention. Quand elle commença à travailler avec le HCR, elle fut la première à reconnaître qu'elle ne savait pas grand-chose de la situation critique des réfugiés et on voyait bien que si elle faisait ces voyages, ça n'était pas pour se la jouer grande star du cinéma voulant faire une B.A. mais pour écouter, voir et apprendre. « Je ne sais pas ce que je vais accomplir », dit-elle. « Tout ce que je sais, c'est que plus j'apprenais, chaque jour, sur le monde, plus je réalisais à quel point je ne savais rien. »

Plutôt que de bombarder le lecteur de faits politiques et de sermons autosuffisants, le journal d'Angelina décrit ce qu'elle a vu et éprouvé et explique d'une manière pratique et directe ce qui peut être fait pour aider. Comme on pouvait s'y attendre, ces voyages confrontèrent Angelina à des situations horribles, comme elle n'en avait jamais vu auparavant ; son récit nous amène au cœur de chacune des émotions qui l'ont étreintes, chacune des larmes qu'elle a versées et chacune des personnes qui l'ont touchée, de quelque manière que ce soit. Elle établit la liste des statistiques choquantes qui l'ont poussée à agir : il y a plus de 20 millions de réfugiés aujourd'hui, un sixième de la population mondiale vit avec moins d'un dollar par jour et un tiers n'a pas l'électricité, 1,1 million de personnes n'ont pas accès à l'eau potable, plus de 100 millions d'enfants ne sont pas scolarisés et un enfant sur six en Afrique meurt avant l'âge de cinq ans. Elle explique également comment ce qu'elle a appris l'a « changée pour toujours ». Elle écrit : « J'ai tellement de chance d'avoir emprunté ce chemin dans ma vie. Tellement de chance d'avoir rencontré ces personnes magnifiques et d'avoir pu vivre cette expérience incroyable. »

Elle se rendit en Afrique du 22 février au 9 mars 2001 et fut profondément touchée par la situation de dénuement qu'elle constata. C'est à ce moment qu'elle réalisa ce qu'elle faisait exactement comme métier et elle tenta d'abord de cacher aux gens qu'elle était actrice, par peur que cela ne leur paraisse futile et superficiel. « C'est un peu difficile pour eux de concevoir ce que je fais comme métier », dit-elle. Elle se rendit cependant vite compte que les gens qu'elle rencontrait n'avait aucune notion ni de sa célébrité, ni et de sa fortune et restaient impassibles devant son statut d'actrice ; s'ils avaient l'air excité de la voir, c'est parce qu'elle arrivait dans un camion des Nations unies et non parce qu'elle avait gagné un oscar. Une petite fille lui demanda même un jour son adresse. Au début, la star d'Hollywood était réticente à donner des informations si personnelles : « Pendant un moment, j'ai voulu préserver mon intimité, comme j'avais appris à le faire aux États-Unis », raconta-t-elle. « Mais ils s'ouvraient à moi, alors j'allais m'ouvrir à eux. » Les réfugiés ne se souciaient pas de qui elle était ni des films qu'elle avait faits ; ce qui était important pour eux, c'est qu'elle était là et qu'elle essayait de les aider.

Consciente de sa richesse, Angelina voulut aussi se débarrasser de tous les bijoux ou vêtements qui auraient pu être tape-à-l'œil. « Je ne voulais pas porter quoi que ce soit qui ait de la valeur », dit-elle, « non pas parce que j'avais peur qu'on me vole, mais parce que je me sentais mal. Je me trouvais au milieu de gens qui vivent avec si peu... » Ayant toujours été privilégiée, Angelina était propulsée sur une autre planète, et bien qu'elle ne fût pas toujours très sûre du comportement à adopter dans certaines situations, elle était résolue à n'offenser personne. Une fois, elle prit un enfant par la main tout en sachant qu'il pouvait avoir la gale. Si la plupart des gens seraient dégoûtés à l'idée de faire une telle chose, Angelina voulait montrer qu'elle n'était pas précieuse. « J'aurais préféré attraper la gale plutôt qu'être effleurée par l'idée d'enlever ma main de celle de ces petits enfants », dit-elle. Lorsqu'on lui demanda si elle pourrait arrêter son métier d'actrice pour consacrer sa vie au travail caritatif, elle répondit : « J'adorerais. Mais je sais que je suis plus utile en tant qu'actrice. En faisant un film, je suis financièrement capable de faire plus de bien et je peux davantage attirer l'attention des gens [que] si je passe une semaine sur le terrain. C'est comme ça que je suis le plus utile. J'ai le choix entre passer un an à construire une école de mes propres mains ou en acheter plusieurs centaines. Je suis simplement consciente du fait que je peux faire plus de choses en restant dans le milieu du cinéma. »

Angelina s'attacha tellement aux gens qu'elle avait rencontrés en Afrique qu'elle voulut garder tout près d'elle les souvenirs qu'elle avait d'eux, même si c'était aux dépens de l'hygiène ! Durant son vol entre Dar es Salaam et Londres, l'actrice se rendit compte qu'elle ne voulait pas enlever la veste répugnante qu'elle avait portée tout au long de son périple : « Ça avait été ma couverture. Je ne veux pas la nettoyer ou la laver. Pour une raison ou une autre, en enlevant cette veste, j'ai l'impression que je m'éloigne de tous ces gens, de ces endroits... »

Il ne fallut pourtant pas longtemps à Angelina pour se réinstaller malgré elle dans le luxe de sa vie à Los Angeles. « J'ai été gênée de réaliser [et d'admettre] à quel point il m'avait été [facile] de reprendre mon ancienne vie après mon voyage en Afrique », confessa-t-elle.

Il était donc très important pour elle de planifier une seconde mission, qui la conduirait cette fois au Cambodge. Elle était tombée sous le charme de ce pays après y avoir tourné une partie du premier *Tomb Raider*, et son deuxième voyage (qui eut lieu du 16 au 27 juillet 2001) la conforta dans l'idée qu'il s'agissait bien de l'endroit où elle adopterait un enfant. L'un des moments forts de son séjour au pays natal de son futur fils, Maddox, était le fait de faire exploser une mine antipersonnel remplie de TNT, un des explosifs chimiques utilisés pour leur fabrication. « C'était un sentiment génial de détruire quelque chose qui aurait autrement pu blesser ou tuer quelqu'un », raconta-t-elle. Elle fut également très honorée de rencontrer Luong Ung, l'auteur de son livre préféré *D'abord ils ont tué mon père*. Angelina avait été très touchée par le récit personnel des expériences sous le régime Khmer Rouge de cette femme qui lui inspirait une grande admiration mêlée de respect. Fille d'un riche fonctionnaire ciblé par les Khmers Rouges, Luong Ung raconte comment toute sa famille dut prendre la fuite et prétendre être une famille de fermiers pour échapper à leurs meurtriers. Elle avait cinq ans quand le régime de Pol Pot fut instauré et elle grandit dans la peur et l'incertitude, perdant notamment l'une de ses sœurs et son père adoré qui se firent assassiner. Après avoir suivi un entraînement de soldat, elle finit par s'échapper au Viêt Nam et réussit à rejoindre les États-Unis.

Les épreuves que la jeune femme avait dû endurer remplirent Angelina d'humilité et elle avoua s'être sentie « nerveuse » lorsqu'elle se retrouva en face de son héroïne. Elle n'avait pourtant aucune raison de s'inquiéter. Les deux femmes s'entendirent à merveille dès les premières secondes et Luong Ung était reconnaissante envers Angelina de sensibiliser les gens aux problèmes du Cambodge. « Nos regards se sont immédiatement croisés », se souvient Angelina. « On s'est souri en avançant l'une vers l'autre, et on s'est prises dans les bras comme si on se connaissait depuis des années. » Dans une anecdote très personnelle de son journal, Angelina raconte une soirée passée avec Luong Ung durant laquelle, juste après avoir tendu leur hamac pour la nuit, elles allèrent chercher à la lampe de poche un endroit où se soulager. « Je tenais la lampe de poche. Elle avait deux morceaux de papier toilette. On s'est toutes les deux mises au bord de la route, à trois mètres à peine l'une de l'autre. »

Angelina évoque aussi la difficulté qu'elle eut à supporter ses lentilles de contact sous la pluie cambodgienne et explique d'une manière presque enfantine à quel point il lui serait difficile de supporter ça si elle vivait là-bas en permanence. « J'arrive pas à bien voir avec autant d'eau dans les yeux. Je pense que si je vivais ici, je ne pourrais pas me payer le luxe de porter des lentilles de contact, et vu le temps qu'il fait, avec mes lunettes sur le nez, je n'y verrais absolument rien. »

Un autre aspect de la vie quotidienne au Cambodge qui la rendait vigilante était le manque d'eau potable : Angelina savait qu'il ne fallait pas gaspiller d'eau, à tel point qu'elle préférait rester sale. « J'arrive quand même à me verser de l'eau dessus toute seule. Et je ne veux pas gaspiller d'eau. »

Le Pakistan fut l'étape suivante du périple d'Angelina et, en août de la même année, elle alla pendant une semaine à la rencontre des réfugiés et des représentants du HCR travaillant sur place. Paradoxalement, elle se sentit souvent plus à l'aise en compagnie des Pakistanais qu'avec les représentants du HCR et de l'ambassade américaine, et elle reconnut que leur connaissance des affaires du monde l'avait souvent intimidée. « Parfois, je m'affole quand tout le monde parle de politique », dit-elle. « Mais… ce que j'ai appris, c'est que les observations et les impressions de quelqu'un qui essaye de comprendre sont tout aussi importantes. »

Angelina s'est rendue au moins vingt fois à Washington afin d'y rencontrer des membres du Congrès et des sénateurs et faire du lobby au profit des actions humanitaires. Elle reconnaît que ce sont d'autres situations dans lesquelles elle se sent embarrassée : « Je me concentre, je cache mes tatouages, je mets un tailleur, j'ai l'air propre, je ne m'habille pas sexy et je tente de renvoyer l'image d'une femme que je ne suis pas sûre d'être mais que j'aspire à être un petit peu plus. » Si elle avait en théorie moins de points communs avec les réfugiés qu'avec les hommes politiques qu'elle rencontrait, elle se rendit compte qu'elle se sentait beaucoup plus à l'aise avec eux, notamment avec les femmes. « On partageait plein de choses : nos opinions, nos rires, l'amour qu'on porte à notre mari et notre désir d'offrir un avenir à nos enfants », raconta l'actrice chaleureusement.

Les attentats du 11-Septembre vinrent ébranler le monde deux semaines à peine après le retour d'Angelina du Pakistan, et le soutien pour les habitants du Moyen-Orient qu'elle continua à manifester publiquement créa une controverse aux États-Unis. Elle se rendit sur le plateau de l'émission présentée par Larry King sur CNN et affirma clairement qu'elle pensait que tous les Afghans ne devaient pas être punis pour ces actes horribles : « Je crois que pour beaucoup de gens, ce n'est pas très bien vu de parler de ça, mais là-bas il y a des familles exactement comme les nôtres, les Afghans sont un beau peuple, il y a beaucoup de gens qui sont torturés. »

Dans *Notes from My Travels*, elle évoque les menaces qu'elle reçut après avoir participé à l'émission : « Je n'avais pas oublié les familles afghanes que j'avais rencontrées quelques semaines plus tôt et j'ai dit qu'ils avaient besoin d'aide, j'ai moi-même fait un don. Dans les jours qui ont suivi, j'ai reçu trois menaces de mort, dont une par téléphone. L'homme m'a dit que tous les Afghans devaient souffrir pour ce qu'ils avaient fait à New York et qu'il souhaitait que tous les membres de ma famille meurent. » Près de 3 000 personnes perdirent la vie dans l'effondrement des tours jumelles et Angelina ne fut pas surprise de la colère suscitée par ses opinions. « Les émotions étaient à fleur de peau », dit-elle. « Je comprends ça. Ça a été un moment difficile pour tout le monde. »

Si les menaces de mort effrayèrent Angelina, elles ne la dissuadèrent pas de continuer son travail humanitaire. Huit mois plus tard, elle se rendit en Équateur pour observer une situation qu'elle qualifia de « crise humanitaire la plus grave du monde occidental », la Colombie connaissant l'un des pires problèmes de déplacement interne au monde. Ce voyage fut légèrement différent pour Angelina dans le sens où ce fut le premier qu'elle fit depuis qu'elle était devenue maman et, même si elle était toujours très engagée auprès du HCR, il lui fut très difficile de quitter le fils qu'elle venait d'avoir. « C'était ridicule de voir à quel point j'étais émue au moment de l'embrasser pour lui dire au revoir », admit-elle. Devenir maman et éprouver les instincts protecteurs que l'on ressent naturellement envers ses enfants ne fit qu'accroître l'admiration déjà énorme qu'elle portait aux gens qui consacrent leur vie au travail humanitaire. « Je ne peux pas imaginer comment font les gens qui travaillent pour le HCR quand ils sont affectés à des postes où les familles ne sont pas admises. Ils passent des mois sans voir leurs enfants. Si vous leur demandez de vous en parler, ils vous disent à quel point c'est dur. Tout le monde a des photos, mais ensuite ils vous disent que beaucoup de gens avec qui ils travaillent, les réfugiés, ont perdu leurs enfants. Alors au moins, eux, ils savent que leur famille est en sécurité. »

Aussi déchirant que ce fût pour Angelina de se séparer de son bébé, ses efforts portèrent leurs fruits et, en août 2001, elle fut nommée ambassadrice de bonne volonté des Nations unies.

Rudd Lubbers, le Haut Commissaire des Nations unies pour les réfugiés, n'avait que des compliments à la bouche quant à la contribution d'Angelina au HCR. Dans la préface du livre de l'actrice, il écrivit : « Nos défis sont immenses et ne pourraient pas être relevés sans le soutien dévoué d'individus du monde entier qui se sentent concernés. Angelina Jolie est l'un des porte-parole de la cause des réfugiés. Depuis qu'elle a été nommée [ambassadrice de bonne volonté des Nations unies], Angelina a dépassé mes attentes. Elle a su être une partenaire proche et une collègue sincère dans nos efforts pour trouver des solutions au problème des réfugiés dans le monde. Sa générosité et son esprit profondément charitable sont source d'inspiration pour nous tous. »

Shannon Boyd, qui travaillait également pour le HCR, affirma n'avoir jamais entendu Angelina avoir des exigences de diva ou demander si elle allait être en sécurité en se rendant dans des pays dangereux. « Elle ne s'est jamais plainte des conditions, même si parfois elles ont été vraiment dures », déclara Shannon Boyd. « Elle établit très facilement le contact avec les réfugiés qu'elle rencontre. Ils sentent qu'elle va faire quelque chose pour les aider quand elle va repartir. Elle leur donne de l'espoir. Partout dans le monde, des enfants nés dans des camps de réfugiés ont reçu son nom en son hommage. »

Joung-Ah Ghedini, une autre porte-parole du HCR, était également très admirative devant l'attitude d'Angelina : « S'il faut faire six heures de route sur une moto déglinguée dans des régions où elle ne peut même pas prendre de douche, elle le fera. »

Outre la consécration d'être nommée ambassadrice de bonne volonté des Nations unies, Angelina fut la première à recevoir le prix de Citoyen du Monde de la United Nations Correspondents Association en 2003 et elle reçut le Global Humanitarian Award de l'UNA-USA en 2005. Cette même année, l'actrice eut également l'honneur de recevoir la citoyenneté cambodgienne pour le travail de conservation de la nature auquel elle avait contribué.

Le voyage d'Angelina en Équateur en juin 2002 est le quatrième et dernier voyage dont elle parle dans son livre. À la fin de son journal, elle explique pourquoi son engagement dans des œuvres caritatives est assuré en écrivant : « La charte des Nations unies commence avec ces mots : "Nous, le peuple". C'est l'une des plus belles choses que j'aie jamais lues ; ça représente cette vie que l'on partage tous, nous les peuples du monde, ça représente notre histoire qu'on se doit de protéger, nos cultures et ces choses qu'on doit apprendre les uns des autres. Les réfugiés sont des familles et des individus comme nous, mais ils n'ont pas la liberté que nous avons. Leurs droits ont été violés. »

Angelina, qui a dit une fois qu'elle aimerait mourir en sachant qu'elle a servi à quelque chose, continue aujourd'hui encore à se battre pour le respect des droits de l'homme dans le monde. Depuis des années, elle a donné des millions de dollars pour de nombreuses causes auxquelles elle est sensible comme les réfugiés qui fuient les Talibans en Afghanistan, les fermiers cambodgiens frappés par la pauvreté, la construction de cliniques pour les malades du sida en Éthiopie, les victimes du conflit prolongé dans le Sahara occidental ou encore le Projet du Millénaire qui a pour but de réduire de moitié la pauvreté dans le monde d'ici à 2015. « Je trouve ça ridicule de penser qu'on devrait garder tout ce qu'on gagne en un an parce qu'on a besoin de trois voitures et de deux maisons, c'est vraiment stupide », dit Angelina qui a depuis 2001 donné un tiers de son salaire à des œuvres caritatives. « Je pense qu'on devrait donner autant qu'on peut. »

Outre ses contributions financières, Angelina continue à sensibiliser le public sur diverses questions (ce qui demande beaucoup plus d'énergie que de signer un chèque) et fut pour cela désignée comme l'une des vingt-cinq philanthropes les plus influents au monde par la revue d'économie *Worth*. Elle a créé deux fondations : la Maddox Relief Project, consacrée au Cambodge, et la Jolie Foundation qui vient en aide aux enfants orphelins. En 2005, elle réalisa trois documentaires, dont deux pour MTV. *The Diary of Angelina Jolie and Dr Jeffrey D Sachs* suit Angelina et Jeffrey D Sachs (ancien conseiller du Secrétaire général des Nations unies Kofi

Annan et directeur du Projet du Millénaire) dans le village kenyan de Sauri, où ils rencontrent la population locale et témoignent des effets de la malnutrition, du manque d'eau potable et des moyens de santé insuffisants. L'autre documentaire, *Inhuman Traffic*, se penche sur le commerce fait autour du trafic sexuel en Europe. Angelina espérait que ce documentaire « donnerait plus de pouvoir aux femmes et aux jeunes filles » : « C'est une tragédie qu'au XXIe siècle, des centaines de milliers de personnes fassent l'objet de trafic et soient exploitées chaque année. »

Le troisième documentaire d'Angelina s'appelle *A Moment in the World*. Le film capture des images d'événements se passant partout dans le monde sur une période de trois minutes. Cette idée naquit du fait qu'un jour Angelina pouvait être au Cambodge, où les gens vivent dans la peur de marcher sur une mine, et vingt-quatre heures plus tard être de retour dans sa vie luxueuse à Los Angeles. « Je passais mon temps à voyager entre le Cambodge, les camps de réfugiés, les zones de guerre et Hollywood et tous ces autres endroits bizarres, et je voyais le monde à tous ces moments-là », raconta Angelina. Le film était pour elle un bon moyen de montrer à ceux qui ont les vies les plus privilégiées à quel point d'autres peuvent être privés de tout à certains endroits. « On n'est pas obligé de vivre sans rien pour être une bonne personne », dit Angelina. « Mais une fois qu'on a vu des gens souffrir, comment ne pas se les rappeler à longueur de temps et agir pour améliorer les choses ? Comment pouvez-vous ne rien faire ? Je sais que ça a l'air un peu gnangnan, mais je veux faire de ce monde un monde meilleur, donc quoi qu'il faille faire, je le ferai. »

CHAPITRE - X
LA RUPTURE

Bien qu'en 2001 Angelina ait été absorbée par son travail humanitaire, autre chose lui trottait dans la tête à ce moment-là et elle sentait qu'il était temps d'introduire un grand changement dans sa vie. Pour Angelina, le temps d'être maman était venu. Même si l'actrice avait toujours exprimé le désir d'adopter un enfant, elle insista pour faire une pause d'un an et demi entre le tournage du premier et du deuxième *Tomb Raider* afin de « pouvoir faire autre chose, ou tomber enceinte ». Lorsque ce moment arriva, pourtant, elle avait mis dans un coin de sa tête l'idée d'avoir un enfant biologique et souhaitait plus que jamais adopter un enfant. Si Billy Bob n'était pas sûr de vouloir se lancer dans cette aventure, il dut manifestement garder ses réserves pour lui et en septembre 2001 le couple commença ensemble à remplir les formulaires d'adoption au Service d'Immigration et de Naturalisation de Los Angeles.

Alors qu'Angelina et Billy Bob suivaient les longues procédures d'adoption et étaient interrogés par les autorités compétentes, la détermination de l'actrice à contribuer au bonheur des enfants cambodgiens ne faiblissait pas et l'idée de n'en aider qu'un seul n'allait pas satisfaire son besoin altruiste. « Avant d'adopter Maddox, j'ai décidé de faire un geste financier pour aider l'orphelinat tout entier. Je ne peux pas ramener tous les enfants dans mes valises, mais je peux m'assurer que la vie d'un grand nombre d'entre eux sera meilleure. J'ai donné de l'argent pour les enfants les plus âgés, ceux qui n'allaient pas être adoptés. La première fois que j'ai vu un petit garçon en train de mourir, j'ai dit : "Je vais sauver tout le monde et je vais trouver une solution, faisons-le évacuer par avion." Mais ce n'était qu'un des 20 000 enfants de cette région. C'est si triste. »

Angelina et Billy Bob avaient beau être encore ensemble, des tensions commençaient à apparaître dans ce couple qui avait autrefois été obsessionnellement proche, et si à cette époque ils ne supportaient pas l'idée de se quitter, ils poursuivaient à présent tranquillement leurs intérêts séparément. Billy Bob était toujours aussi dévoué à son groupe et passait des heures enfermé dans le studio à travailler sur des chansons, pendant qu'Angelina s'instruisait ailleurs sur les problèmes du monde. Analysant avec du recul la période où les choses commencèrent à se dégrader dans leur relation, Angelina se souvient du moment où la poursuite de leurs intérêts personnels commença à creuser un fossé entre eux. « Il se concentrait sur sa musique et moi j'étais à l'étage avec un livre. Ma vie avait changé, et j'ai commencé à devenir plus impliquée en politique. Je disais : "Ok, ben finis cette chanson, moi je vais à Washington et on se voit lundi." Et puis deux semaines après, c'était : "Ok, je vais en Sierra Leone et en Tanzanie..." »

Après *Tomb Raider*, Billy Bob avait parlé d'un pacte qu'ils avaient fait pour s'assurer qu'ils seraient ensemble tout le temps : ces séparations volontaires ne laissaient donc rien présager de bon. « Lorsqu'elle fera un film, je serai auprès d'elle », avait-il dit, « et quand j'en ferai un, elle sera avec moi. On va juste faire en sorte de rester ensemble à partir de maintenant, parce que la vie a vraiment beaucoup de valeur en ce moment. »

La réticence de Billy Bob à accompagner sa femme lorsqu'elle se rendait dans des camps de réfugiés constituait un autre problème de leur relation. Si sa phobie de l'avion justifiait probablement en partie son attitude, il était clair que l'acteur commençait aussi à reprocher à sa femme le temps qu'elle passait et l'énergie qu'elle dépensait à l'étranger. L'absence de son mari lors de ses voyages brisa le cœur d'Angelina et il fut difficile pour elle de lui pardonner son manque de soutien. « Il n'est jamais allé dans un camp de réfugiés », dit-elle. « Je lui ai demandé de venir mais il a choisi de ne pas le faire. On se rend compte de la vraie nature de quelqu'un en observant son comportement. Et quelquefois, ce que cette personne fait vous blesse. » Bien qu'elle lui ait adressé des reproches, Angelina savait que c'était elle qui avait changé alors qu'il était resté le même homme qu'elle avait épousé. « J'ai décidé d'en savoir plus sur le monde, sur les gens et sur ce qui se passe vraiment. Et ça m'a transformée. »

Billy Bob n'accompagna peut-être pas Angelina lors de ses missions pour les Nations unies, mais il était à ses côtés lorsqu'ils choisirent Maddox (qui était né le 5 août 2001 sous le nom de Rath Vibol) au Cambodge en novembre 2001. « Une fois ma demande d'adoption acceptée, j'ai décidé de ne me rendre que dans un seul orphelinat et de laisser le destin s'occuper du reste », se souvient Angelina. « On m'avait dit que si je voulais adopter un orphelin, il valait mieux avoir un lien avec le pays d'où il serait originaire, parce que c'est l'histoire que j'allais partager avec lui. Lorsque je suis allée au Cambodge pour les Nations unies, j'ai adoré le pays et ses habitants. Donc je suis allée dans un orphelinat et j'ai vu quinze enfants. Maddox a été le dernier bébé que j'ai rencontré. Il était endormi mais on me l'a mis dans les bras, et quand il a fini par se réveiller, on s'est regardé dans les yeux, je pleurais, il m'a souri, et puis voilà. Il avait trois mois et l'orphelinat attendait ses résultats de dépistage du sida et des hépatites. Heureusement, on a appris qu'il était en bonne santé, mais dans tous les cas, il aurait été mon fils. »

Angelina, qui avait eu le sentiment d'être marginale presque toute sa vie, sentit ses pires craintes s'évanouir lorsqu'elle rencontra cet enfant. Elle avoua qu'elle s'était toujours demandé si elle serait une bonne mère : « Si je n'étais pas à l'aise avec les enfants, c'est parce que j'avais toujours pensé que je ne pourrais jamais les rendre heureux, parce qu'on m'avait toujours accusée d'avoir un côté sombre. »

Maddox était trop petit pour l'accuser de quoi que ce soit, il l'acceptait et l'aimait sans condition et cela suffisait à combler Angelina. De tous les rôles que l'actrice pourrait jouer, celui de mère serait le plus important. À partir de ce moment-là, elle n'a plus jamais regardé en arrière. Elle venait de trouver un sens à sa vie : élever des enfants. Et, selon sa mère, c'est quelque chose pour laquelle elle avait toujours été faite : « Ma mère dit que je parlais d'adopter depuis que j'étais toute petite. » Son rêve d'enfance s'était finalement réalisé.

Le chapitre de la maternité venait de s'ouvrir, mais celui de Billy Bob était malheureusement en train de se refermer et, pour autant qu'Angelina ait du mal à l'accepter, il devint de plus en plus évident qu'elle allait élever Maddox seule. Lorsque le processus d'adoption fut finalisé et que les autorités consentirent enfin à ce que Maddox rejoignît sa nouvelle mère le 8 mai 2002, Angelina travaillait en Afrique sur *Sans frontière* avec Clive Owen, et c'est là-bas que son fils alla la rejoindre. Deux mois plus tôt, les deux acteurs avaient loué une maison à Montréal pour le tournage de *Levity* dans lequel jouait Billy Bob, et ce fut le dernier moment de répit pour le couple.

Durant les mois d'avril et de mai, Billy Bob passa la grande majorité de son temps en tournée avec son groupe chéri The House of Blues, et il ne fallut pas attendre longtemps avant qu'il ne reprenne la route lorsque la tournée se termina. Ce fut le point de non-retour. Le couple allait se voir pour la dernière fois en tant que mari et femme le 2 juin, et lorsque Billy Bob revint à Los Angeles en juillet, il descendit au Sunset Marquis Hotel, conscient qu'il ne serait pas accueilli à bras ouverts s'il se présentait au domicile familial.

Tout autant désireuse que lui de prendre ses distances avec leur relation tumultueuse, Angelina avait trouvé refuge dans un établissement calme de la ville côtière de Santa Monica afin de s'éloigner de leur maison de Los Angeles qui lui rappelait trop de souvenirs. En parlant de l'incident qui mettrait définitivement fin à son mariage, Angelina expliqua : « La goutte d'eau qui a fait déborder le vase, c'est quand il est parti en tournée avec son groupe au lieu de passer du temps avec Maddox et moi. Tout le respect que j'avais pour lui s'est envolé et j'ai compris qu'il n'était pas du tout le genre d'homme avec qui j'avais besoin ou envie d'être. J'ai trouvé son comportement tout simplement inacceptable et ça m'a ouvert les yeux. J'ai commencé à comprendre qu'il ne voulait pas prendre la responsabilité de m'aider à élever Maddox. J'étais déçue et désillusionnée. Il m'avait montré qu'il n'était pas l'homme que je croyais connaître. »

Si l'indifférence de Billy Bob envers leur fils n'avait pas suffi à faire fuir Angelina, les rumeurs de ses infidélités l'auraient fait. On raconte que pendant sa tournée, Billy Bob ne se comportait pas exactement comme l'homme marié dévoué qu'il avait jadis été. Des témoins affirment qu'il n'était pas rare que la star invite des filles à monter sur scène avec lui et qu'il emmène des groupies dans des soirées bien arrosées organisées après ses concerts et qui duraient jusqu'au petit matin. Angelina avait par le passé plaisanté à ce propos en disant que si Billy Bob lui était un jour infidèle, elle ne le tuerait pas parce qu'elle aimait ses deux fils et qu'elle ne voulait pas qu'ils grandissent sans papa, mais elle n'hésiterait pas à le frapper parce qu'elle savait exactement où il s'était blessé en faisant du sport ! Elle n'alla pas jusqu'à l'agresser, mais reconnut : « Je ne pense pas que ces rumeurs soient dénuées de tout fondement ». Et elle n'allait certainement pas accepter ce genre de comportement de la part de quelqu'un en qui elle avait eu une confiance aveugle. « Entre nous, ça faisait déjà plusieurs mois que les choses évoluaient, ou plus exactement, qu'elles se dégradaient », raconta-t-elle. « Il ne me respectait pas et c'était clair qu'il faisait des choses derrière mon dos, des choses avec lesquelles je ne pouvais pas vivre. Je suis plutôt ouverte et tolérante, mais je ne pouvais plus vivre avec quelqu'un en qui je n'avais plus confiance. »

Toujours aussi combative, Angelina refusa de se laisser abattre par le comportement de Billy Bob et était déterminée à élever Maddox seule aussi bien qu'elle le pourrait, avec ou sans son soutien. Bien qu'elle admît « ne pas avoir prévu d'être mère célibataire », elle affirmait catégoriquement qu'elle préférerait autant que Billy Bob ne soit pas là si sa présence n'allait pas s'avérer bénéfique.

« Pendant un moment, j'ai été très énervée et très déçue, mais je n'avais pas d'autre choix que de tourner la page », dit-elle à propos de la rupture. « J'ai découvert que j'avais beaucoup de force et de détermination alors que je n'en soupçonnais même pas l'existence. Ça a été un grand tournant de ma vie, une évolution cruciale. »

Son père ayant quitté la maison alors qu'Angelina n'était encore qu'un bébé, l'actrice ne connaissait que trop bien les hommes incapables de prendre leurs responsabilités. Billy Bob lui avait fait croire qu'il serait son partenaire pour la vie, pour le meilleur et pour le pire, et son absence l'avait encore plus convaincue qu'il ne méritait pas d'être le père de Maddox.

« Une famille, ça se mérite », dit Angelina. « On ne peut pas avoir un enfant, partir et ensuite prétendre que c'est son enfant. Je ne pleure pas l'absence de mon père, mais ça me rend triste de voir toutes ces années que ma mère a passées à vouloir faire de nous une famille unie. Quand un couple divorce, il y a des gens qui pensent qu'il faut faire semblant d'être une famille heureuse pour des occasions comme Noël ou les anniversaires. J'ai appris des erreurs de mes parents et c'est pour ça que ce que je veux pour Maddox, c'est qu'il soit entouré de gens qui sont là parce qu'ils ont envie d'être là et non parce qu'ils sont obligés. »

Si Maddox n'avait pas été là, la fin de son mariage aurait probablement entraîné Angelina dans une de ces spirales de dépression qu'elle ne connaissait que trop bien. Mais à présent, elle était autant responsable des sentiments de son fils que des siens et il n'était pas question de laisser ce qui se passait dans sa vie affecter Maddox. « Je ne peux pas me disputer avec quelqu'un ou être en colère parce quand je lève les yeux, il y a ce petit bonhomme avec sa petite bouille malicieuse. Ça le rend triste de me sentir triste. Je veux vraiment rester dans un bon état d'esprit pour lui. Je suis beaucoup plus forte et j'ai beaucoup plus confiance en moi que ce que tout le monde veut bien croire. C'est vrai que j'ai pu vivre des moments difficiles, mais le ciel ne s'effondre pas parce qu'une personne ne fait plus partie de votre vie. Il faut prendre sa vie en main et arrêter de s'apitoyer sur son sort. »

Angelina recevait le soutien de sa mère et son frère adorés et reconnaît qu'ils lui donnèrent du courage lors de ce moment difficile. « Je suis entourée de gens biens, ma mère, mon frère, les gens avec qui je travaille. J'ai toujours été très proche de ma mère, c'est elle qui m'a élevée. C'est une femme merveilleuse, vraiment merveilleuse, et elle adore être grand-mère. Je n'ai pas un très grand cercle d'amis et c'est pourquoi on est très importantes l'une pour l'autre. »

Il semblait également ne faire aucun doute pour elle que Maddox recevrait la meilleure éducation qui soit, et elle savait qu'elle pourrait lui offrir un grand nombre de choses dont beaucoup d'autres enfants n'oseraient même rêver. « Maddox va être un enfant chanceux : il aura une bonne éducation et voyagera dans le monde entier. Il n'a peut-être pas de père dans le sens traditionnel du terme, mais il y a beaucoup d'hommes merveilleux dans ma vie qui aiment Maddox. Il recevra une influence masculine. Mieux vaut n'avoir personne que quelqu'un qui n'est là qu'à moitié ou qui ne veut pas être là, ou alors qui est là et puis disparaît. »

Angelina n'était pas la seule à être impressionnée de voir qu'elle arrivait à s'en sortir toute seule et elle forçait l'admiration de son entourage proche. Elle avait tant proclamé que son bonheur complet dépendait de l'amour de Billy Bob que ses amis et sa famille s'attendaient légitimement à ce que ça soit dur pour elle. « Tout le monde se demandait si j'allais m'effondrer », raconta Angelina. « J'imagine que j'en ai étonné plus d'un en montrant que je suis beaucoup plus solide et que j'ai beaucoup plus confiance en moi que ce qu'ils auraient voulu croire. Je me suis surprise moi-même. »

Angelina avait publiquement déclaré un amour éternel à Billy Bob et à sa place, beaucoup de gens se seraient sentis stupides en voyant une telle relation tomber en ruine à la première difficulté. Angelina prenait toutefois sa relation avec Billy Bob avec philosophie : « On avait l'impression d'être passionnément amoureux l'un de l'autre. On était très amoureux mais c'était plus un super, merveilleux béguin qui venait de notre amitié et de nos délires. Et puis on a commencé à faire des choses différentes de nos vies et en plein milieu de notre mariage, on est devenus très différents et on n'avait plus rien à se raconter, plus rien en commun. Alors ça s'est fini. » Elle décrivit également leur amour comme « le genre de choses qu'on vit au lycée : ça paraît obsessionnel, mais en fin de compte c'était juste fun. »

C'était la première fois pour Angelina qu'une de ses relations se finissait sans que ce soit elle qui s'en lasse et c'était aussi la première fois de sa vie que quelqu'un lui brisait le cœur à ce point. Comme à son habitude, l'actrice, qui n'avait jamais permis à un agent publicitaire de contrôler son image, en parla avec une sincérité désarmante. Elle montra beaucoup plus de franchise que la plupart des stars d'Hollywood, qui édulcorent leurs ruptures avec des commentaires antiseptiques du genre « nos engagements professionnels nous ont séparés », et elle exposa sa vulnérabilité à la face du monde. « J'avais en lui une confiance aveugle, je me sentais en sécurité, et d'un coup tout ça s'est envolé », confessa-t-elle. « J'ai toujours été très ouverte sur mes sentiments, et je ne compte plus les interviews où j'ai dit à quel point je ferais tout pour cet homme. Mais, au final, il n'aurait pas tout fait pour moi. »

Et s'il ne faisait aucun doute que l'actrice regrettait la manière dont les choses s'étaient passées entre eux, elle ne regrettait certainement pas un seul mot qu'elle avait pu dire à son sujet. « Je ne veux jamais de la vie être une personne qui réfléchit à ce qu'elle dit et qui s'autocensure. Je crois que quitte à donner une interview, autant raconter des choses qui auront du sens pour la personne qui la lira. Si on est tous ici, c'est pour communiquer les uns avec les autres. Peut-être que les erreurs que j'ai faites, et la manière dont j'ai réussi à rebondir, aideront quelqu'un. Personne ne s'identifie à quelqu'un de parfait. »

Après leur séparation, Billy Bob ne cacha pas non plus ses regrets : « Je suis parti. C'est la chose la plus stupide que j'ai jamais faite. Je suis tombé amoureux comme jamais je n'étais tombé amoureux, et c'était effrayant. Elle n'y est pour rien, absolument rien. Tout est ma faute. » Il concéda également qu'il avait été « égoïste », et selon Danielle Dotzenrod (le mannequin avec qui il sortit après leur rupture), il était évident que Billy Bob était « encore amoureux d'Angelina ». Sachant qu'il avait dit une fois : « On ne peut pas vraiment passer une mauvaise journée si on se réveille à côté d'Angelina », ses remords ne surprirent personne.

Angelina raconta que quand elle avait ramené Maddox à la maison, Billy Bob s'était « lui-même comporté comme un bébé » et, de toute évidence, que l'acteur ne supportait pas que sa femme consacre toute son attention à leur enfant. Par le passé, il avait avoué avoir un sentiment d'insécurité : « Je ne suis pas un mec très confiant. Je suis anxieux et j'ai souvent l'impression de ne pas être à ma place ». Il ne fait donc aucun doute qu'il n'était pas assez solide pour partager Angelina avec Maddox. Alors qu'elle était généralement très expansive sur ses sentiments pour Maddox, tout ce que son mari trouvait à dire à propos de son nouveau fils était : « Ses cheveux se dressent tout droit sur sa tête, un vrai petit punk. » Des commentaires de ce type-là paraissaient un peu détachés à côté des effusions d'amour d'Angelina, et il est certain qu'au lieu d'accueillir le nouveau venu dans la famille, Billy Bob considérait Maddox comme une menace. S'il y avait pourtant une chose que Billy Bob refusait d'admettre, c'est qu'il avait été infidèle pendant leur mariage. « Je ne l'ai pas trompée », insista-t-il. « Mais c'est ma faute, c'était ma peur et mon sentiment d'insécurité. J'avais peur d'Angelina parce qu'elle était trop bien pour moi. Elle était trop belle et trop intelligente. Elle était ma meilleure amie et l'amour de ma vie. »

Les rumeurs disent qu'après leur rupture Billy Bob harcela Angelina au téléphone et la bombarda de lettres la suppliant de lui donner une seconde chance ; mais pour l'actrice, il avait déjà eu sa chance et n'avait pas su la saisir. Quand elle avait quitté Jonny, Angelina n'avait eu que des compliments à la bouche à son sujet et elle avait endossé la responsabilité de leur séparation, mais avec Billy Bob, ce fut une tout autre histoire. Manifestement amère à propos de son ex, Angelina déclara : « J'ai l'impression de ne pas du tout le connaître. On n'est plus en contact. On n'est pas restés amis. Je ne sais même pas si on aura envie de se revoir un jour. On n'était pas faits pour être ensemble et on est mieux l'un sans l'autre. »

Angelina admit qu'elle avait fait son déménagement quand Billy Bob n'était pas là pour ne pas le croiser et qu'elle avait fait une crise au moment de décrocher leur création artistique d'au-dessus de leur lit. Plutôt que de détruire la plaque où elle avait inscrit « *Till the End of Time* », Angelina décida de la cacher dans la cheminée.

« C'était un mensonge de l'avoir accrochée là. C'était le seul endroit de la chambre où je pouvais le cacher, sans faire un drame et la démolir. Je ne sais pas s'il sait qu'elle est dans la cheminée. Je ne sais pas s'il a allumé un feu ! » Un an après leur séparation, un journaliste demanda à Angelina comment elle voudrait qu'on se souvienne d'elle, ce à quoi elle répondit : « Je suppose que je suis contente de savoir qu'on ne se souviendra pas de moi comme la femme de Billy. C'est bien. Si j'étais morte il y a un an, on se serait souvenu de quelqu'un qui n'aurait pas été moi. » Angelina avait dit totalement le contraire après s'être séparée de Jonny, affirmant qu'elle était « très fière d'avoir été sa femme ».

Billy Bob et Angelina firent aussi tout leur possible pour se débarrasser de leurs tatouages. Alors que Billy Bob fit dessiner un ange sur les trois dernières lettres du prénom de son ex-femme de sorte qu'il n'y ait plus marqué que « Angel », Angelina fit entièrement effacer au laser le nom de « Billy Bob » de son bras gauche. Bien que l'actrice admît que c'était douloureux, elle dit aussi qu'elle était absolument « ravie de le faire » et déclara après : « Je ne me ferai plus jamais tatouer le nom d'un homme. »

En remplissant les papiers pour le divorce, Angelina demanda sans surprise la garde exclusive de Maddox ; elle demanda également de pouvoir garder tout ce qu'elle avait gagné depuis le jour où son mari et elle s'étaient séparés. Ayant perçu le manque d'intérêt de Billy Bob pour leur fils, elle n'avait pas du tout peur qu'il conteste sa décision.

Alors qu'Angelina faisait le deuil de l'amour de sa vie, Maddox lui fit découvrir une nouvelle forme de relation qui n'avait aucune chance de se dégrader au bout de quelques années. Son fils était là, il n'irait nulle part, et rien n'aurait pu rendre l'actrice plus heureuse et épanouie. « Je commence à accepter que je ne suis pas faite pour le mariage », admit-elle après son divorce. Mais son histoire avec Billy Bob n'allait certainement pas lui ôter l'envie de se remettre avec quelqu'un. « Je ne le laisse pas gâcher ma vie amoureuse », dit-elle. « J'ai beaucoup d'amour à donner. »

CHAPITRE - XI
CE GARÇON QUI LA REND FOLLE

Un ami d'Angelina lui avait dit un jour qu'il existait quatre types de femmes : les épouses, les mères, les tantes et les petites amies. Elle fut horrifiée en entendant cette théorie, persuadée qu'elle tomberait toujours dans la dernière catégorie : « Je me suis dit : "Oh non, ça c'est moi." » Pendant un moment, ses craintes se vérifièrent : avec son style de vie hédoniste, ses relations amoureuses tumultueuses et son penchant pour les choses les plus noires, Angelina n'avait pas exactement les meilleures prédispositions pour être maman. Et si on lui avait dit que quelques-unes de ces expériences qui bouleversent la vie allaient la métamorphoser au point qu'elle en serait méconnaissable, elle ne l'aurait pas cru. « Jusqu'ici, je n'avais jamais pris un enfant dans mes bras. Quand j'étais plus jeune, je n'ai jamais fait de baby-sitting ; j'avais trop l'air d'une rockeuse punk pour être prise au sérieux », confesse-t-elle. « J'étais nerveuse. Je savais que je pouvais aimer un enfant, mais est-ce qu'un enfant allait être bien avec moi, ou est-ce qu'il allait crier et vouloir être dans les bras de quelqu'un d'autre ? »

Comme nous l'avons vu, les priorités d'Angelina commencèrent à changer lors de son séjour en Angleterre et au Cambodge pour le tournage de *Tomb Raider*, où elle découvrit un aspect de la vie dont elle n'avait pas conscience jusque-là. C'est pourquoi le tournage de *Sans frontière*, l'histoire d'une Américaine privilégiée (Sarah Jordan) qui tombe amoureuse d'un médecin spécialiste de l'aide humanitaire dans les pays en guerre (Nick Callahan, joué par Clive Owen), tomba à point nommé dans le cheminement personnel de l'actrice. On lui avait envoyé le script en 2000, mais le projet avait été suspendu pour diverses raisons et le film ne sortit finalement qu'en 2003. Oliver Stone devait initialement le réaliser, mais ayant eu des désaccords avec Paramount sur le budget à consacrer au film, il avait finalement refusé de le faire ; Kevin Costner avait quant à lui accepté d'interpréter Callahan mais il finit par refuser le rôle face aux prétendues protestations d'Angelina se plaignant qu'il était trop vieux pour jouer son petit ami. Malgré tout, les thèmes du film et les problèmes qu'il aborde ne laissèrent pas Angelina indifférente, et après avoir lu le script, elle se rendit compte qu'elle voulait en savoir plus sur le travail des Nations unies et sur l'organisation en elle-même. Selon Oliver Stone, le film n'aurait jamais vu le jour sans sa persévérance. Et, selon Clive Owen, c'est son désir de sensibiliser les gens qui avait nourri son enthousiasme : « L'idée de faire le film l'excitait beaucoup, et c'était pas de l'orgueil du style "Regardez comme je joue bien". C'était : je veux que les gens en sachent plus à ce sujet. »

Dans le film, Sarah tombe petit à petit amoureuse de l'homme rude et passionné qu'est Nick. Elle est subjuguée par son dévouement pour les pays qui subissent la pauvreté et les privations, et après avoir constaté ces situations de ses propres yeux, il lui est très difficile de retourner à sa vie londonienne confortable et bien réglée. À l'image de son personnage, Angelina, qui avait passé tant d'années à perdre son énergie dans l'anxiété, la crainte et la haine de soi, avait réalisé que les problèmes de sa jeunesse n'étaient rien en comparaison des problèmes auxquels les peuples d'Afrique, d'Éthiopie ou du Cambodge devaient se confronter. « J'ai passé beaucoup trop de temps enfermée dans mon petit monde étriqué à me lamenter sur mon sort au lieu de me réveiller et de réaliser la chance que j'avais », dit Angelina. « Jouer le rôle de Sarah, ça m'a appris beaucoup de choses sur la vie et sur ce qui se passe dans le monde. Si je finis par faire dans ma vie ce qu'elle fait dans le film, je serai fière de moi. Je suis allée dans des camps de réfugiés en Namibie et j'ai passé du temps près de la frontière birmane, dans un camp où s'étaient réfugiés les gens qui avaient dû fuir la persécution du gouvernement. Ça m'a vraiment transformée. »

Angelina avait toujours soutenu qu'il y avait une partie d'elle dans chacun des personnages qu'elle interprétait et Sarah n'échappait pas à la règle. « Sarah n'est pas une mauvaise personne, mais elle ne se rend pas compte de beaucoup de choses qui se passent en dehors de son environnement proche », affirma Angelina, qui aurait facilement pu parler d'elle. « *Sans frontière* a changé la personne que j'étais. Ça a changé ma façon de voir le monde. Avec un peu de chance, ce film fera de moi une personne meilleure. » Lorsque le film sortit (pour être accueilli par de mauvaises critiques), Angelina admit qu'elle avait du mal à le regarder parce qu'il lui rappelait vraiment sa propre vie.

Lorsque l'adoption de Maddox fut enfin acceptée, Angelina tournait en Afrique. Comme elle le ferait par la suite, elle passa avec lui tous ses moments de libre entre les prises. Ne se laissant pas perturber par le fait qu'elle n'avait « jamais changé de couche », l'actrice « improvisa » et, déterminée à ne pas laisser son travail l'empêcher d'être maman, elle se lança avec enthousiasme dans cette nouvelle aventure. « Pendant le tournage [en Afrique], on avait installé un berceau dans ma tente », se rappelle-t-elle. « Après ça, on est allé en Thaïlande ensemble. Donc j'ai passé mon premier mois en compagnie de Maddox entourée d'Africains et de Thaïlandais. Ils m'ont appris à le porter en écharpe, à le nourrir et à m'en occuper comme eux le feraient. »

À sa place, la plupart des actrices hollywoodiennes auraient engagé une nounou à plein temps pour se libérer des tracas qu'apportent les bébés de huit mois, mais Angelina était déterminée à faire le plus gros du travail elle-même. « Le fait d'être actrice me donne beaucoup d'avantages », admet Angelina. « Je gagne très bien ma vie et je peux avoir toute l'aide dont j'ai besoin. Mais je ne serai pas une mère qui demande à une nounou de faire tout le sale boulot à sa place. Ce n'est pas comme ça que je conçois mon éthique professionnelle de maman. »

Si Angelina s'était apparemment préparée du mieux qu'elle avait pu à l'arrivée de Maddox, elle n'avait pas pu prévoir qu'elle serait seule pour s'en occuper. Le pacte qu'elle avait scellé avec Billy Bob avant leur rupture prévoyait que quand l'un d'eux ferait un film, l'autre ne travaillerait pas pour qu'ils puissent être ensemble, et on peut donc raisonnablement penser qu'elle était sûre que son mari serait à ses côtés au moment de l'arrivée de Maddox. Leur séparation avait évidemment modifié tous leurs plans et Angelina ne se retrouva pas seulement à s'occuper d'un bébé, mais aussi d'un cœur brisé.

À un moment, Clive Owen (qu'Angelina décrivit comme un homme « tout simplement adorable » et un « acteur brillant ») commença à sérieusement s'inquiéter pour la santé de sa partenaire. Le stress engendré par l'effondrement de son mariage, les scènes éprouvantes qu'elle tournait et l'énergie qu'elle consacrait à son bébé lui avaient fait perdre beaucoup de poids et l'avaient rendue très fragile, suscitant des inquiétudes sur le tournage. Clive Owen et Martin Campbell (le réalisateur) la prirent à part, lui firent part du souci qu'ils se faisaient pour elle et lui dirent qu'il était temps qu'elle commence à s'occupait d'elle correctement. Apparemment, Angelina apprécia leur préoccupation et dira à propos de Clive : « C'était fantastique pour moi de travailler avec quelqu'un comme lui. »

Malgré sa fragilité physique, Angelina affirma : « [J'étais] tellement heureuse quand Mad est arrivé qu'il n'y avait pas grand-chose qui aurait pu me contrarier. » C'était peut-être vrai dans une certaine mesure, mais avoir perdu l'amour de sa vie l'avait incontestablement profondément affectée et elle concéda : « Ce qui est dur quand on est seul pour élever un enfant, c'est qu'il n'y a personne avec vous pour partager votre joie. J'avais pas prévu d'être une mère célibataire, mais j'ai pas vraiment le choix. » La situation difficile dans laquelle elle se retrouva ne fit que renforcer l'admiration qu'elle avait pour sa mère, qui l'avait élevée seule avec son frère James. « Maintenant je sais ce que ma mère a dû ressentir quand mon frère et moi avions trois et un an, qu'elle en avait 28 et qu'elle était toute seule. »

Bien que l'absence de Billy Bob ait accru son sentiment de solitude et d'effroi, elle savait qu'elle ne pouvait pas ressasser le passé si elle voulait être une mère forte et aimante. Elle commença même à douter que son mariage ait vraiment été ce qu'elle pensait : « Lorsque vous élevez un enfant, vous supprimez de votre tête les choses que vous ne pouvez pas gérer. Être mère, c'est un engagement total et vous ne pouvez pas vous permettre de vous apitoyer sur vous-même ou de vous plaindre de ce qui n'a pas marché dans votre mariage. Et peut-être qu'après tout mon mariage n'était pas si génial que ça. Peut-être que ça n'était en grande partie qu'une jolie illusion. »

L'une des choses qu'elle aimait tant à propos de Billy Bob était son aptitude à la faire rire, mais la camaraderie qui s'installa entre elle et ses partenaires sur le tournage de *Sans frontière* l'aida à remplir ce vide. Angelina, qui a le rire facile quand elle est censée tourner des scènes sérieuses, déclara : « Il y avait quelque chose en [Clive Owen] qui me faisait rire. Quand il disait quelque chose de drôle, j'avais un fou rire pour le reste de la journée. »

Angelina était depuis longtemps considérée comme la plus belle actrice d'Hollywood, mais c'est paradoxalement le fait d'avoir un bébé (un moment où la plupart des femmes n'ont presque plus le temps de se regarder dans un miroir) qui fit réaliser à Angelina à quel point elle était jolie. N'étant pas vraiment du genre à se préoccuper de l'apparence extérieure, cette acceptation de soi allait sans l'ombre d'un doute de pair avec ce qu'elle ressentait à l'intérieur d'elle-même. Angelina avait l'impression que l'amour inconditionnel qu'elle portait à Maddox l'avait amenée à de nouvelles profondeurs et que cela se reflétait sur sa beauté. « Des fois j'aime ce à quoi je ressemble, et d'autre fois non, mais je me sens plus belle maintenant parce que j'aime être maman. Je crois que je ne suis jamais aussi belle que lorsque je berce mon fils pour qu'il s'endorme, au milieu de la nuit, alors que je suis épuisée et couverte de son dîner. C'est une chose que la maternité m'a apprise : la beauté vient définitivement de l'intérieur », dit-elle.

Angelina reconnaissait qu'elle n'avait plus le temps de s'épiler et qu'elle ne se sentait pas si sexy que ça quand elle « changeait des couches en jogging », mais elle avait l'impression d'être une femme plus harmonieuse et, alors qu'elle avait grandi sans savoir où était sa place dans le monde ou pourquoi elle était sur terre, elle avait finalement l'impression d'avoir « trouvé toutes les réponses ».

« Je crois qu'on est tous là dans un but précis ; moi, je suis là pour parcourir la terre et trouver ma famille parmi les enfants qui sont déjà nés », dit-elle. Et alors qu'elle voulait se donner entièrement à son fils, elle sentait qu'il lui avait offert beaucoup en retour. « Maddox a fait de moi une femme plus complète », dit l'actrice. « Après tout ce par quoi je suis passée, je suis enfin plus équilibrée et plus heureuse. »

Aux yeux d'une femme qui avait été mariée deux fois, la notion d'amour inconditionnel était incroyablement attrayante et Angelina savait que, quoi qu'il arrive, Maddox et elle pourraient compter l'un sur l'autre. Aucun d'entre eux ne pourrait s'échapper de cette relation s'ils rencontraient des difficultés et la présence permanente de son fils dans sa vie remplissait manifestement un vide que son père puis Billy Bob avaient laissé. Dans les années précédentes, Angelina avait adoré agir d'une manière impulsive et suivre ses lubies (souvent) délurées, mais elle savait au plus profond d'elle-même qu'elle avait aspiré à la sécurité de quelque chose qui durerait toujours. Et plutôt que de se sentir pieds et poings liés par ses nouvelles responsabilités, elle savourait l'engagement et « l'attention de tous les instants » que le fait d'avoir un enfant lui demandait. Angelina a reconnu qu'elle n'avait jamais vraiment eu beaucoup d'amis, même avant d'être célèbre, préférant à la place soit se concentrer sur sa relation amoureuse du moment, soit passer du temps toute seule. Maddox était son meilleur ami et un compagnon fidèle, et leur relation méritait à coup sûr qu'elle s'y investisse émotionnellement. « Il n'est pas obligé de m'aimer », dit-elle, « et je ne suis pas obligée de l'aimer, parce que les liens du sang ne nous y forcent pas. Pour une raison ou une autre, on a pris la décision d'être partenaires et si en grandissant il m'accepte vraiment comme sa maman, ça sera parce que je l'ai mérité et non parce qu'il n'a pas le choix. »

Malheureusement pour les hommes de ce monde, Angelina fit vœu de célibat, au moins le temps de se consacrer à sa relation

Cérémonie des Oscars 1986 - Jon Voight, accompagné de sa mère et de ses enfants James Haven et Angelina Jolie

Angelina Jolie, 1994

Angelina Jolie et Jonny Lee Miller, dans le film *Hackers,* 1995

Angelina Jolie, 1999

Angelina Jolie et son mari Billy Bob Thornton, Los Angeles, Californie, lors de l'avant-première du film *60 Secondes Chrono*, 2000

Angelina Jolie et Antonio Banderas, sur le tournage du film *Péché originel*, 2001

Angelina Jolie sur le tournage du film *Lara Croft - Tomb Raider : Le Berceau de la vie,* 2003

Angelina Jolie dans le film *Mr & Mrs Smith,* 2005

Angelina Jolie et Morgan Freeman sur le tournage du film *Wanted : Choisis ton destin,* 2008

Forum économique mondial de Davos, Suisse,
29 janvier 2005 : ambassadrice de bonne volonté du
Haut Commissariat pour les Réfugiés (Nations unies)

Angelina Jolie et ses enfants Zahara et Pax à Central
Park, New York, États-Unis, 25 août 2007

Avant-première du film *Kung Fu Panda* lors du
61e Festival du Film de Cannes, 15 mai 2008

Angelina Jolie et Brad Pitt lors des Orange British
Academy Awards, Londres, 8 février 2009

fleurissante avec son fils. Sa relation amoureuse avec Billy Bob, pourtant si forte et si passionnelle, s'était soldée par un échec et elle ne faisait désormais plus confiance à ses instincts romantiques. Elle était terrifiée à l'idée d'autoriser des hommes à entrer dans la vie de son fils par peur qu'il ne s'attache à eux. « Qu'est-ce qui arrivera si Mad passe deux ans à se rapprocher d'un homme qui disparaît du jour au lendemain ? », déclara-t-elle. « Je n'ai aucune relation amoureuse sérieuse parce que j'ai un fils et que je ne veux pas d'un père temporaire. Je fais très attention. Je ne sais pas ce qui devra se passer pour que j'accepte un homme dans ma vie. Je vis juste au jour le jour. » Elle savait néanmoins qu'elle ne voulait pas que son prochain partenaire soit un autre acteur, mais quelqu'un qui pourrait « m'apprendre des choses. Faire de moi une meilleure personne. » Elle supposait aussi assez pertinemment qu'un homme intéressé par elle ne le serait pas forcément par son fils : « Je ne ferai pas confiance à quelqu'un qui ne serait gentil avec Maddox que parce qu'il sort avec moi. Je n'arrive pas à imaginer quel type d'homme je verrais dans ce rôle de père. »

La vie d'Angelina manquait peut-être d'une présence masculine, mais l'actrice n'avait pas l'intention de s'attarder sur cette question : l'amour qu'elle recevait de Maddox suffisait à l'épanouir. « Je ne me complais plus dans la tristesse », dit-elle. « Je ne me préoccupe pas de ne pas être dans une relation amoureuse ni de savoir si quelqu'un m'aime. Je ne sais pas si ça fait de moi une adulte ou non, mais je sais que la Angelina égocentrique et éplorée appartient au passé. La vie ne se limite pas aux besoins et aux craintes égoïstes qu'on peut avoir. » Heureusement pour Angelina, Maddox était enchanté de lui tenir compagnie dans son lit la nuit. « Toutes les nuits, je me prends un pied dans la figure ou un doigt dans l'œil », raconta-t-elle. « Mais une fois qu'il est bien installé, c'est le sentiment le plus génial du monde. » L'actrice dit aussi que la maternité l'avait guérie des problèmes d'insomnie qu'elle avait eus pendant des années : « Maintenant, je tombe comme une pierre ! »

Si elle était réticente à s'engager dans une autre relation à ce moment-là, Angelina était formelle sur le fait qu'il y aurait des influences masculines dans la vie de son fils et savait qu'elle pouvait compter sur son frère (dont elle était de nouveau proche depuis l'incident des oscars) pour l'aider avec Maddox. « Je veux vraiment que Maddox ait de bons exemples masculins », dit-elle. « Je connais quelques mecs au Cambodge qui passent du temps avec lui. C'est très important qu'il connaisse bien les hommes de son pays. »

Il n'était pas moins important pour Angelina que le Cambodge ait une grande place dans leur vie. C'était la terre natale de Maddox, et elle souhaitait s'y enraciner pour pouvoir y aller régulièrement avec lui, qu'il le veuille ou non. « Si à 19 ans il me dit que [le Cambodge] ne l'intéresse pas, on risque d'avoir une grosse dispute », dit Angelina. « Le Cambodge fait partie de son histoire et j'insisterai sur ça. »

Elle avait fait en sorte que la modeste maison à deux chambres qu'elle avait fait construire sur pilotis dans le nord du Cambodge soit aussi différente que possible de celle qu'elle avait partagée avec Billy Bob à Los Angeles. Angelina avait la réputation d'être l'une des stars d'Hollywood les moins attachées au luxe et quand elle disait qu'elle voulait que Maddox sache vraiment d'où il venait, elle ne parlait pas qu'à moitié. Cette maison n'était pas seulement un pied-à-terre au Cambodge pour Maddox, c'était aussi une cachette secrète qui permettrait à l'actrice de se soustraire à l'attention constante des médias qui étaient au cœur de sa vie quotidienne aux États-Unis. Elle l'avait fait construire à Samlot, un district recevant souvent la visite de missionnaires ou de travailleurs humanitaires mais trop loin des sentiers battus pour attirer les touristes. Si loin, en vérité, qu'il fallait pour s'y rendre quitter la route principale et emprunter une piste poussiéreuse à travers des champs de mines. Bien qu'Angelina fût consciente du danger qu'elle courait en vivant dans cette zone, elle n'en fut pas moins terrifiée lorsqu'elle apprit qu'on avait découvert quarante-huit mines sur son terrain. Elle avait beau vouloir que Maddox connaisse sa culture, elle ne voulait pas pour autant mettre son bébé dans une situation potentiellement dangereuse et savait qu'elle était en plein cœur d'un territoire dangereux. « Je suis inquiète pour nous deux et je ne suis pas à la recherche de sensations fortes », dit-elle. « Je me pose effectivement la question de savoir si c'est très malin d'habiter ici, et je ne suis pas tranquille quand Maddox court partout. Mais c'est son pays et il a le droit de connaître sa culture. C'est fondamental qu'il grandisse en ayant conscience de son héritage culturel et de ce qui se passe réellement dans le monde. » Angelina (qui devint marraine de l'association caritative Adopt-A-Minefield) se méfiait aussi de la faune sauvage et admettait qu'elle était terrifiée par les tigres et les ours qui rôdaient dans la forêt environnante.

Voulant tisser des liens d'amitié avec la population locale, Angelina décida de faire tout son possible pour aider ses voisins, dont beaucoup étaient des guérilleros qui avaient été mutilés par une mine. Selon un habitant : « Quand elle acheta sa maison, elle offrit des vaches à ses voisins (qui pouvaient donc avoir du lait) et relogea une partie d'entre eux dans des maisons plus neuves. Elle est maintenant une vraie légende pour les Cambodgiens de cette région. »

Angelina avait conscience que s'il y avait quelque chose qu'elle pouvait offrir à ces gens, c'était un soutien financier, c'est pourquoi elle donna généreusement plus de 850 000 livres sterling pour financer un projet de conservation dans cette zone, avec l'objectif de préserver des dizaines de milliers d'hectares de forêt. On comprend mieux pourquoi les locaux étaient ravis qu'elle fût parmi eux et l'un d'entre eux, Hul Phany (un Khmer Rouge qui avait perdu une jambe sur une mine) déclara : « Je suis content qu'elle aime Samlot et qu'elle aide cette région, elle donne beaucoup d'argent et aide la faune et la flore. » Il y avait pourtant un aspect de la vie cambodgienne auquel Angelina n'avait pas vraiment envie de participer : la chasse. Hul Phany s'étonnait : « Il y a plein de viande fraîche à attraper, des cochons, des bœufs... Mais je crois qu'elle préfère sa propre nourriture ! »

Parmi ses voisins, peu nombreux étaient ceux qui parlaient anglais et Angelina souhaitait que Maddox acquière en grandissant une solide connaissance de sa langue natale, le khmer. Elle voulait elle-même l'apprendre, mais ça se révéla être un sacré défi : « La langue du Cambodge, le khmer, est une langue très difficile mais j'essaye de lui apprendre des mots. Je ne suis moi-même pas très bonne, il y a quelque chose comme vingt-sept voyelles, et ça m'effraie ! Mais je l'apprendrai. » Bien qu'elle fût indéniablement folle de Maddox et qu'elle reconnût qu'il n'avait qu'à dire « maman » pour obtenir ce qu'il voulait, Angelina plaçait les plus grands espoirs dans son fils et était déterminée à ce qu'il ne parle pas uniquement le khmer mais aussi le français et la langue des signes. Il était également de la plus grande importance pour elle qu'il grandisse en ayant bien conscience que le métier de sa mère sortait de l'ordinaire et que peu de gens pouvaient se permettre de mener la vie qu'elle menait. Angelina disait : « J'ai l'intention de l'emmener avec moi quand je repartirai pour les Nations unies, pour qu'il puisse remettre les choses dans leur contexte et comprendre que le métier d'acteur est un aspect fou et débile de la vie, même si des fois on peut avoir de la chance et gagner sa vie en le faisant. »

Rien n'aurait pu davantage combler Angelina que la présence de Maddox à ses côtés, mais deux incidents dramatiques firent planer un nuage noir sur son bonheur à la fin de l'année 2003. Le premier eut lieu en octobre : alors qu'elle préparait un voyage en Tchétchénie, elle réalisa que son fils pouvait être une cible potentielle d'enlèvement. « On m'a dit de ne pas emmener mon fils parce que des extrémistes pourraient essayer de lui faire du mal. En fin de compte, je l'ai laissé aux États-Unis », raconta Angelina. Deux mois plus tard, elle dut une nouvelle fois se confronter à l'idée de perdre Maddox lorsqu'on apprit que la directrice de l'agence par laquelle elle était passée pour adopter son fils était accusée de conspiration après avait fait l'objet d'une enquête. Lauryn Galindo plaida coupable et fut condamnée à 18 mois de prison pour blanchiment d'argent et fraude de visa ; le 17 décembre 2004, son associée (Lynn Devin) fut quant à elle assignée à résidence avec surveillance électronique pour une durée de six mois. Elle écopa d'une peine moins sévère parce que le juge estima que ses motivations étaient de nature humanitaire et non pas lucrative, étant donné qu'il n'y avait aucune preuve qu'elle eût connaissance des profits illégaux que l'agence se faisait et de la somme que les parents biologiques recevaient pour abandonner leur enfant. En 1997, Lynn Devin s'était associée à sa complice Lauryn Galindo (qui n'était autre que sa sœur) pour créer la Seattle

International Adoptions, et jusqu'à fin 2001 l'agence avait organisé l'adoption de plusieurs centaines d'enfants cambodgiens par des parents américains. Le scandale de « l'argent du marché noir des bébés » éclata au grand jour après la fermeture de l'agence de Lynn Devin par le FBI, qui avait découvert que les deux sœurs recevaient des sommes allant jusqu'à 10 000 dollars de la part de citoyens américains désireux d'adopter des bébés puis payaient des sommes dérisoires à des femmes pauvres pour qu'elles abandonnent leurs enfants. Un porte-parole du FBI commenta ainsi l'affaire : « Nous avons des témoins qui affirment que certains enfants n'étaient pas orphelins, mais qu'ils étaient achetés pour des clopinettes à des parents extrêmement pauvres. Les mères étaient payées 100 dollars et des fois, on leur donnait même l'ordre de se faire passer pour une simple nounou. »

Lauryn Galindo avait envoyé Maddox rejoindre Angelina en Afrique lorsque l'adoption avait été acceptée et comme c'est compréhensible, l'actrice fut folle d'angoisse en découvrant que le processus par lequel elle était devenue maman pouvait être remis en question. Au moment où Billy Bob et elle attendaient d'obtenir la garde de Maddox, les États-Unis avaient suspendu toutes les adoptions à partir du Cambodge à cause d'allégations concernant des ventes de bébés, ce qui avait retardé le processus sans pour autant décourager Angelina de poursuivre son projet. C'est seulement lorsque l'interdiction avait été levée que Maddox avait pu rejoindre ses nouveaux parents.

Il va sans dire qu'Angelina passa les fêtes de Noël à se préparer à une gigantesque bataille juridique et qu'elle ne reculerait devant rien pour pouvoir garder auprès d'elle son fils alors âgé de deux ans. « Je suis bien évidemment morte d'inquiétude », déclara Angelina. « Pas seulement pour Maddox, mais aussi pour tous les autres bébés concernés et pour leurs parents adoptifs. » Mais elle était bien décidée à ce que cette affaire n'aille pas jusqu'au point où elle devrait se séparer de son fils. « Je ne laisserai jamais personne m'enlever mon petit garçon », dit-elle sur un ton catégorique. « Je lui ai donné une maison, je lui ai donné de l'amour, et il est à moi. »

L'actrice affirma qu'elle avait fait « tout ce qui était en son pouvoir » pour s'assurer que Maddox n'avait pas de mère biologique vivant encore au Cambodge. « Je ne volerais jamais un enfant à sa mère. Je ne peux même pas imaginer à quel point ça doit être atroce. Si l'un de ses parents est encore en vie, alors je voudrais le rencontrer, je voudrais que Maddox le rencontre, mais je n'ai trouvé aucune preuve que les parents de Maddox étaient toujours en vie. » De fait, Angelina avait même raconté dans de précédentes interviews comment elle avait expliqué à Maddox que ses parents étaient morts, « probablement à cause d'une mine antipersonnel » selon elle.

Le docteur Kek Galabru, présidente de l'association cambodgienne pour la promotion des droits de l'homme LICADHO, commenta ainsi l'affaire : « Le pire dans tout ça, c'est qu'elle a plus agit avec son cœur qu'avec sa tête, mais je crois qu'au moins un des parents de l'enfant est toujours vivant au Cambodge. Je ne crois pas qu'il soit orphelin ou qu'il ait été abandonné, mais plutôt qu'on l'a échangé contre du bétail. Ce genre de trafic ne peut que briser le cœur de tout le monde. »

Lauryn Galindo tenta de se justifier en argumentant que ce qui avait posé problème, c'était la définition du mot « orphelin ». « Les autorités cambodgiennes et américaines ne partagent pas la même définition en ce qui concerne les 50 000 enfants vivant dans des orphelinats. Selon les lois américaines, les deux parents d'un enfant doivent être décédés pour que ce dernier soit considéré comme orphelin, mais au Cambodge il suffit pour cela que les parents aient abandonné leur enfant ou qu'ils aient disparu, ce qui est malheureusement très fréquent dans les pays pauvres. »

Au plus grand soulagement d'Angelina, les procureurs décidèrent finalement que l'enquête ne modifierait le statut d'aucun des enfants adoptés par l'intermédiaire de l'agence. Rassurée que Maddox n'irait nulle part, l'actrice put dormir sur ses deux oreilles. La perspective de se voir enlever son fils l'avait pourtant profondément affectée. Elle affirma même une fois qu'elle déménagerait définitivement au Cambodge « en moins de temps qu'il ne faut pour le dire » si ça lui permettait de rester avec lui : « Je ne peux pas davantage imaginer ma vie sans lui que de n'avoir pas d'air dans mes poumons. »

D'une manière assez ironique, son ex-mari Billy Bob l'avait une fois mise en garde contre l'éventualité d'une telle situation. Selon une source proche d'Angelina : « Billy Bob lui avait dit qu'il avait très peur que des femmes cambodgiennes pauvres soient exploitées. Ses doutes quant au processus d'adoption ont beaucoup joué sur leur rupture. Maintenant, ses paroles sont revenues hanter Angelina. »

Ce drame avait peut-être déstabilisé Angelina, mais il ne réussit pas à lui enlever de la tête son désir d'adopter. Elle était folle de Maddox et il ne faisait aucun doute qu'il n'était que le premier de nombreux enfants qu'elle allait prendre sous son aile, avec ou sans partenaire à ses côtés. « Il y a tant d'enfants perdus dans ce monde », dit-elle, « et je pense que davantage de gens devraient sérieusement penser à l'adoption. J'ai l'impression d'avoir pu répondre à un besoin dans ce monde magnifique qu'est celui des enfants, et je lui donne tout l'amour et le dévouement dont une mère soit capable. »

CHAPITRE - XII
UNE FAMILLE EN GUERRE

L'arrivée de Maddox dans la vie d'Angelina ne vit pas uniquement le départ de Billy Bob, mais aussi celui du père de l'actrice. Depuis que Jon avait laissé sa femme élever seule leurs deux enfants, la relation entre le père et la fille avait été pour le moins tendue. S'il essayait de les voir dès qu'il en avait l'occasion et les encourageait du mieux qu'il pouvait, Jon n'avait jamais été à la hauteur de l'image qu'Angelina se faisait du père modèle et elle était bien entendu beaucoup plus proche de sa mère étant jeune. Bien qu'elle ait par moments essayé de vaincre son ressentiment et d'établir une relation saine avec lui, il est clair qu'elle ne s'était jamais vraiment remise du fait qu'il ait abandonné sa famille et elle était par conséquent réticente à le laisser avoir une place à part entière dans sa vie.

Même s'il n'était pas présent au quotidien dans la vie d'Angelina, Jon, comme la plupart des pères, voulait avoir son mot à dire sur la conduite de sa fille, sa façon de s'habiller, ses choix professionnels et sa vie amoureuse. Angelina pensait pour sa part qu'il y avait bien peu de choses sur lesquelles il avait le droit de donner son avis. Contrairement à son frère qui tentait de préserver la paix, Angelina tenait souvent tête à son père quand elle était enfant, chose que Jon mettait en grande partie sur le compte de leurs caractères très similaires (ils étaient tous les deux bornés et fougueux). « Quand on se disputait, on avait toujours des positions très opposées », avait déclaré Angelina, et elle prétendait que c'était intimement lié au fait qu'elle ne supportait pas la douleur que Jon infligeait à sa mère. C'est difficile pour tous les enfants de voir un de leurs parents quitter l'autre et Angelina avait dès son plus jeune âge été témoin de la souffrance que la rupture du mariage de ses parents avait causée à sa mère.

Jon était conscient des dégâts qu'il avait faits en partant : « Mon mariage n'était pas solide et j'avais une liaison. Il y avait beaucoup de douleur et de colère. L'échec de mon mariage a laissé des cicatrices émotionnelles à mes enfants. »

Peut-être Angelina essaya-t-elle de lui pardonner d'être parti, mais il est certain que c'est quelque chose qu'elle n'oublia pas : « Si je voulais lui parler, je n'avais qu'à lui passer un coup de fil. Mais se faire abandonner, ça crée en vous des problèmes qui ne vous quittent pas. »

Jon lui-même se rendit compte de l'impact que son départ avait eu sur sa fille et, voulant « rattraper le temps perdu », il partit en voyage au Japon avec Angelina alors qu'elle était encore toute petite. Mais l'acteur voyait bien qu'en dépit de son jeune âge, quelque chose avait changé chez sa fille. « Elle ressemblait presque à un fantôme », se rappela-t-il. « Elle n'était plus là. Elle n'était plus cette enfant pleine de vie. » Si Jon était en grande partie responsable du bouleversement de sa famille, il ne ressortit pas non plus complètement indemne de la rupture. « Ça a été l'un des moments les plus durs de ma vie », dit-il de son divorce. « Je m'efforçais de rester proche de mes enfants et d'être correct avec leur mère. Je ne me sentais pas bien dans ma peau. J'avais envie de créer un monde meilleur, et pourtant, dans un certain sens, j'avais l'impression de l'avoir détruit. »

Lorsqu'elle était au lycée, Angelina semblait n'accorder aucun crédit aux théories de sa thérapeute selon qui tous ses problèmes étaient en rapport direct avec le divorce de ses parents. Elle reconnaissait néanmoins que c'était parce qu'elle avait été élevée par un seul de ses parents qu'elle avait tant voulu être indépendante, ce qui expliquait pourquoi elle était réticente à tisser des liens profonds avec les autres. « Je ne sais pas si mon enfance a été pire qu'une autre, mais c'est triste et perturbant de voir que l'un de ses parents ne respecte pas l'autre », dit-elle. « Ça a probablement beaucoup joué sur mon besoin de ne dépendre de personne. »

Jon avait beau ne pas vivre au jour le jour avec ses enfants, cela ne l'empêchait pas d'avoir un avis sur la manière dont ils étaient élevés et il désapprouva vivement que Marcheline autorise le petit ami punk-rockeur de sa fille de seulement 14 ans à emménager chez eux. Comme tout bon père protecteur, il aurait voulu que sa petite fille porte de jolies robes et reste éternellement innocente, mais au lieu de cela il se retrouva face à une adolescente rebelle qui avait son franc-parler et semblait bien décidée à faire exactement ce dont elle avait envie. Il avait beau aimer son caractère et voir en elle de nombreuses qualités qu'il avait lui-même en abondance, son côté rebelle avait tendance à l'insupporter. « On est tous les deux fidèles aux mêmes principes », dit Angelina, « et on a tous les deux un côté sombre qui peut être difficile à supporter. »

Marcheline, qu'Angelina décrivit comme « la femme la plus compatissante que je connaisse », était à la fois sa mère et son amie et il est certain qu'en l'absence de Jon, elle passa à sa fille beaucoup plus de choses que s'il avait été là. La rébellion d'Angelina avait plus tendance à la rendre triste qu'à se solder par une dispute ou une punition, ce qui ne servait qu'à amplifier la haine que la jeune fille ressentait envers elle-même. « J'ai été élevée par ma maman et tout était dans l'affectif », raconta l'actrice. « Même si je faisais quelque chose de fou, si je sortais toute la nuit pour ne revenir que le lendemain, vous savez, à 13 ans, elle se mettait à pleurer et du coup j'avais l'impression d'être la pire personne sur terre, parce que j'avais fait du mal à mon amie, à ma meilleure amie. » Même si elle détestait l'admettre, Angelina n'avait pas d'autre choix que de se rendre à l'évidence : pour ce qui était de l'éducation de Maddox, elle avait hérité de l'approche stricte de son père. « Je me suis fait peur à moi-même », dit-elle. « Le père que j'ai en moi est très strict et c'est pas facile à vivre. Mon père était un vrai cauchemar, et donc c'est tout ce que j'ai. Je m'entends moi-même être autoritaire. »

Même si Angelina avait incontestablement de la peine pour sa mère, elle arriva à la conclusion que pleurer « n'arrangeait rien » et pendant de nombreuses années, elle eut beaucoup de difficultés à fondre en larmes, même lorsqu'un rôle l'exigeait.

Qu'elle ait ou non jamais eu l'intention d'être délibérément provocatrice dans ses interviews, l'honnêteté dont elle faisait preuve envers le public était un autre aspect de la vie d'Angelina que son père acceptait mal. Étant un acteur hollywoodien de la vieille école, il aurait préféré que sa fille fût plus discrète et détestait la sincérité avec laquelle elle s'exprimait sur des sujets incroyablement intimes. « Je suis très franche », admet Angelina, « et je crois qu'il s'est inquiété pour moi. J'ai parlé, j'imagine, de tout. J'ai parlé avec beaucoup de franchise de mon mariage [avec Jonny Lee Miller] ou de mes relations avec des femmes, et ils [la presse] s'en sont emparé et en ont fait n'importe quoi. Donc il voudrait que je sois plus discrète. Beaucoup de gens voulaient que je sois plus discrète pendant *Gia*, que je ne dise pas si j'avais déjà consommé de la drogue, ou si j'avais déjà couché avec une femme, ce qui pour moi aurait été complètement hypocrite. Je trouvais ça bien de partager mon expérience, parce que j'avais trouvé ça super. Je ne voyais pas le mal qu'il y avait à ça. »

Selon Chip Taylor, le frère de Jon, c'est le penchant autodestructeur d'Angelina qui avait causé le plus de soucis à son père. « Elle avait des problèmes de drogue et ça inquiétait beaucoup Jon, et ensuite il y a eu toutes ces histoires d'automutilation, puis les tatouages… »

Plus tard, Angelina reconnut ses erreurs : « [j'étais] un de ces adolescents terrifiants qui extériorisent beaucoup de colère et de frustration réprimées en montrant au monde qu'ils ne veulent pas s'y conformer. Ça a pris un moment, mais j'ai fini par réaliser que je n'irais nulle part en jouant la sauvage paumée. »

D'une certaine manière, c'est assez amusant que cette fille que Jon avait nommée « joli petit ange » soit devenue ce qu'il considérait comme un petit diable incontrôlable. Quand il lui demanda de l'accompagner à la cérémonie des oscars, Angelina, qui n'avait pourtant que 11 ans, avait conscience du rôle que son père voulait qu'elle joue, par opposition à ce qu'elle était en réalité. « Je me souviens qu'on était allés au centre commercial pour essayer de trouver quelque chose de bien à me mettre », se rappela-t-elle. « J'avais presque l'impression de choisir mon costume pour un rôle, comme si j'imitais une de ces femmes en choisissant des vêtements de Barbie qui allaient selon moi plaire à mon père. Aujourd'hui encore, mon père a un avis sur la façon dont je m'habille. »

Questions personnelles mises à part, Angelina ne pouvait qu'être fière de la carrière de son père, et lorsqu'elle décida de lui emboîter le pas, Jon fut très heureux de constater qu'elle allait au moins lui en donner pour son argent question talent. Pourtant, elle avait tendance à vouloir prendre ses distances avec lui de peur qu'on ne les compare, et cela même alors qu'elle débutait sa carrière avec sa mère en guise d'agent. À 21 ans, Angelina déclara : « J'aime mon père, mais je ne suis pas lui », et elle se rendit compte qu'elle avait moins de pression lorsqu'elle ne dévoilait pas l'identité de son père. « C'est beaucoup plus facile de rentrer dans une salle d'audition sans [avoir à] être aussi bonne que Jon Voight et en sachant aussi que ce n'est pas pour lui que j'essaye d'avoir un script », reconnut-elle. Elle avait également l'impression que trop mettre en avant le fait qu'elle suivait les traces de son père l'empêcherait d'avancer : « C'est probablement plus sain de ne pas trop faire attention à ça. C'est intéressant, parce que je crois qu'on se parle beaucoup par le biais de notre travail. D'une certaine manière, on ne connaît pas vraiment ses parents et ils ne vous connaissent pas non plus. Par exemple, vous voyez, il a rencontré mon mari, on est allés dîner ensemble, et pourtant il me voyait encore comme sa petite fille. Du coup, dans un film, il peut voir quelle femme je suis, comment ça se passe vraiment avec mon mari et comment je pleure toute seule. »

Ce qui est intéressant, c'est qu'elle n'a jamais eu l'impression de mieux comprendre son père qu'en le voyant à l'écran. « En regardant ses films, je vois exactement qui il est », fit-elle remarquer une fois.

Ce métier qu'ils partageaient leur offrait un terrain d'entente bienvenu et ils frimaient parfois l'un devant l'autre en parlant de leur dernier personnage. « J'allais tourner dans *Foxfire*, et lui dans *Heat*, et je me souviens qu'on s'était vu dans sa chambre et que je lui avais montré le couteau papillon que j'allais avoir dans le film », raconta Angelina. « Il a sorti ses bracelets, son collier, ses bagues roses et les extensions capillaires qu'il allait porter dans *Heat*. On aurait dit deux gamins qui jouaient à se déguiser. »

La carrière de Jon avait démarré sur les chapeaux de roue et il avait eu un moment de flottement peu de temps après avoir gagné son oscar en 1978, se demandant s'il était vraiment fait pour ce métier. « Je ne sais pas ce que je fais », déclara-t-il. « Je ne sais pas si je peux faire ça encore longtemps. »

Après le tournage de *Gia*, Angelina traversa une crise très semblable où elle se demanda s'il lui restait encore quelque chose à donner et il paraît évident que le père et la fille, si différents soient-ils, luttaient souvent contre les mêmes démons. De fait, bien avant qu'Angelina ne se soit lancée dans sa croisade humanitaire, son père avait participé de son mieux à un grand nombre de causes. Il avait défendu les droits des Indiens d'Amérique et représenté les vétérans de la guerre du Viêt Nam ; après avoir joué dans *Chernobyl: The Final Warning*, il s'engagea également dans l'association Children of Chernobyl, qui venait en aide aux enfants subissant les conséquences du désastre.

Matt Damon, avec qui Jon fut à l'affiche de *L'Idéaliste* en 1997, dit au sujet de son partenaire : « Jon est un des mecs les plus drôles que j'aie rencontrés. Mais il veut aussi parler de choses plus sérieuses et il a de grands buts humains qui transcendent ce qu'il fait pour gagner sa vie. »

Bien qu'Angelina n'ait jamais dit que son père avait eu une influence directe sur son implication dans l'humanitaire, il ne fait aucun doute qu'il influença l'attitude de l'actrice envers les moins chanceux qu'elle. « Il se demande pourquoi les choses sont comme elles sont », dit Angelina, « et quelles sont nos responsabilités dans la vie. »

Jon croyait fermement qu'en tant qu'acteur, il devait faire primer la qualité sur la quantité. Il aurait certainement pu amasser des millions de dollars en acceptant toutes les propositions de films qui lui étaient faites, mais il était bien trop sage pour faire ça. Dans la mesure du possible, il choisit de faire des films qui avaient un sens pour lui et qui contenaient une sorte de message, et Angelina fit tout son possible pour en faire autant. Elle était suffisamment lucide pour comprendre qu'étant une actrice jeune et jolie, la majorité des rôles qu'on lui proposerait (particulièrement au début de sa carrière) exigeraient surtout d'elle qu'elle mette en avant son physique. Elle dut se battre pendant un moment pour échapper à l'image de « mauvaise fille sexy », ce qu'elle parvint finalement à faire dans *Hackers*, *Foxfire* ou encore *Une vie volée*. En outre, l'aperçu qu'elle donnait de sa vie personnelle ne faisait qu'accentuer l'idée qu'elle était sombre, mystérieuse et obsédée par le sexe, une réputation qui ne jouait probablement pas en sa faveur lorsqu'il s'agissait d'obtenir des rôles moins réducteurs. Tout cela ennuyait beaucoup Jon, qui souhaitait que sa fille modère ses déclarations controversées et montre ce côté plus doux de sa personnalité qu'il connaissait et aimait.

Jon commenta ainsi la relation d'Angelina avec la presse : « Si Angie choisit de jouer la mauvaise fille, c'est elle que ça regarde. Tout le monde doit faire son propre chemin dans la vie. Personnellement, je pense qu'elle force trop le trait. Elle n'est vraiment pas du tout comme ça. C'est une personne très douce, très tendre, très joyeuse. » Il n'avait pourtant pas besoin de chercher bien loin pour découvrir de qui elle tenait son caractère et il savait qu'Angelina était la fille de son père jusqu'au bout des ongles. « Je retrouve certaines choses de moi dans Angie, une partie de mon intensité », admit-il. « Elle a une personnalité très forte, comme moi, je trouve. C'est une jeune personne qui traverse beaucoup de choses. En tant que parent, vous traversez des choses avec vos enfants et c'est un passage obligé. »

Aussi prompt fût-il à la prendre en défaut, Jon n'en était pas moins extrêmement fier de sa fille et il alla jusqu'à dire qu'elle était « l'une des actrices les plus talentueuses de sa génération ». Alors quand Angelina lui demanda de travailler avec elle en incarnant Lord Richard Croft dans le premier *Tomb Raider*, il sauta bien entendu sur l'occasion. Étant donné la nature orageuse de leur relation, Angelina vit cela comme un moyen d'enterrer la hache de guerre et pensa que travailler avec lui ne pourrait qu'améliorer les choses. « Je lui ai tendu la main », dit-elle. « Je pensais que ça serait quelque chose qui nous lierait. Ça parlait aussi d'un père absent, ce qui ne manquait pas d'à-propos. »

Tomb Raider ne déborde pas exactement de scènes d'émotion mais celle qu'Angelina joue avec son père est poignante, surtout quand on sait qu'ils en ont écrit les dialogues eux-mêmes. Lara dit à son père : « Tu m'as laissé tomber », ce à quoi il répond : « J'ai fait ce qui me semblait juste » et on sait que, plus que leurs personnages, ce sont les acteurs qui se parlent. Angelina reconnut que le tournage avait été une catharsis pour elle car ce sont des choses qu'elle avait déjà voulu dire à son père dans la réalité. « J'ai écrit mon texte, il a écrit le sien », dit-elle à propos du dialogue.

On eut pendant un moment l'impression que la hache de guerre avait bel et bien été enterrée. Lors de la promotion du film, Jon se répandit en compliments, disant à quel point cela avait été merveilleux de travailler avec sa fille et à quel point il était privilégié de l'avoir rejointe à l'écran. Angelina ne fut pas en reste, expliquant qu'elle aurait été amie avec Jon même s'il n'avait pas été son père et disant à quel point leur métier les rapprochait. Il s'avéra que ces déclarations étaient loin de refléter la réalité, et Angelina raconta que leur relation recommença à se dégrader très peu de temps après la fin du tournage. Jon ne put refréner longtemps sa tendance à la critique et cibla cette fois le nouveau passe-temps de sa fille : les voyages avec les Nations unies. Cela peut sembler absurde lorsqu'on connaît son bon fond, mais Jon avait l'impression que sa fille se mettait inutilement en danger en se rendant dans des pays déchirés par la guerre et il n'aimait pas ça. Angelina apprécia d'autant moins l'intervention de son père que Billy Bob ne montrait pas plus d'enthousiasme à la voir partir à l'étranger. « Pour une raison ou une autre, Billy et Jon se sentaient très menacés, même s'ils prétendaient qu'ils m'aimaient et s'inquiétaient pour moi », dit-elle plus tard. « Mais personne ne s'est porté volontaire pour m'accompagner... »

Juste avant qu'Angelina ne parte pour l'un de ses voyages au Cambodge, celui où elle allait voir une mine antipersonnel pour la première fois, son père lui tendit une lettre et lui dit : « C'est ma vérité, ça ne changera pas. »

Ne sachant pas ce que contenait la lettre, Angelina la prit, regarda son père dans les yeux et lui répondit : « C'est merveilleux, je t'aime, à bientôt. »

Lorsque plus tard elle ouvrit la lettre, Angelina fut à la fois choquée et consternée par ce qu'elle lut : « Il avait écrit que j'étais une mauvaise personne », raconta-t-elle. « J'étais énervée et j'ai pensé à des centaines de choses que je pourrais lui répondre, et puis finalement je me suis dit : "Je n'accorde aucune valeur à l'opinion de cette personne, donc ça va." » En plus d'être blessée et en colère, Angelina était quelque peu déconcertée par le culot de son père. Elle déclara qu'il parlait dans la lettre « d'une vérité supérieure qui ne voulait pas dire grand-chose pour moi. Il pense peut-être qu'il sait ce qui est bon pour tout le monde. »

C'est à ce moment-là qu'Angelina décida que rien ne pourrait lui faire plus de bien que de couper définitivement les ponts avec son père. Son frère et sa mère furent « très tristes et très énervés » en lisant la lettre que Jon avait écrite et, sachant qu'ils la connaissaient mieux que son père ne la connaîtrait jamais, l'actrice pensa qu'elle pouvait légitimement le rayer de sa vie. Elle avait passé de nombreuses années à tenter de se rapprocher de lui, de tirer un trait sur le passé et de le respecter, mais les mots violents qu'il avait eus étaient selon elle totalement gratuits et impardonnables. « Il m'a dit des choses très moches sur ce qu'il pensait de moi et sur la manière dont je menais ma vie », dit Angelina. « Au début, j'en revenais pas et ça m'a blessée. Mais après j'ai fini par comprendre : il s'agit d'une personne qui a quasiment toujours été absente de ma vie. » Angelina se défendait encore en disant : « J'ai beau être complètement sauvage, j'ai beau être complètement folle, je n'ai jamais fait quoi que ce soit de mal… Je ne suis pas une mauvaise personne. Être attaquée comme ça… »

Angelina ne répondit pas à son père, mais celui-ci se sentait investi d'une mission et était prêt à tout pour rentrer en contact avec sa fille. Lors d'une soirée à Los Angeles où ils s'étaient rencontrés par hasard, Jon vit une ouverture et essaya de s'approcher de sa fille. « Je me suis précipité vers elle pour l'embrasser, mais l'un de ses représentants m'a barré la route et m'a dit : "Allez-vous en. Elle ne veut pas vous voir." »

Ne se laissant pas décourager par cet incident, Jon se présenta à l'hôtel Dorchester de Londres où il savait que sa fille séjournait. Cette nouvelle tentative se solda encore une fois par un échec : à peine eut-elle posé les yeux sur lui dans le hall d'entrée qu'Angelina prit Maddox dans ses bras, sauta dans un taxi et ordonna au chauffeur de partir le plus vite possible. Elle laissa même ses bagages sur le trottoir, ce qui montre à quel point l'idée de devoir parler à son père la mettait dans tous ses états.

Avant cet incident, Jon était parvenu en mars 2002 à blesser et énerver Angelina en annonçant au monde entier lors d'un déjeuner organisé par l'Académie des César qu'elle était en train d'adopter un enfant, une nouvelle qu'elle n'avait elle-même pas encore rendue publique. « Je suis grand-père maintenant », dit-il fièrement. « Le bébé vient d'Afrique. »

Billy Bob et Angelina n'avaient pas parlé de l'adoption de Maddox afin de n'attirer aucune publicité malvenue sur leur situation. Il y avait déjà des complications dans le processus d'obtention d'un visa américain pour Maddox, et Angelina entra dans une rage folle lorsqu'elle apprit que son père avait parlé de leur projet sans même penser aux conséquences. Ils ne s'étaient pas adressé la parole depuis des mois et voilà qu'il révélait des détails de sa vie privée au cours d'un événement public. Il avait même déclaré à un journaliste qu'il « savait bien changer les couches », ce qui était à la limite du ridicule étant donné qu'il n'était pas prêt de rencontrer son petit-fils. On apprit que c'était Marcheline, toujours très proche de son ex-mari, qui lui avait annoncé la nouvelle, et à partir de ce jour-là, la mère d'Angelina fut priée de ne plus donner aucune autre information sur la vie de sa fille. Angelina ne contacta pas son père tout de suite après l'incident mais, tenant à ce qu'il sache à quel point il l'avait énervée, elle lui laissa un « message très clair le remerciant d'avoir fait planer un gros nuage au-dessus du plus beau jour de ma vie, du premier jour avec mon fils. »

Comme on le sait, Billy Bob et Angelina se séparèrent peu de temps après l'arrivée de Maddox. Convaincu que la rupture de son mariage avait plongé sa fille dans un état qui nécessitait encore plus un soutien psychiatrique, Jon décida, dans une dernière tentative pour l'aider, de révéler au monde ses « problèmes mentaux sérieux » en direct à la télévision. Le 2 août 2002, il se rendit sur le plateau de l'émission *Access Hollywood* et déclara en sanglotant : « Je ne sais pas quoi faire d'autre. J'ai le cœur brisé parce que j'ai essayé de parler à ma fille et de lui tendre la main, mais j'ai échoué. Je suis désolé, vraiment. Je n'ai pas pris les devants, je ne me suis pas occupé des problèmes mentaux sérieux dont elle parle candidement à la presse depuis des années. Mais j'ai essayé, dans l'ombre, j'ai fait tout ce que j'ai pu. Angelina souffre terriblement, je le sais. Elle porte cette douleur en elle. J'ai vu cette douleur sur son visage. Il y a des symptômes très sérieux qui montrent un vrai problème... une vraie maladie. Je n'ai pas envie de regarder en arrière en me disant que je n'ai pas fait tout ce que je pouvais. Ma fille ne veut pas me voir parce que je lui ai clairement dit quelle était la situation et qu'elle avait besoin d'aide. »

Jon était absolument persuadé que c'était les personnes responsables de la carrière de sa fille, ayant financièrement intérêt à l'empêcher de se faire interner, qui s'opposaient à ce qu'Angelina le voie. « Quand il s'agit d'argent, la fin justifie les moyens », dit-t-il d'un ton amère, « et il n'y a pas de remise en question possible. » Il accusa également Angelina de trouver « des façons très intelligentes de cacher ses sérieux problèmes ».

Pour Angelina, les propos que Jon avait tenus au cours de cette émission étaient la goutte d'eau qui avait fait déborder le vase. Par le passé, ils avaient la plupart du temps réussi à ne pas laisser leurs différends briser leur relation, mais cette fois-ci Angelina considérait qu'elle n'avait plus de père. Elle déclara à propos de l'événement : « Ce qu'il a fait est impardonnable. Il a révélé publiquement diverses choses à mon sujet et il a dit beaucoup de choses très dures. Je crois qu'il est déçu par moi, mais je dois rester très positive dans ma vie, accomplir un maximum de choses, faire tout ce que je peux pour être une bonne mère. Je ne veux pas avoir dans mon entourage quelqu'un qui me déstabiliserait, donc je ne peux vraiment pas me permettre de rester en contact avec lui. »

Il n'y aurait jamais eu de bon moment pour dire ce que Jon avait dit, mais Angelina était alors particulièrement vulnérable et elle n'apprécia pas que son père en rajoute une couche. « Faire ça, sachant que j'ai un enfant », dit Angelina. « Essayer de me faire mal, juste après mon divorce en plus… Cette personne aurait pu me faire enlever mon enfant… Quel effet ça aurait eu sur Mad, où est-ce qu'il serait allé ? » Elle souligna aussi assez pertinemment que si Jon n'avait pas été une star hollywoodienne, personne n'aurait prêté grande attention à ce qu'il avait dit. « S'il n'était pas célèbre, tout le monde penserait qu'il n'est que le père cinglé d'une actrice », dit-elle. « J'aimerais beaucoup qu'on nous fasse à tous les deux un bilan psychologique et qu'on voie ce qu'en dirait un tribunal. » Jon avait pourtant l'air sincèrement inquiet pour sa fille, mais selon Angelina ça n'était rien d'autre que de la poudre aux yeux et elle dit simplement : « C'est un acteur. »

Angelina prenait ses responsabilités de mère très au sérieux et ce qui la blessa le plus fut que son père se permette d'émettre des doutes sur sa santé mentale alors qu'une autre vie dépendait d'elle. N'ayant pas vu une seule fois sa fille depuis l'adoption de Maddox, Jon n'avait pas pu constater à quel point elle était heureuse dans ce rôle de maman auquel elle s'était parfaitement adaptée, et pourtant il pensait avoir le droit de porter un jugement sur son état mental. « Mon père ne m'avait jamais vue – et il ne m'a toujours pas vue – avec mon bébé », dit Angelina. Et maintenant qu'elle était responsable d'un autre être humain, elle était catégorique : une telle négativité n'avait pas de place dans sa vie. « Comme n'importe quel enfant, Jamie et moi aurions adoré avoir une relation tendre et chaleureuse avec notre père », dit l'actrice. « Après toutes ces années, j'ai décidé qu'il n'était pas sain que mon père fasse partie de ma vie, particulièrement maintenant que je suis responsable de mon propre enfant. Quand quelqu'un vous porte un coup, vous vous sentez mal et vous pleurez, et puis après vous rayez cette personne de votre vie, vous êtes fort et vous reportez votre amour sur quelqu'un d'autre. Il y a tellement de choses qu'il n'aime pas chez moi ou dans mon style de vie, je ne suis pas bien quand il est dans le coin. Il est hors de question que je rentre à la maison et que j'engueule Mad juste parce que j'ai déjeuné avec mon père et que ça s'est mal passé. »

Si l'adoption de Maddox lui avait bien prouvé une chose, c'était que les liens du sang ne sont pas nécessairement plus forts que ceux du cœur et que rien ne nous oblige à aimer une personne avec qui on partage de tels liens. «Tout le monde pense que c'est un devoir de passer du temps avec sa famille, mais je ne crois pas que ça soit sain de le faire seulement parce qu'on partage des gènes avec eux. N'oubliez pas, je suis une mère adoptive, donc je sais que les liens du sang ne sont pas ceux qui comptent», dit Angelina. Ses voyages l'avaient aussi amenée à rencontrer de nombreuses familles qui lui avaient montré ce qu'est le véritable amour inconditionnel et, pour elle, Jon ne répondait pas exactement à cette définition. Angelina déclara : « En faisant ce que je fais [pour les Nations unies], j'ai vu des pères qui ont pris une balle pour leur fils, donc… tous les pères du monde m'intéressent, pas seulement le mien. »

Étonnamment, plutôt que de laisser cette dernière dispute la rendre amère, Angelina choisit de tirer un trait sur le passé et de continuer sa vie. « En fait, je suis désolée pour lui », dit-elle. « Il ne représente rien de plus pour moi que n'importe quel étranger. J'ai passé de bons moments avec mon père et je ne pense pas que ça soit une mauvaise personne. Je ne lui en veux pas d'avoir quitté ma mère ou de l'avoir trompée. C'est juste que je ne veux plus verser une seule larme à cause de lui… ou devoir regarder ma mère pleurer encore une fois. Je ne respecte pas la manière dont il a traité ma famille quand j'étais plus jeune. Mais je suis passée à autre chose et j'espère qu'il pourra faire de même. Je ne crois pas aux regrets. »

Et cette fois, Angelina parlait sérieusement. Peu après son apparition à la télévision, elle fit légalement enlever «Voight» de son nom et, depuis ce moment, elle n'a pas revu ni reparlé à son père.

Jon n'a pourtant pas perdu espoir et il soutient qu'un jour Angelina et lui se réconcilieront. « Depuis la naissance de mes enfants, chacun de mes actes, chacune de mes respirations, tout ce que j'ai fait dans ma vie, je l'ai fait en pensant à leur bonheur », dit Jon. « J'ai commis des erreurs et je les ai payées très cher. »

Et contrairement à ce qu'il avait pu lui dire dans sa lettre diffamante, il n'a cessé de chanter les louanges de sa fille depuis leur dispute. « Je suis fou d'Angie. Je l'aime profondément. Je n'ai jamais été plus heureux que quand je prenais sa main dans la mienne et que je riais avec elle. Tout le monde vous le dira, c'est une personne merveilleuse et je suis son plus grand fan. Tout ce que j'espère, c'est que quoi qu'il se soit passé, nous aurons des années de bonheur devant nous. »

C'était il y a quatre ans. Angelina n'a toujours pas pardonné à son père, mais il ne peut rien fait d'autre qu'espérer...

CHAPITRE - XIII
LARA CROFT : LE RETOUR

Qu'on l'aime ou qu'on la déteste, Angelina n'a jamais cessé de nous surprendre, tant dans sa vie personnelle que professionnelle. Elle n'est en effet pas du genre à rentrer dans la norme et ses choix professionnels ont parfois été un peu étranges, mais toujours inattendus. La comédie *Sept jours et une vie* pourrait facilement constituer l'un de ces « choix étranges ». Entre le premier et le deuxième *Tomb Raider*, Angelina accepta le rôle de Lanie Kerrigan, une journaliste blonde et étourdie à qui un voyant révèle qu'il ne lui reste plus qu'une semaine à vivre à moins qu'elle ne modifie radicalement son style de vie égoïste. S'il est vrai qu'Angelina se retrouve un peu dans tous les personnages qu'elle choisit d'interpréter, comme elle l'a elle-même souvent dit, alors Lanie est l'exception qui confirme la règle. « Ce personnage représente tout ce que je trouve absurde chez les gens », dit-elle. « Blonde, rouge à lèvres rose, talons hauts, elle se blanchit les dents et s'épile les sourcils. Ce film est en quelque sorte une manière pour moi de me moquer de ce que je fais comme métier. Et après, Lanie se rend compte à travers une série d'événements qu'elle était bien quand elle était une adolescente boulotte qui écoutait du rock et se fichait de son apparence. En fait, le message du film, c'est qu'il ne faut pas essayer d'être quelqu'un qu'on n'est pas. Et ça, je peux comprendre. »

Le seul aspect du personnage dans lequel Angelina pouvait se reconnaître était celui de Lanie adolescente, et l'actrice admit qu'elle n'avait pas du tout l'habitude d'utiliser tous ces trucs de fille. « Je ne fais pas de shopping », dit-elle. « Je porte les mêmes choses tous les jours. J'ai fait changer quatre fois les semelles et les fermetures éclairs de mes chaussures parce que je n'avais pas envie d'en acheter une autre paire. Je ne connaissais même pas mon tour de poitrine avant de tourner dans un film. »

Le fait qu'Angelina ne veuille pas dépenser des mille et des cents pour s'acheter des vêtements mais qu'elle fasse en revanche des dons si généreux à des œuvres caritatives ne peut que susciter l'admiration et la distinguer des autres actrices d'Hollywood, qui dépensent des fortunes pour entretenir leur beauté. Angelina n'avait peut-être aucun point commun avec son personnage (elle se qualifiait en rigolant de « Marilyn Monroe en travesti » quand elle portait la perruque blonde de son personnage), mais incarner Lanie avait selon elle fait ressortir chez elle un côté féminin dont elle n'avait jamais eu conscience. Elle était également contente d'avoir eu l'opportunité de montrer qu'elle pouvait autant donner dans le « marrant » que dans le « sombre ». « [Lanie] et moi sommes vraiment différentes, c'était assez amusant. Je suis attirée par des personnages troublants et sombres, mais j'ai aussi un côté très drôle et excentrique, et jouer Lanie m'a permis d'être plus frivole. Le message du film, c'est vis ta vie en essayant d'en faire quelque chose de bien : tout ce que tu fais, fais-le comme si c'était ton dernier jour. C'est pas facile à faire, mais c'est un bon objectif. C'est ce que je vais faire. Je ne m'attarde pas sur le passé, je vis dans le présent et j'espère pour l'avenir. »

Tout ce qu'on peut souhaiter, c'est qu'Angelina soit restée fidèle à cette devise quand *Sept jours et une vie* fut reçu de manière assez mitigée lors de sa sortie en salles. Un critique particulièrement sévère écrivit : « Il ne fait pas partie des films que vous aimeriez voir s'il ne vous restait plus qu'une semaine à vivre. »

Même la présence d'Ed Burns (qui a pourtant bonne réputation) dans le rôle de Pete, le cameraman qui travaille avec Lanie, n'empêcha pas *Sept jours et une vie* de tomber dans la catégorie des films dont on ne se souviendra pas. Cela dit, les critiques saluèrent la « capacité surprenante [d'Angelina] de faire de l'autodérision » et soulignèrent qu'il était agréable de la voir révéler un autre de ses talents de comédienne, même si *Sept jours et une vie* n'avait pas forcément été le meilleur moyen de le faire.

Après en avoir fini avec Lanie, Angelina ressortit ses minishorts et ses petits hauts moulants pour se lancer dans de nouvelles aventures avec sa vieille amie Lara Croft. Le premier *Tomb Raider* n'avait peut-être pas enthousiasmé les critiques de cinéma, mais il avait été un succès commercial colossal avec une recette s'élevant à plus de 200 millions de livres sterling. Les hommes du monde entier fantasmaient tout autant sur Lara que sur l'actrice qui l'avait incarnée et il allait de soi qu'Angelina reprendrait le rôle dans la suite, *Lara Croft - Tomb Raider : le Berceau de la vie*. Cela ne veut pas dire qu'Angelina n'émit aucune objection : au contraire, tous les aspects du premier film ne lui avaient pas plu et elle fut très claire quant aux changements qu'elle voulait voir apportés au deuxième. « On a noté tout ce qu'on détestait dans le premier et on sait quels aspects on veut améliorer », dit Angelina. « Je pense qu'il y avait beaucoup de choses sur lesquelles on ne devait pas prendre de risques. Je voulais juste que ça soit une belle aventure, je voulais jouer un personnage fort, athlétique, qui a beaucoup voyagé. »

Simon West ne faisait désormais plus partie de l'équipe (Jan de Bont avait pris sa place pour la réalisation) mais Angelina trouva que le script du deuxième film était « vraiment beaucoup mieux » que celui du premier, donnant au *Berceau de la vie* le potentiel d'être une aventure bien plus sophistiquée. Elle aimait aussi beaucoup le fait que l'histoire s'inspire d'un mythe réel : « Ça le rend plus intéressant que le premier, qui était un peu artificiel. En fait, il y existe un berceau de la vie, vous pouvez l'entendre quand vous êtes au sommet de la montagne [le mont Langaï en Afrique]…

On croit que les bruits que fait la lave en jaillissant est le murmure de Dieu. »

Bien qu'elle fût excitée à l'idée d'enfiler à nouveau le short et le petit haut de Lara, Angelina avait détesté le régime draconien qu'elle avait dû suivre la première fois. Elle avoua que pour le deuxième film, « le régime est passé à la trappe » : « Au lieu d'éviter les glucides comme la peste, je mangeais ce que je voulais. Le matin, je mangeais du bacon, des œufs et des saucisses. Ce qu'il faut, c'est manger tout ce qu'on veut, du moment que c'est avec modération. » Angelina décrivit Lara comme « plus mince et plus sexy » dans *Le Berceau de la vie*, mais elle « ressortit du fond de ses tiroirs le vieux soutien-gorge rembourré » pour faire en sorte que Lara Croft conserve ses fameuses formes. La plupart des femmes seraient contentes d'avoir un petit coup de pouce à ce niveau-là, mais pour Angelina, c'était plutôt le contraire. « Je suis contente que ça soit pas les miens », dit-elle à propos de la forte poitrine de Lara. « Je ne les trouve pas attirants. » Heureusement pour elle, les fans de *Tomb Raider* à travers le monde étaient loin d'être de son avis.

La préparation physique pour le deuxième film s'avéra également être différente, avec « beaucoup de jet ski et d'entraînement au maniement du bâton », selon Angelina. L'actrice se rendit compte que son fils pouvait lui être utile : « Je suis très en forme grâce à Maddox, parce qu'il me fait courir dans tous les sens », déclara Angelina. « Je me sers de lui comme d'un poids. Il pèse un peu plus de 10 kilos alors je le soulève beaucoup, ce qui me permet de jouer avec lui en même temps. J'ai également une poussette spéciale pour le jogging donc je cours avec lui, ou alors quelqu'un le pousse et c'est lui qui me court après ! »

La présence de son fils sur le tournage rappelait en permanence à Angelina qu'elle était à présent responsable d'un autre être humain et même si elle avoue elle-même être une « droguée de l'adrénaline », elle était plus réticente à prendre des risques que lors du premier film. « J'adore les cascades », dit-elle. « Je crois que ça colle bien avec ma personnalité. Certaines personnes, comme moi, sont des drogués de l'adrénaline. J'ai souvent fait des choses qui étaient à la limite du suicide. Mais je me suis calmée, spécialement maintenant que j'ai un enfant. Je dois faire en sorte de revenir à la maison tous les soirs. Je n'ai plus le droit d'être autodestructrice. » En disant cela, Angelina ne faisait pas seulement référence à son comportement de casse-cou quand elle faisait des cascades, mais aussi et surtout à l'automutilation. « Avant Maddox, rien ne semblait suffisamment vrai ou honnête », dit-elle. « C'est pour ça que je me coupais, pour ressentir de la douleur. »

Si Angelina avait eu une excellente relation professionnelle avec Simon West, ce ne fut pas le cas avec son remplaçant. Selon plusieurs personnes présentes sur le tournage du deuxième *Tomb Raider*, les rapports entre Jan de Bont et elle étaient parfois tendus, en grande partie parce qu'Angelina pensait qu'il lui en demandait trop. Une source déclara : « Ils sont assez froids l'un avec l'autre. Il n'y a pas beaucoup de chaleur ni de camaraderie entre eux. »

Angelina et Jan de Bont ne furent peut-être pas les meilleurs amis du monde sur le tournage, mais elle déclara aux journalistes qu'il était un « réalisateur brillant » et semblait sincèrement impressionnée par ce qu'il avait fait du film. « Pour ce qui est des scènes d'action, *Le Berceau de la vie* est vraiment un niveau au-dessus », dit-elle. Et comme lors du premier film, elle était ravie de l'excellente condition physique et mentale dans laquelle le tournage l'avait laissée. « On ressent un immense sentiment de contrôle et de confiance en soi après avoir entraîné son corps à faire des choses qu'on n'aurait jamais pensé pouvoir faire », déclara-t-elle. « J'ai sincèrement l'impression que je pourrais botter le cul de n'importe qui ! »

Angelina raconta que les membres de l'équipe avaient tissé de tels liens lors des deux tournages de *Tomb Raider* qu'ils étaient devenus « une sorte de famille », ce qui fut très réconfortant pour elle alors qu'elle traversait à la fois son divorce avec Billy Bob et la rupture de ses relations avec son père. « On est tous plus ou moins passés par ce divorce ensemble », dit-elle. « Mais on est tous devenus de bons amis. Ils m'ont vue changer. C'est bien. »

Lors du premier *Tomb Raider*, les deux hommes étaient très présents dans la vie d'Angelina : Jon jouait son père dans le film et elle s'était mariée avec Billy Bob seulement cinq jours avant d'atterrir en

Angleterre. Mais quand elle tourna le deuxième, elle les avait tous les deux rayés de sa vie et tant l'équipe que les autres acteurs avec qui elle travaillait remarquèrent qu'elle avait énormément changé. Une personne présente sur le tournage déclara : « Quand elle est arrivée la première fois, elle était très déprimée d'être séparée de Billy Bob. Elle passait son temps à l'appeler aux États-Unis, la batterie de son téléphone n'en pouvait plus. Mais maintenant, Billy Bob n'est même plus un sujet de conversation. »

Angelina affirma qu'être célibataire lui avait permis de révéler une autre facette de Lara, un côté plus sexuel, et pour le plus grand plaisir des fans du monde entier elle porta même un bikini. « Quand vous êtes marié, il y a certaines choses, certaines de vos facettes que vous ne montrez pas, que vous ne pouvez pas montrer », expliqua Angelina. « C'est bizarre, mais cette fois Lara est un peu plus sexy parce que je suis célibataire. J'ai eu moins de mal à me laisser aller. J'ai beaucoup plus conscience de ma sensualité et de tout ce qui fait que je suis une femme. » Angelina eut également beaucoup plus d'influence sur les tenues que Lara porte dans le deuxième film et elle sauta sur cette occasion pour la rendre plus féminine. « Cette fois, j'ai vraiment eu mon mot à dire et j'ai beaucoup aimé ce qu'elle portait », dit Angelina. « Elle a des bottes d'équitation anglaises traditionnelles et elle en a aussi une autre paire avec ses initiales marquées dessus, j'ai trouvé ça génial. C'est vraiment un truc de fille. Cette fois, mes pistolets sont en or, et mon vélo aussi. Elle a vraiment un look qui tape. »

Pour la première fois de sa carrière, Angelina était devenue un modèle pour les femmes à travers le personnage de Lara Croft, ce qui était très important à ses yeux. Elle était pour le moins habituée à ce que les hommes la désirent, mais cette fois elle se rendit compte que les filles avaient elles aussi du respect pour elle et c'était une nouveauté très agréable. « Aucun de mes films n'avait jamais vraiment suscité de réaction chez les enfants », dit-elle. « Et je trouve ça mignon que les petites filles viennent me voir et me montrent qu'elles sont coiffées comme [Lara]. Ça représente beaucoup pour moi. »

Angelina travaillait dur mais ne négligeait pas pour autant son fils, qui n'avait que sept mois lorsqu'elle commença à tourner

Le Berceau de la vie. Elle avait beau être concentrée sur son rôle, Maddox demeurait sa priorité et il passait la plupart de son temps avec elle sur le tournage. Il adorait regarder sa mère travailler et quand elle apprenait une nouvelle cascade, il était le premier à qui elle en faisait la démonstration. Angelina déclara que « c'était bien de partager ça avec lui » : « [Il] s'est bien amusé à voir maman travailler sur le tournage. Il trouve ça très rigolo. J'imagine qu'il pense que je suis débile. »

Il va de soi que le tournage d'un film d'action n'est pas exactement l'environnement idéal pour un bébé et Angelina fit en sorte qu'on lui aménage une pièce dans les locaux des Pinewood Studios afin qu'il puisse jouer avec sa nounou quand elle devait travailler. Angelina était encore débutante dans son rôle de maman et elle était la première à admettre qu'elle manquait par moments d'organisation et qu'il lui était parfois difficile de jongler avec toutes ses obligations. « Je le prenais dans mes bras dès que les caméras ne tournaient plus », dit-elle. « Je ne compte plus les fois où il a fait pipi sur mes costumes. » Se préparer le matin n'était pas non plus de tout repos : « Je dois seulement le prendre dans mes bras, tenir son biberon, m'assurer que le siège bébé est bien fixé, vérifier que j'ai assez de petits gâteaux et de couches dans mon sac… Une fois, je l'avais mis dans l'écharpe, à l'africaine, pour le prendre avec moi le temps de me brosser les dents et d'essayer de faire pipi… et je me suis rendu compte que je n'avais pas de chemise ! J'avais oublié d'en mettre une avant d'installer Maddox dans l'écharpe ! »

Malgré la pagaille qu'engendrait la présence de Maddox, Angelina était enchantée qu'il soit là, notamment parce que ça l'aidait à relativiser : « Il reste ma priorité », dit-elle, « même si je suis claquée, exténuée après une longue journée de travail. Quand je rentre à la maison, il se fiche de savoir ce que maman a fait de sa journée. Pourquoi est-ce que ça devrait l'intéresser ? »

Se séparer de Billy Bob lui avait peut-être brisé le cœur, mais l'amour qu'Angelina partageait avec Maddox semblait beaucoup plus épanouissant que la relation obsessionnelle qu'elle avait avec son ex-mari, et quand elle déclara qu'elle était beaucoup plus contente et satisfaite de sa prestation dans le deuxième *Tomb Raider* que dans le premier, il ne fait aucun doute que c'était à mettre sur le compte de son fils. « Tout le monde veut se sentir utile. Mon métier ne m'a jamais épanouie en tant que tel. Je pense [qu'être une mère] a fait de moi une meilleure actrice. »

D'une manière générale, le tournage du *Berceau de la vie* se déroula sans incident, à part quelques bonnes poussées d'adrénaline. Angelina se souvient d'une scène particulièrement effrayante : « J'étais à cheval et je devais tirer un coup de feu en même temps. Je suis gauchère, donc quand le coup est parti, la douille a sauté et je me la suis prise dans l'œil. J'imagine que ça avait été conçu pour un droitier. J'ai eu très peur. »

Angelina ne fut pas moins paniquée lorsque son fils se brûla avec une bouilloire alors que l'équipe tournait dans le nord du pays de Galles. S'ensuivit une course folle en direction de l'hôpital pour enfants Alder-Hey de Liverpool où l'on soigna les brûlures bénignes de Maddox. Touchée par l'excellente prise en charge dont son fils avait fait l'objet, Angelina fit un don de 50 000 livres à l'hôpital et c'est depuis ce moment-là que Maddox est un grand fan du Liverpool FC. « Il adore le football », dit Angelina au sujet de son fils. « Il a tous les accessoires de l'équipe de Liverpool. Mais on me dit que physiquement, il est plus fait pour le rugby, qu'il ressemble plus à un demi de mêlée, même si je ne comprends pas bien ce que ça veut dire. Quoi qu'il en soit, je ne veux pas qu'il joue au rugby, je ne veux pas qu'il se fasse mal ! »

Billy Bob est lui aussi un grand fan du Liverpool FC, ce qui en soi est assez ironique, mais ce n'est certainement pas par rapport à ce père qu'il n'a jamais connu que Maddox a choisi son équipe favorite.

Le tournage du second *Tomb Raider* ne donna pas seulement à Angelina l'occasion de renouer avec Lara Croft, mais également avec l'Angleterre. Les Pinewood Studios étaient devenus une sorte de deuxième maison pour l'actrice, et maintenant qu'elle était maman, elle se sentait plus que jamais chez elle dans ce pays qu'elle avait adopté en y tournant *Hackers* près de dix ans plus tôt.

Angelina raconta qu'après avoir rompu avec Billy Bob, elle avait regardé Maddox et lui avait dit : « Voilà, mon cœur, on peut aller partout dans le monde. Où t'as envie d'aller ? »

Angelina avait beau être une grande star à Hollywood, elle n'avait jamais vraiment aimé Los Angeles. La seule raison qui l'avait poussée à quitter New York pour y emménager après avoir épousé Billy Bob était que les deux enfants de l'acteur y habitaient et qu'il avait bien entendu envie d'être auprès d'eux. Maintenant qu'elle n'avait plus aucun lien avec son ex-mari, Angelina pouvait choisir de vivre n'importe où et il n'y avait selon elle pas de meilleur endroit pour élever un enfant que l'Angleterre. « J'adore l'Angleterre », dit-elle. « Un jour [durant le tournage], je regardais Maddox jouer dans le jardin, il avait l'air tellement heureux, tellement serein. Je l'ai regardé et j'ai pensé : "On a besoin d'une maison, on a besoin d'un jardin, on n'a qu'à faire ça demain." »

Pendant qu'elle travaillait sur *Le Berceau de la vie*, Angelina avait loué la même maison que celle dans laquelle Tom Cruise et Nicole Kidman avaient habité alors qu'ils tournaient *Eyes Wide Shut*, le film de Stanley Kubrick. D'une valeur de 2,1 millions de livres, cette ancienne ferme reconvertie en une maison luxueuse comprenant huit chambres est construite sur un terrain de 150 hectares avec piscine et court de tennis. C'est là qu'Angelina décida de s'installer avec Maddox et elle acheta la propriété située près du village de Fulmer, dans le Buckinghamshire. « Je me sens beaucoup moins isolée du reste du monde quand je suis ici », expliqua-t-elle à propos de sa nouvelle maison. « Je peux savoir ce qui se passe dans le monde. Maddox et moi, on peut sortir quand on veut. On a choisi de vivre une vie normale et c'est plus facile en Angleterre. Quand on ne prend pas des airs de star, on peut avoir une vie normale. »

C'était cet anonymat qui avait en grande partie motivé sa décision de déménager au Royaume-Uni. Il lui semblait également que l'éducation qu'elle avait reçue aux États-Unis était très restrictive et unilatérale et elle aimait l'idée que Maddox grandisse dans un pays qu'elle considérait plus ouvert tant sur un plan social que politique. Elle était une très grande star à Los Angeles et, à ce titre, chacun de ses faits et gestes était épié, si ce n'est photographié par des paparazzis ; mais elle avait à présent un jeune fils et aspirait à se soustraire à l'œil inquisiteur des médias. Elle avait constaté que la vie qu'elle menait avec Maddox dans la campagne du Buckinghamshire était beaucoup plus paisible et qu'elle leur permettait d'échapper aux flashes des journalistes. Comme de nombreuses célébrités, Angelina protégeait farouchement son fils, pensant qu'il avait tout autant le droit à une enfance normale que n'importe quel autre enfant et qu'il ne devait pas souffrir de ce que sa mère faisait comme métier. Lorsqu'on lui demanda quelle était la différence entre sa vie aux États-Unis et sa vie au Royaume-Uni, Angelina répondit : « J'ai tendance à aller plus souvent à de bons dîners et à boire du bon thé. Et aussi, j'ai l'impression qu'ici le temps s'arrête, que je passe plus de bons moments avec les gens. En Angleterre, j'ai l'impression qu'on consacre plus d'attention à sa famille, qu'on va plus souvent au parc avec son enfant. »

Angelina était également séduite par le système d'éducation britannique et elle se mit à chercher une école pour Maddox qui, avoua-t-elle, « avait un petit accent britannique » lorsqu'il prononça ses premiers mots. Elle rêvait de le voir partir à l'école le matin habillé d'un joli petit uniforme et elle se rendit compte qu'alors qu'elle se faisait maquiller sur le tournage, son esprit vagabondait et elle se mettait à penser aux temps à venir, quand elle devrait participer à des courses en sac lors des journées sportives organisées par l'école. Pourtant, lorsqu'arriva le jour où Maddox dut aller à l'école, Angelina eut une crise d'angoisse qui ne lui ressemblait pas et se demanda comment elle serait par rapport aux autres mères. Une fois, alors qu'elle devait rencontrer les professeurs de son fils, elle changea trois fois la date du rendez-vous parce qu'elle avait trop d'appréhension. « Je me rappelle qu'on m'avait convoquée au bureau du principal, ce qui me rendait nerveuse », avoua-t-elle. « D'un coup, j'ai commencé à me dire : "Est-ce que j'ai caché mes tatouages ? Est-ce que j'ai pas trop mis d'eye-liner ?" »

Elle eut également à se soucier de l'apparence de son fils. À l'école, on interdit à Maddox (qui était coiffé d'une crête à l'iroquoise depuis que ses cheveux étaient assez longs pour le faire) de porter son pendentif préféré sous prétexte qu'il n'était pas conforme à l'uniforme réglementaire. Si Angelina était excitée à l'idée que son fils reçoive une bonne éducation en Angleterre, elle n'était en revanche pas du tout préparée à ce qu'on le décourage de se distinguer des autres, au moins en termes d'apparence. « Il avait un pendentif en forme d'hélicoptère, mais ce n'est pas possible au Royaume-Uni », raconta Angelina. « Ils empêchent la personnalité de s'exprimer, ce qui est plutôt problématique. »

Angelina ne s'était toujours pas remise de l'échec de son mariage, et avec Maddox dans sa vie, elle était catégorique sur le fait qu'elle ne voulait pas se lancer dans une nouvelle relation. Elle soutenait que c'était prendre trop de risques que de présenter à Maddox quelqu'un qui ferait potentiellement figure de père et pensait qu'il était plus simple qu'elle reste célibataire, au moins pour le moment. « On a peut-être l'impression que je fais n'importe quoi, mais je ne laisse pas facilement quelqu'un rentrer dans mon espace personnel », dit-elle.

À l'évidence, sa dernière relation lui avait fait beaucoup de mal et elle déclara que le mariage n'était pas sa « tasse de thé » et qu'elle ne « croyait pas que les relations amoureuses pouvaient être éternelles ». Ce qui ne veut pas dire qu'Angelina avait à jamais tiré un trait sur l'amour, bien au contraire : « [J']ai hâte que ça recommence. J'adorerais trouver dans la loterie de la vie cet ami qui aurait une volonté, une énergie et une force sans limites pour vivre quelque chose de remarquable. »

Angelina avait beau prétendre vouloir rester célibataire, personne n'ignorait qu'elle voyait son séjour en Angleterre comme une opportunité de renouer les liens avec son premier mari, Jonny Lee Miller. Il ne fallut pas attendre longtemps avant qu'on les voie ensemble en ville, semblant beaucoup plus intimes que deux personnes divorcées, mais ceux qui avaient suivi de près la vie amoureuse d'Angelina ne s'étonnèrent pas de voir cette vieille flamme se raviver.

Contrairement à l'amertume et à la déception qu'elle avait affichées après s'être séparée de Billy Bob, Angelina n'avait jamais rien eu à dire sur Jonny. Si elle était alors trop jeune pour se marier, il n'en demeurait pas moins qu'elle l'avait sincèrement aimé et à l'époque elle avait endossé toute la responsabilité de leur rupture, affirmant qu'elle avait encore besoin de grandir. Jonny ne lui en voulait manifestement pas de lui avoir brisé le cœur, et durant toutes ces années, ils avaient gardé contact et étaient restés bons amis. « On ne s'est jamais vraiment disputé », dit Angelina. « D'ailleurs aucun de nous deux ne voulait divorcer. C'était un concours de circonstances, il voulait être à un endroit et moi à un autre. On est restés amis et cette amitié grandit encore, tout le temps. »

Cependant, cette « amitié » ne ressemblait en rien à une relation platonique : on les avait aperçus plusieurs fois en train de s'embrasser en public et ils furent même photographiés en février 2004 dans un salon de tatouage de Los Angeles, alors qu'ils se faisaient tatouer ensemble (c'est à ce moment-là qu'Angelina se fit tatouer « Connais tes droits » entre les omoplates).

Lorsqu'on lui demanda ce qu'il en était de sa nouvelle relation avec Jonny, Angelina répondit : « Jonny est un mec merveilleux. Bien sûr qu'on est proches. J'espère que ça ne changera pas. » Jonny déclara quant à lui qu'Angelina s'était « un peu adoucie » depuis leur mariage mais ne dit pas un mot sur la possibilité qu'ils se remettent ensemble. En l'occurrence, si quelque chose s'était effectivement ravivé entre eux, ça ne les mena nulle part. On a plutôt l'impression qu'à un moment où elle se sentait seule, vulnérable et qu'elle ne voulait pas prendre le risque de s'engager avec quelqu'un, Angelina avait besoin d'une épaule pour pleurer et que cette épaule fut celle de Jonny. Elle avait toujours pu compter sur lui quand ils étaient ensemble et ce fut un véritable réconfort pour elle qu'il réponde une nouvelle fois présent. Libre à chacun de se demander si Jonny était retombé amoureux de son ex-femme et s'il aurait voulu que leurs retrouvailles se prolongent, mais pour Angelina la question ne se posait pas. « J'aimerais dire à Jonny que je l'aime », dit-elle. « Mais je crois qu'il le sait. Je serai comblée le jour où il sera le plus heureux des hommes. Je lui suis reconnaissante d'avoir été un si bon époux quand nous étions mariés. »

Contrairement à la déception qu'elle avait éprouvée en voyant le premier *Tomb Raider*, Angelina fut satisfaite du deuxième (même si ce fut un échec total au box-office) et sentit que son histoire avec Lara Croft était terminée. Elle avait donné tout ce qu'elle avait, et si elle avait initialement déclaré qu'elle pourrait envisager de travailler sur un troisième film à condition que le script lui plaise, Angelina changea d'avis à la fin du tournage du *Berceau de la vie*. « Je voulais faire une suite parce que je n'étais pas contente du premier film », dit Angelina. « Je suis beaucoup plus satisfaite du deuxième. C'est ce film qu'on aurait dû faire la première fois. Je ne ressens plus le besoin de recommencer. »

Et c'est ainsi qu'Angelina décida de mettre ses débardeurs, ses mini-shorts et ses armes au placard et laissa reposer en paix ce personnage qui avait fait d'elle l'une des actrices les plus sexy au monde.

CHAPITRE - XIV
ALEXANDRE

N'étant pas du genre à être intimidée par une équipe d'acteurs majoritairement masculine, Angelina accepta de tourner *Taking Lives - Destins violés* avec Ethan Hawke, Olivier Martinez et Kiefer Sutherland peu de temps après avoir fini le deuxième *Tomb Raider*. Ce thriller, qui s'inspire d'un roman du même nom écrit par Michael Pye, raconte l'histoire d'une brillante profiler du FBI (Illeana Scott) à qui on fait appel pour traquer un tueur en série usurpant l'identité de ses victimes. Angelina se défend très bien dans le rôle d'Illeana, une femme à la fois intelligente et sexy mais aussi vulnérable, et ses partenaires masculins ne sont pas en reste. Si le film fit les gros titres, ce ne fut pas pour saluer une réalisation hors du commun ou des acteurs particulièrement doués, mais (comme toujours) parce qu'Angelina avait fait chavirer les cœurs sur le tournage. Sauf que cette fois, elle avait une liaison non pas avec un, mais avec trois de ses partenaires. « Le nombre de gens avec qui je sors en ce moment... physiquement, c'est pas possible », dit Angelina, qui était célibataire depuis Billy Bob. « On en a rigolé, parce que les gens disaient que j'étais sortie avec tous les acteurs du film. Kiefer, Ethan, Olivier… Ça nous a tous bien fait rire. Mais les rumeurs sur Olivier m'ont énervées parce qu'il a une copine [Kylie Minogue] de qui il est très proche, donc ça sous-entend que j'ai fait quelque chose de mal. »

À un moment, Kylie se sentit tellement mise en danger par l'amitié entre Angelina et l'acteur français qu'elle sauta dans un avion et se rendit sur le tournage du film afin de s'assurer que sa moitié savait se tenir. Kylie n'était pas la première femme à frémir à l'idée que son compagnon travaille avec une actrice à la réputation aussi sulfureuse, et Angelina aurait pu en rire si dans le cas d'Ethan Hawke (qui était toujours marié à Uma Thurman à l'époque) des éléments n'avaient pas montré qu'il était possible que les soupçons soit fondés. En juillet 2003, des photos montrant Angelina et Ethan en train de s'embrasser entre les prises lancèrent des rumeurs sur une éventuelle liaison entre les deux acteurs, et les déclarations d'Ethan dans lesquelles il étala son admiration pour Angelina ne firent que remettre de l'huile sur le feu. « De temps en temps, l'œuvre de Dieu est parfaite », déclara-t-il à un journaliste. « Elle est d'une beauté éblouissante, elle ne prend pas une ride et ne devient pas ennuyeuse. C'est une femme vraiment incroyable et je l'aime beaucoup. » Ethan raconta même que son cercle d'amis s'était subitement agrandi pendant qu'il travaillait sur *Taking Lives - Destins violés*, étant donné que toutes ses connaissances voulaient lui rendre visite sur le tournage afin d'entr'apercevoir Angelina.

Angelina ne reconnut jamais avoir eu une aventure avec cet homme marié et père de deux enfants, mais elle lui retourna le compliment : « Ethan est merveilleux, c'est un homme bien et un bon père », dit-elle.

Les deux films qu'Angelina allait tourner après *Taking Lives - Destins violés* ne furent accompagnés d'aucun scandale, ce qui fut une agréable surprise. Dans *Capitaine Sky et le Monde de demain*, elle fit équipe avec Jude Law, qui n'était autre que le meilleur ami de son premier mari. À l'époque où Angelina avait rencontré Jonny, il partageait un appartement à Londres avec Jude

Law et Ewan McGregor : il n'y avait donc aucune chance pour qu'Angelina tombe amoureuse de son coéquipier. *Capitaine Sky et le Monde de demain* est une aventure de science-fiction dont l'action se déroule à New York en 1939. C'est l'un des premiers films tournés intégralement dans des décors fictifs : les acteurs jouaient devant un écran bleu, et tous les décors ainsi que la majorité des accessoires furent créés par ordinateur. Angelina (qui joue le rôle de Franky) reconnut qu'elle avait dans un premier temps eu du mal à s'y habituer. « Au début on trouve ça complètement débile, mais je crois que c'est bien de ne pas perdre de vue ce qui est marrant dans le fait de travailler comme ça », dit-elle. « C'est créatif, on essaye des choses dont on est pas du tout sûrs, du coup on se sent encore plus stupide et il faut faire des choix audacieux. Ça change, c'est agréable. » Angelina déclara qu'elle était « contente d'avoir enfin travaillé avec Jude » et fut surprise de s'entendre aussi bien avec une autre star du film, Gwyneth Paltrow. « Gwyneth est très drôle. Je ne l'avais jamais rencontrée avant et elle est super, ça a vraiment bien marché entre nous. Les gens s'amusent toujours à dire plein de trucs bizarres quand les acteurs se rencontrent, mais ce fut pour nous tous une très bonne expérience. »

Après *Capitaine Sky et le Monde de demain*, Angelina continua à marcher hors des sentiers battus et accepta d'être la voix de Lola dans *Gang de requins*, le film d'animation de DreamWorks. Ce projet l'intéressa parce qu'elle pensait que c'était quelque chose que Maddox apprécierait, mais sa mère Marcheline fut un peu peinée de voir que sa fille avait encore une fois été choisie pour incarner une tentatrice. En effet, Lola est la femme fatale de l'Océan qui vient se mettre entre le héros Oscar (Will Smith) et son amie Angie (Renée Zellweger), amoureuse de lui depuis toujours. « Pourquoi est-ce qu'ils te prennent pour faire le poisson méchant ? », lui demanda Marcheline. « Pourquoi est-ce qu'ils ne t'ont pas donné le rôle du poisson-ange ? Après tout, tu t'appelles Angie. »

Angelina lui répondit simplement : « Parce que le monde ne me voit pas comme toi tu me vois, maman. »

Même si sa mère n'était pas enthousiaste, Angelina raconta que travailler sur *Gang de requins* avait été « vraiment super drôle...

C'est tellement marrant de se voir dans la peau d'un poisson de dessin animé ! »

Le film qu'Angelina tourna après, *Alexandre*, était en revanche beaucoup plus sérieux et, encore une fois, on en parlerait davantage pour ce qui allait se passer derrière la caméra que devant.

Quand Angelina accepta de jouer dans *Alexandre* (réalisé par Oliver Stone), elle savait qu'elle partagerait la vedette avec Colin Farrell et il était évident que la rencontre entre les deux acteurs qui défrayaient autant la chronique l'un que l'autre allait faire des étincelles. À l'image d'Angelina, Colin avait la réputation d'être l'un des acteurs les moins fréquentables d'Hollywood : avant de rentrer en cure de désintoxication en décembre 2005 pour se libérer de son addiction aux drogues douces (même si la version officielle parlait d'un « état d'épuisement et d'une dépendance aux médicaments »), il était réputé pour être un coureur de jupons invétéré qui faisait beaucoup la fête. Né à Dublin le 31 mai 1976, Colin avait un an de moins qu'Angelina. Sa carrière avait commencé en 1999 avec une apparition dans *The War Zone*, mais il fallut attendre 2003 pour qu'il devienne célèbre en jouant dans des films à succès tels que *La Recrue*, *Phone Game* ou encore *S.W.A.T. – Unité d'élite*. En 2001, il épousa l'actrice anglaise Amelia Warner après une rapide aventure, mais le couple se sépara au bout de quatre mois. Après son divorce, Colin profita pleinement de son statut de sex-symbol : il eut une multitude d'aventures avec une ribambelle de belles femmes (dont Britney Spears, d'après la rumeur) et reconnut avoir régulièrement fait appel aux services de call-girls de luxe. Il avoua également être plutôt négligent vis-à-vis de la contraception, ce qui expliquerait pourquoi l'une de ses nombreuses petites amies (Kim Bordenave) tomba enceinte de lui. Le couple s'était déjà séparé lorsque le mannequin donna naissance au fils de Colin en septembre 2003, mais l'acteur reste très présent pour son fils, qui est d'après lui l'une des personnes les plus importantes de sa vie. On dit d'ailleurs que c'est pour James qu'il a décidé de s'en sortir et de suivre une cure de désintoxication.

Quand Angelina et Colin se rencontrèrent au Maroc pour le tournage d'*Alexandre*, ils se rendirent vite compte qu'ils avaient beaucoup de choses en commun : ils étaient tous les deux des rebelles vivant leur vie selon leurs propres règles, ils avaient tous les deux souffert d'insomnie et de dépression dans leur jeunesse et ils partageaient aussi ce même côté très sensible, intense et passionné. Colin avait été attiré par Angelina depuis qu'il l'avait vue dans *Tomb Raider* et, quand il apprit à la connaître, il se rendit compte qu'elle était au moins à la hauteur de ses espérances. En somme, Colin avait rencontré la femme parfaite.

Alexandre est une biographie s'inspirant de la vie d'Alexandre le Grand, l'homme qui à 25 ans avait conquis presque tout ce qui constituait à l'époque le monde connu et qui mourut à l'âge de 33 ans. En choisissant les acteurs qui tourneraient dans son film, Oliver Stone savait qu'il avait besoin d'une femme forte pour incarner Olympias, la mère d'Alexandre ; le réalisateur avait admiré Angelina depuis qu'il l'avait vue dans *Gia* et il était convaincu qu'elle était faite pour le rôle. « Beaucoup d'actrices contemporaines trouvent un juste milieu poli dans leur façon de jouer, mais Angelina est plus dans la lignée d'actrices comme Bette Davis », dit-il. « Elle y va d'une manière forte, déterminée, ce qui est rare chez les jeunes acteurs. » Il ajouta que, pour lui, Angelina était « une actrice née ».

Sachant que Colin avait accepté le rôle d'Alexandre, choisir Angelina pour jouer sa mère ne semblait pas être ce qu'il y avait de plus naturel et l'actrice ne doutait pas moins que tout le monde de la pertinence de cette idée. Elle savait néanmoins qu'elle pouvait faire confiance à Oliver Stone : « Lorsqu'il recrute des acteurs, c'est leur esprit qui l'intéresse. » Angelina avait beau aimer ce qu'il avait fait du script et les « super scènes qui parlent de la vie, du pouvoir, de la passion et de meurtre », elle hésita pourtant à accepter de jouer la mère de Colin. « Je savais pas trop comment ça allait marcher », admit-elle. « J'en ai parlé avec Oliver et Colin et on s'est dit : "Soit on va être critiqué et attaqué pour ça, soit on a raison et c'est comme ça qu'on doit le faire." Donc on a pris un très gros risque. Mais quand on nous voit séparément, je crois que le rôle d'Alexandre lui va bien, le rôle d'Olympias me va bien et, d'une certaine manière, on est devenu mère et fils. »

Avec sa cascade de boucles, son air exotique et ses costumes somptueux, Angelina correspondait tout à fait au personnage, ce qui ne signifie pas pour autant qu'elle n'eut aucun mal à interpréter la reine grecque. « C'était un film d'époque, je jouais un personnage extrême, il a fallu me vieillir, et les accents, et toutes les émotions », dit-elle. « C'est tellement facile d'en faire trop et de caricaturer son personnage. Donc [c'était un défi] d'en faire quelque chose de subtil, de comprendre ce qu'elle ressentait et ce qu'elle vivait. » Certains pourraient dire que regarder le film ne relève pas moins du défi et les critiques le descendirent en flèche, l'un d'eux le qualifiant même « d'échec honorable ». D'une manière générale, le public considéra qu'il s'agissait davantage d'un documentaire (inexact, qui plus est) que d'un film d'action. S'il ne fait aucun doute qu'Angelina est agréable à regarder dans le rôle de la femme incroyablement puissante et dominante qu'est Olympias, il y a pourtant quelque chose qui cloche dans son interprétation. Un critique l'a même décrite comme « une grande diva sortie tout droit d'un soap opera médiéval ».

Il n'en demeure pas moins qu'Angelina s'était beaucoup amusée sur le tournage du film. Ce qu'elle avait aimé par-dessus tout, c'était jouer une femme plus mûre : « Ça fait du bien d'être engagée pour un film où je ne suis pas l'épouse sexy. Si je suis dans le film, c'est pour d'autres raisons. » Le fait qu'Olympias passe la majeure partie de son temps avec un serpent autour du cou laissa l'actrice de marbre : par le passé, elle avait eu des serpents pour animaux de compagnie et elle alla même jusqu'à passer du temps avec les reptiles entre les prises, juste pour « apprendre à les connaître ». Elle aima aussi le fait de devoir vieillir à mesure que le film avançait : « Je trouve que c'est beau d'être âgé. D'ailleurs, j'aime bien l'idée de vieillir. »

Le personnage d'Angelina est une femme dominatrice, autoritaire et incroyablement érotique, et bien que l'actrice décrivît Olympias comme étant « psychotique », elle n'en avait pas moins beaucoup d'affection pour elle. Comme cela avait déjà été le cas à de nombreuses reprises, Angelina se retrouva en partie dans son personnage. « Je l'adore ! », reconnut-elle. « Si j'avais vécu à son époque, avec tout ce qu'elle subissait en tant que femme, les dangers, les menaces, le manque de pouvoir, je n'aurais pas vraiment été différente d'elle. Pour moi, c'est une mère qui en demande beaucoup à son fils parce qu'ils vivent à une époque où, s'il n'arrive pas à monter sur le trône ou à acquérir une certaine force, certaines aptitudes, une certaine grandeur, il mourra ou sera condamné à l'exil. Ça m'a aidée de penser à mon propre fils et à ce qu'il devra faire pour se protéger des choses qui pourraient lui faire du mal. » Angelina essaya notamment de s'inspirer de sa propre expérience de mère pour jouer la scène où Olympias apprend la mort de son fils, mais elle réalisa que ça la rendait trop triste. « Je me suis assise dans un coin pendant cinq minutes et j'ai crié, j'ai pleuré toutes les larmes de mon corps », raconta-t-elle. « C'était tellement dur pour moi qu'à la fin, j'ai laissé tombé. Je ne voulais pas faire ça, point. Je me fichais que la scène soit mauvaise, je ne voulais pas le faire. Si quelqu'un faisait quoi que ce soit à mon fils dans la vraie vie, je le tuerais. »

Avec sa perruque blonde qui accapare l'œil et son accent irlandais sorti de nulle part, la prestation de Colin était tout aussi déroutante et confuse que celle d'Angelina. Leur relation à l'écran est intense, tant sur le plan physique que sur le plan émotionnel : ils avaient beau jouer une mère et son fils, la tension sexuelle qu'il y a entre eux est si forte qu'Œdipe s'en serait presque retourné dans sa tombe. Angelina mettait cela sur le compte des méthodes très similaires que Colin et elle utilisent pour rentrer dans un personnage : « C'est marrant, parce qu'on marche tous les deux. Entre les prises, pour garder mon énergie et rester concentrée, je fais les cent pas. Et Colin fait pareil... Alors quand on devait tourner des scènes ensemble, on n'arrêtait pas de se rentrer dedans. C'était vraiment drôle. Et puis au moment de faire la scène, on se rejoignait. »

Comme ça avait déjà été le cas avec plusieurs de ses anciens partenaires, la relation intense qu'Angelina et Colin partageaient dans la fiction se prolongea dans la réalité, et c'est pourquoi leur « sincère amitié » fut plus médiatisée que le film en lui-même.

Même si Angelina et Colin n'ont jamais admis avoir eu de relations sexuelles, ils parlaient ouvertement de l'admiration et de l'affection qu'ils avaient l'un pour l'autre, et de nombreux éléments suggèrent que leur relation ne fut pas toujours strictement platonique. Angelina reconnut qu'ils étaient attirés l'un par l'autre et expliqua qu'ils avaient pensé à essayer quelque chose ensemble, mais qu'ils avaient abouti à la conclusion que ça ne serait pas une bonne idée. « On se ressemble trop », expliqua-t-elle. « On en a parlé, mais ce n'est pas ce qu'il y a de mieux pour nous. Colin est un mec fascinant et attirant, mais on serait trop intenses l'un pour l'autre. »

Colin ne se répandait pas moins en compliments au sujet d'Angelina et il était particulièrement impressionné par ses talents de mère. « Elle est splendide quand elle est avec son bébé, on a envie d'être comme elle », dit-il. « Elle m'a donné des trucs pour être un bon père. J'adore la regarder quand elle est avec Maddox. » Il avait également conscience des similitudes qui existaient entre eux et trouvait ça « ironique » qu'elle joue sa mère dans *Alexandre*. « On est vraiment, vraiment pareils », dit Colin. « Je ne crois pas à toutes ces conneries, mais on est tous les deux Gémeaux. On est peut-être plus des jumeaux que la même personne, en fait. Je n'ai jamais rencontré une personne qui a tout ce qu'elle veut et qui pense pourtant à ce point aux autres. Angie a un cœur énorme. Et elle est tellement, tellement honnête. Elle est incroyable. » Et comme si ça n'était pas déjà assez, Colin décrivit également Angelina comme sa « femme idéale ».

Il va sans dire que Colin n'était pas le seul homme participant au tournage d'*Alexandre* à être attiré par Angelina : Val Kilmer, qui jouait le mari d'Olympias (le roi Philippe II de Macédoine), déclara ouvertement que chaque minute passée à tourner des scènes d'amour avec la magnifique Angelina avait été un délice. « Mon rôle dans le film consistait majoritairement à partager le lit d'Angelina Jolie et à la retourner dans tous les sens, ce qui est certainement le truc le plus génial qui puisse arriver à un homme », déclara Val. « N'allez pas le répéter pas à Angelina ou à Oliver, mais quand on tournait les moments les plus sexy, je faisais exprès de me planter dans mes répliques... pour qu'on soit obligé de recommencer. J'ai passé quatre mois à faire ça... et on m'a payé des millions de dollars pour prendre du plaisir. »

De nombreuses rumeurs insinuèrent que Val et Angelina sortaient eux-aussi ensemble, mais l'actrice le voyait plutôt comme un père. « On était très attentifs et gentils l'un envers l'autre », dit-elle à propos de Val. « C'était bien. J'ai pas eu ce genre de père qui dit : "Laisse-moi t'orienter un peu pour trouver les choses qui selon moi t'intéresseraient et pour t'expliquer comment les faire." »

Si Angelina et Colin affirmaient qu'ils n'étaient rien de plus que de « bons amis », on les surprit pourtant plus d'une fois en train de se comporter comme deux personnes proches et intimes dans des bars et des hôtels londoniens après la fin du tournage en 2003. Les rumeurs s'enflammèrent quand, en décembre de la même année, Angelina et Maddox se rendirent en Égypte pour visiter les pyramides, accompagnés de Colin. Pourtant, la veille de Noël, ils avaient pris deux avions différents en direction du Caire et ils étaient descendus sous une fausse identité à leur hôtel. Les photos des paparazzis, qui montrèrent le couple se câlinant et faisant des balades en chameau, confirmèrent qu'ils étaient proches l'un de l'autre et, avec le fils d'Angelina, ils renvoyaient l'image d'une famille unie. À ce moment-là, Angelina subissait de plein fouet le scandale autour de l'adoption de Maddox et, si ce n'est que ça, l'acteur irlandais était content de pouvoir lui apporter son soutien et d'être pour elle une épaule pour pleurer.

C'est peut-être parce que Colin était un véritable fêtard qu'Angelina était réticence à s'engager dans une relation amoureuse avec lui, et on pense qu'elle recherchait plus de stabilité qu'il ne pouvait lui offrir. Elle devait à présent s'occuper de Maddox et était déterminée à ce que sa prochaine relation soit sérieuse et stable, et vu le style de vie déraisonnable de Colin, il était un peu difficile de l'imaginer en père modèle. On dit d'ailleurs qu'Angelina mit un terme à leur aventure après avoir vu une photo de lui en train de boire en compagnie de femmes avec qui il avait l'air de se sentir très à l'aise.

Le fait qu'Angelina ne voyait pas en Colin un compagnon sérieux ne parut pas atténuer l'affection qu'elle lui portait, et c'est d'une manière très maternelle qu'elle en parlait dans les interviews. Leurs liens reposaient sur les expériences similaires qu'ils avaient vécues par le passé et sur le fait qu'ils avaient tous les deux un esprit libre. Angelina eut l'impression de voir Colin grandir au fur et à mesure du tournage d'*Alexandre*. « [Jouer le rôle d'un homme endurci] l'a aidé à mûrir », dit-elle. « Je sais que ça a été dur pour lui… et qu'il a laissé tous ses démons ressortir. Mais moi, j'étais assise dans un coin, j'étais excitée et contente de le voir souffrir parce que je savais que ça le ferait grandir. »

Si Angelina n'admit pas avoir eu une liaison avec Colin, elle révéla néanmoins qu'après la période de célibat qui avait suivi sa rupture avec Billy Bob, elle était prête à recommencer à avoir une vie sexuelle. Étant donné que Maddox faisait à présent partie de sa vie, elle savait qu'elle n'aurait pas le droit à l'erreur en choisissant l'homme avec qui elle aurait sa prochaine relation sérieuse, mais elle estima que son incapacité de trouver cette perle rare ne devait pas l'empêcher de satisfaire ses désirs physiques. Avec la franchise qu'on lui connaît, Angelina expliqua dans une série d'interviews qu'elle avait pris deux amants et qu'ils étaient tous les deux au courant du caractère purement sexuel de leur relation. « J'ai des désirs physiques », dit-elle. « En ce moment, c'est la seule chose qui m'intéresse… Je ne veux pas d'un petit copain ou d'un mari. » Elle ne révéla pas l'identité des hommes avec qui elle couchait, ce qui permit à la presse de s'en donner à cœur joie sur la nature de ses relations avec Colin Farrell, Ethan Hawke ou même Jonny Lee Miller. Certaines rumeurs disaient aussi qu'elle fréquentait un homme d'affaires italien millionnaire du nom de Daniele Patini. « J'ai passé près de deux ans sans avoir aucun homme dans ma vie, et puis j'ai décidé de me rapprocher d'hommes qui étaient déjà de bons amis », déclara-t-elle. « C'est une manière adulte de voir les relations. Aussi fou que ça puisse paraître, passer quelques heures avec un homme dans une chambre d'hôtel avant d'aller mettre mon fils au lit et puis ne pas revoir cet homme pendant quelques mois est à peu près tout ce que je peux supporter. »

Angelina ne mentionna jamais aucun nom mais affirma que l'un de ces hommes était quelqu'un par qui elle avait été attirée alors qu'elle était mariée avec Billy Bob. « Quand j'étais mariée avec Billy, j'ai rencontré un homme avec qui je n'ai jamais couché », dit-elle.

« Une fois, on a dîné ensemble et ça s'est fini du style : "Écoute, je suis mariée, je ne peux pas coucher avec toi. Je ne peux même pas rester pour finir de dîner parce que ça me met mal à l'aise." » Trois ans après, Angelina l'appela et lui demanda ce qu'il dirait d'avoir une relation purement physique avec elle. « On a dîné ensemble plusieurs fois pour parler des détails, pour parler de comment ça allait se passer exactement. C'était fascinant », révéla-t-elle.

Elle avait beau avoir été claire sur ce qu'elle recherchait, il fallut quand même un moment à ces hommes pour se faire à l'idée. Après tout, ce n'est pas tous les jours qu'une des plus belles femmes du monde vous demande de coucher avec elle et de ne pas la rappeler. « Il y a un stéréotype assez répandu qui veut que les femmes mettent leur cœur dans leur relation alors que les hommes n'y mettent que leur pénis. Mais je ne crois pas que ça soit comme ça que ça se passe », dit-elle. Avec elle, c'était d'ailleurs plutôt l'inverse et l'un de ses amants en fit la douloureuse expérience quand il en voulut plus et demanda même à rencontrer Maddox.

Elle aimait peut-être passer du temps avec ces hommes dans des chambres d'hôtel, où ils « regardaient les infos et parlaient de leur vie », mais elle ne voulait qu'aucune de ces relations ne déborde sur sa vie de famille. Son mantra était : « Protège-toi quand tu couches avec quelqu'un, comme ça tu n'embarrasses pas ta famille et tu n'embarrasses pas la famille de quelqu'un d'autre », et elle s'y tint. Jusqu'à ce qu'elle rencontre un certain acteur sur le tournage du film dans lequel elle s'apprêtait à jouer...

CHAPITRE - XV
UNE LIAISON DONT ON SE SOUVIENDRA

Depuis le jour où ils s'étaient rencontrés pour la première fois lors d'un rendez-vous arrangé en 1998, Brad Pitt et Jennifer Aniston avaient reçu le titre du couple d'or d'Hollywood. Jennifer était devenue l'une des actrices préférées des Américains en incarnant Rachel Green dans la série à grand succès *Friends* et les médias du monde entier n'auraient pas pu se réjouir davantage de la voir sortir avec Brad, qui avait autant de succès et de talent qu'elle et n'avait rien à lui envier sur le plan physique. Brad et Jennifer avaient beau être deux des grandes stars les plus convoitées et les plus riches d'Hollywood, leur couple avait quelque chose d'accessible qui le rendait incroyablement sympathique. En apparence, ils semblaient être faits l'un pour l'autre et les fans du monde entier ne souhaitèrent que leur bonheur dès le premier jour. Brad était (et reste) l'un des acteurs les plus désirés de la planète, mais personne n'en voulut à Jennifer de l'avoir retiré du marché.

Contrairement à Angelina, avec qui certaines femmes n'arrivent pas à créer des liens et par qui ces dernières peuvent donc se sentir menacées, Jennifer est le genre de fille accessible qu'on imaginerait sans peine inviter à prendre un café pour faire connaissance. Dans *Friends*, Rachel est une femme drôle et attentionnée, une accro au shopping qui passe son temps à se dévaloriser, et le public assimila progressivement Jennifer à son personnage en la voyant sous ce jour pendant les dix années que dura la série (d'autant plus que l'amitié qu'elle partageait avec les autres acteurs de *Friends* ne se limitait pas au plateau du tournage). Angelina avait toujours dit qu'elle n'avait que peu d'amis (et surtout d'amies) proches, alors que Jennifer avait depuis des années le même cercle d'amis très proches qu'elle avait pour la plupart connus avant de devenir célèbre. À l'inverse d'Angelina, Jennifer était très coquette : dès les premiers épisodes de *Friends* en 1994, sa taille mince et sa coupe de cheveux typique (qui finit même par porter son nom) avaient fait d'elle une pin-up internationale. Si Courteney Cox Arquette (Monica Gellar) et Lisa Kudrow (Phoebe Buffet) étaient indéniablement très belles, Jennifer arrivait toujours en tête des sondages destinés à déterminer laquelle des trois amies était « la plus attirante », et on faisait d'ailleurs souvent référence à elle en disant que c'était « l'amie » avec qui la plupart des hommes aimeraient sortir. Avant de rencontrer Brad par l'intermédiaire de leurs agents respectifs, Jennifer avait eu de nombreuses relations que la presse avait suivies avec grand intérêt, par exemple avec Adam Duritz, le chanteur des Counting Crows, ou encore avec l'acteur Tate Donovan (qui deviendrait plus tard le héros de la série *Newport Beach*). Mais de toutes ses liaisons, aucune n'attira autant l'attention que celle qu'elle eut avec Brad. Après être sortis ensemble pendant deux ans et s'être « vraiment amusés à tomber amoureux » (selon Jennifer), les acteurs se fiancèrent puis se marièrent dans la villa de Malibu d'une productrice de *Friends*, Marcy Carsey, au cours d'une cérémonie à un million de dollars digne d'un conte de fées. Avec 200 invités, quatre groupes de musique, un chœur de gospel, du champagne, du homard et des feux d'artifice, ce fut une fête somptueuse. Ils ne firent qu'une seule entorse à la tradition en ajoutant une petite touche personnelle aux vœux qu'ils prononcèrent durant la cérémonie : Jennifer promit à son mari de lui préparer ses smoothies préférés à la banane, et Brad promit quant à lui à sa femme de régler le chauffage à la maison. De nombreuses célébrités étaient présentes, parmi lesquelles les autres acteurs de *Friends*, Cameron Diaz, Ed Norton (le partenaire de Brad dans *Fight Club*), Salma Hayek et la chanteuse Melissa Etheridge.

Le couple fit tout son possible pour que leur union se fasse dans l'intimité, mais afin de satisfaire l'appétit du public fasciné, ils firent publier un album officiel rassemblant des photos en noir et blanc du jour de leur mariage. Resplendissante dans sa magnifique robe de mariée Lawrence-Steele, Jennifer est l'image même du bonheur sur la photo où elle pose un regard rempli de tendresse sur son élégant mari. Tout le monde s'accordait donc à dire que cela serait l'un des rares mariages du show-business où l'on verrait les époux vivre heureux et avoir beaucoup d'enfants.

Les apparences peuvent pourtant être trompeuses et même si les fans de Brad et Jennifer les avaient mis sur un piédestal, l'actrice n'avait jamais caché à quel point le divorce de ses parents avait été dur pour elle, et elle disait qu'elle n'avait jamais vraiment cru à l'idée d'un mariage parfait. Son père (l'acteur John Aniston) et sa mère (Nancy Dow) avaient divorcé lorsqu'elle avait 9 ans, laissant à Jennifer un sentiment d'insécurité profondément ancré en elle que même l'adoration de fans du monde entier n'avait pas réussi à effacer. Elle avoua avoir souvent éprouvé « de la peur, de la méfiance, des doutes et des insécurités » dans son mariage. « Quand vos parents se séparent, c'est impossible de croire encore aux mariages, aux contes de fées et aux histoires qui se terminent bien », confia-t-elle. Jennifer manquait d'estime de soi et déclara un jour qu'elle n'avait commencé à s'apprécier que lorsque Brad était tombé amoureux d'elle. Si Brad adorait sa femme, il y avait beaucoup de choses sur lesquelles il devait l'aider à travailler.

Brad a pour sa part grandi dans un environnement stable au sein d'une famille de classe moyenne, avec son frère Doug et sa sœur Julie. Ses parents, William et Jane Pitt, habitent toujours la ville où il est né (Springfield, dans le Missouri) et vivent depuis des années un mariage heureux. Alors que Brad avait toujours été proche de sa famille, Jennifer (qui a deux demi-frères, John Melick et Alex Aniston) se brouilla avec sa mère Nancy lorsque celle-ci écrivit un livre sur sa fille intitulé *From Mother and Daughter to Friends*. Jennifer avait toujours désapprouvé que sa mère parle de sa vie aux journalistes (tout comme Angelina n'avait pas apprécié l'indiscrétion de son père lors de ce fameux déjeuner) et ce livre fut la goutte d'eau qui fit déborder le vase. Jennifer ne se contenta pas seulement de rayer sa mère de la liste des invités à son mariage : elle ne lui présenta même jamais son mari. C'était l'un des nombreux problèmes que Brad voulut résoudre avec sa femme, mais il n'y parvint pas, du moins pour celui-là. D'ailleurs, Jennifer ne reparla à sa mère qu'après sa rupture avec Brad.

Pendant un temps, Brad et Jennifer semblèrent nager dans le bonheur et, lors des rares pauses qu'ils s'accordaient entre leurs films, ils partaient parcourir le monde dans des escapades romantiques dont témoignent les photos de paparazzis. Ils habitaient à Hollywood, dans une maison de 14 millions de dollars que Brad, très intéressé par l'architecture, passa beaucoup de temps à rénover afin d'en faire un petit nid douillet pour son couple. Si le bonheur des couples du show-business se trouve souvent compromis par la jalousie professionnelle, cela ne sembla jamais être un problème pour Brad et Jennifer qui, au contraire, s'encourageaient mutuellement. Brad joua même dans l'épisode de Thanksgiving de *Friends* en 2001, et si Jennifer ne put accompagner son mari à l'une des nombreuses avant-premières de ses films, Brad était à ses côtés lorsqu'elle reçut ses récompenses. L'actrice gagna un Emmy Award en 2002 et un Golden Globe en 2003 pour son interprétation de Rachel dans *Friends*, et personne n'aurait pu être plus fier que son mari, même si elle oublia de le mentionner dans le discours qu'elle fit en recevant son deuxième prix. Elle affirma qu'elle ne s'était jamais sentie menacée par les nombreuses actrices très belles que la carrière florissante de Brad l'amenait à rencontrer. « J'étais assez jalouse quand j'étais plus jeune, mais plus maintenant », dit-elle. « Il est très loyal ; ce genre de choses ne l'impressionne pas. Donc heureusement, je ne suis pas mannequin ! » Jennifer se sentait tellement en sécurité dans sa relation que lors de sa seule rencontre avec Angelina avant le tournage de *Mr. & Mrs. Smith*, elle lui dit : « Brad est tellement excité à l'idée de travailler avec toi. J'espère que vous allez bien vous amuser ! »

Elle ne pouvait pas se douter qu'Angelina et son mari allaient tellement « bien s'amuser » que cela mettrait un terme à son mariage.

À ce moment-là, pourtant, les médias du monde entier pensaient que tout allait pour le mieux dans leur couple et c'est pourquoi ils choisirent de se concentrer sur la question des enfants, harcelant les deux acteurs pour savoir s'ils avaient l'intention d'agrandir la famille, et si oui, quand ils pensaient le faire. En 2001, un an après leur mariage, Brad parla ouvertement de leur projet d'avoir un enfant : « Je crois au mariage et à la famille, et j'ai toujours eu l'intention de sauter le pas et de fabriquer une autre vie avec quelqu'un. » Il déclara qu'il était prêt à devenir papa et qu'il rêvait d'avoir des filles. « Je crois que je suis arrivé à un point dans ma vie où je pourrais pas trop mal m'en sortir avec un enfant », dit-il. « Je veux des modèles réduits de Jennifer. C'est mon rêve. »

Jennifer partageait le sentiment de son mari et déclara qu'elle était « très enthousiaste » à l'idée de fonder une famille, mais leur projet de bébé était remis à plus tard à chaque fois qu'elle signait pour une nouvelle saison de *Friends*. C'est pourquoi lorsque la série s'arrêta en 2004, tout le monde pensa que les deux acteurs allaient essayer d'avoir un bébé et Jennifer ajouta de l'huile sur le feu en disant qu'elle allait prendre de longues vacances après le tournage des derniers épisodes, puis « se concentrerait sur la famille ».

Pourtant, c'est à cette époque que des tensions commencèrent à apparaître dans leur couple, et Brad et Jennifer donnèrent l'impression d'être beaucoup moins épris l'un de l'autre que les années précédentes. Début 2004, Brad déclara : « Rien n'est jamais ce qu'on croit, pas vrai ? De toute façon, je n'aime pas la notion de conte de fées. Personne ne peut en être à la hauteur. Le mariage, c'est dur, ce n'est pas facile. C'est tellement de pression d'être avec quelqu'un pour toujours, d'ailleurs je ne suis pas vraiment persuadé que ce soit dans notre nature de passer le reste de notre vie avec quelqu'un. » Il déclara également au magazine *Vanity Fair* que Jennifer et lui ne « s'enfermaient pas dans la pression du bonheur éternel » et, en avril, alors qu'il faisait la promotion de *Troie*, il dit à un journaliste : « Aucun de nous deux ne veut être le chantre des mariages heureux ou des couples parfaits. Je méprise les trucs du style "on ne fait plus qu'un", où on perd sa personnalité. »

Ce n'était pas un hasard si Brad fit tous ces commentaires peu de temps après avoir fait la connaissance d'Angelina sur le tournage de *Mr. & Mrs. Smith*. Il lui avait demandé en personne de jouer avec lui dans le film et il paraît évident que c'est après être devenu proche d'elle qu'il avait commencé à avoir des doutes sur son mariage. La machine à rumeurs hollywoodienne tourna évidemment à plein régime et beaucoup insinuèrent que la relation entre Angelina et Brad avait rapidement dépassé l'entente amicale entre collègues de travail. Des personnes présentes sur le tournage racontèrent que si Brad s'était entiché d'Angelina, il n'était pas moins fou de Maddox et l'acteur passait apparemment des heures avec lui entre les prises. « Ils avaient une relation platonique », raconta un autre acteur. « Ils se détendaient souvent dans le patio que Brad avait arrangé devant sa loge. On l'appelait le gouffre de Brad. Angelina et lui étaient souvent là-bas, avec le petit garçon en train de jouer. » Les rumeurs dirent même que lors de la seconde partie du tournage (qui fut interrompu pour que Brad puisse aller tourner *Ocean's Twelve*), Brad et Angelina avaient des chambres d'hôtel voisines.

D'autres réflexions assez révélatrices laissèrent penser que Brad n'était plus amoureux de sa femme. Il qualifia notamment leur mariage « d'incroyable amitié » et déclara que leur union était un pacte qu'ils avaient fait pour « voir où allait cette relation », soulignant : « Je ne crois pas vraiment que ça soit dans notre nature d'être avec quelqu'un pour le reste de notre vie simplement parce qu'on a fait un pacte. »

Jennifer ne montrait pas moins de réserves au sujet de leur relation, et quand un journaliste du magazine *W* lui demanda si son mari était l'amour de sa vie, elle répondit : « Est-ce qu'il est l'amour de ma vie ? Je veux dire, j'en sais rien. J'ai jamais été du genre à dire : "C'est l'amour de ma vie." Il est certainement un grand amour de ma vie. »

On pense que Jennifer se doutait déjà que quelque chose n'allait pas dans son couple et, selon un ami, elle était « follement jalouse de la complicité entre Brad et Angie ».

Mr. & Mrs. Smith raconte l'histoire d'un couple marié qui devrait en théorie être parfaitement heureux mais qui s'ennuie dans la routine de sa relation. Avant le début du tournage, Angelina avait dit à propos du film : « Ça parle de mariage, ce qui est intéressant puisque [Brad] a un bon mariage et que j'ai pour ma part eu de mauvaises expériences. » Cela changea du tout au tout lorsque Brad entra dans sa vie.

Jennifer avait commencé à sentir que son mari était distant et, en janvier 2004, Brad l'appela pour lui dire qu'il ne pourrait pas assister au tournage du dernier épisode de *Friends* à cause d'engagements professionnels. Ce fut pourtant l'un des moments les plus émouvants de la vie de l'actrice : après avoir travaillé dix ans avec eux, les autres acteurs et l'équipe de la série étaient devenus une autre famille pour elle et Jennifer éprouva énormément de chagrin lorsqu'elle dut faire le deuil de ses heures passées au Central Perk. Après s'être séparée de Brad, Jennifer raconta dans une interview comment son mari était devenu émotionnellement indisponible et déclara qu'il « n'était simplement plus là » pour elle.

Selon la meilleure amie de Jennifer, Courteney Cox Arquette, Brad n'avait jamais caché à sa femme qu'il développait des sentiments pour Angelina et il essaya même de les combattre afin de sauver leur mariage. « Je ne crois pas qu'ils avaient une liaison sur le plan physique, mais il était attiré par elle », dit Courteney à propos de la relation entre Brad et Angelina. « Il y avait quelque chose de spécial entre eux et il ne le cacha pas à Jen. La plupart du temps, quand les gens sont attirés par quelqu'un d'autre, ils ne le disent pas. Au moins, il a été franc sur ce point. Il a lutté contre cette attirance pendant un moment. »

Une autre amie de l'actrice déclara : « Brad était influencé par Angelina, spécialement par son travail humanitaire. Il a changé. Jennifer savait qu'il avait Angelina dans la peau et ça l'inquiétait. »

James Cruse, un ami de Brad, confirma que l'acteur était amoureux et révéla que son ami lui avait dit n'avoir « jamais rencontré quelqu'un comme elle ». Il est assez étonnant que le travail caritatif et les opinions politiques d'Angelina aient tant impressionné Brad quand on sait que, quelques années plus tôt, il avait ri à l'idée qu'il était censé avoir une opinion concrète sur ce type de questions.

« Les journalistes me demandent ce que je pense que la Chine devrait faire à propos du Tibet », avait-t-il dit. « Tout le monde se fiche de savoir ce que j'en pense ! Je suis un acteur, putain ! On me donne un script. Je joue. En gros, si vous enlevez tout ce qu'il y a autour, je suis un homme qui se maquille. »

Brad avait apparemment changé de discours quand il rencontra Angelina, mais cette dernière affirma qu'elle n'avait rien à voir avec cette métamorphose. « Il n'a jamais parlé de politique ni des actions caritatives auxquelles il a participé, mais je me suis rendu compte que ces questions ne lui étaient pas inconnues », dit-elle à *Vogue*.

Brad était bel et bien un homme nouveau et il était clair qu'il ne pourrait pas réprimer encore longtemps son attirance pour Angelina. En janvier 2005, Jennifer et lui partirent à Antigua en compagnie de Courteney Cox, de son mari David Arquette et de leur fille Coco. Bien que le voyage fût décrit comme une pause romantique, le couple annonça sa séparation presque immédiatement à son retour. La nouvelle en sidéra plus d'un, d'autant que les deux acteurs avaient été photographiés quelques jours plus tôt se baladant enlacés le long de la plage, ne s'arrêtant que pour s'embrasser. Ils expliquèrent au magazine *People* : « Après sept ans ensemble, on a décidé de se séparer officiellement. Pour ceux qui suivent ce genre de choses, on aimerait expliquer que notre séparation n'a rien à voir avec les rumeurs des magazines people. C'est le résultat d'une réflexion sérieuse. On reste des amis proches, et on a beaucoup d'amour et d'admiration l'un pour l'autre. On vous demande par avance de faire preuve de compréhension et de sensibilité dans les mois prochains. »

Selon ses amis, Jennifer voyait cette séparation comme une mesure temporaire et s'attendait à ce que son mari et elle se remettent ensemble une fois qu'ils auraient tous les deux réglé leurs problèmes. « Ils sont toujours amoureux », dit l'un d'entre eux. « Ils ont besoin de retrouver la personne qu'ils étaient avant de se marier. »

Jennifer ne se leurrait pas pour autant sur la profondeur des sentiments de son mari pour Angelina, mais étant donné que Brad lui avait formellement assuré qu'ils n'avaient pas couché ensemble, l'actrice pensa qu'il n'était pas impossible qu'ils puissent à nouveau former un couple après avoir pris leurs distances pendant quelque temps.

Selon Kristin Hahn, partenaire de Brad et de Jennifer au sein de leur société de production Plan B : « Elle n'essayait pas de se voiler la face, elle savait qu'il était envoûté par Angelina et qu'elle était son amie. Mais Brad lui disait : "Il n'y a personne d'autre." Brad avait dit à Jennifer qu'il avait besoin de se retrouver, et même si elle a tenté de le convaincre qu'ils n'avaient pas besoin de se séparer pour ça, il insista sur le fait qu'il avait besoin de le faire sans elle. »

Brad avait peut-être dit à son épouse que leur séparation n'avait rien à voir avec une autre femme, mais Jennifer comprit que les choses ne s'annonçaient pas bien pour elle lorsqu'à la fin du mois de janvier, elle vit des photos sur lesquelles Angelina et lui avaient l'air plutôt intime. L'une des photos (qui avaient été prises lors du tournage de *Mr. & Mrs. Smith* sur la côte Amalfitaine, près de Naples) montrait Angelina appuyée sur l'épaule de Brad : elle reflétait une grande intimité entre les deux partenaires et le message qu'elle renvoyait n'était pas exactement « on est juste de bons amis ». Même après la publication de ces photos, le couple refusa d'admettre qu'il y avait quoi que ce soit de déplacé entre eux. À l'occasion d'une interview publiée dans le numéro de mars de *Vanity Fair*, Angelina déclara avec force qu'elle ne ressentait rien de plus pour Brad qu'une sincère amitié, admettant toutefois : « Ça n'a évidemment pas été facile avec toutes les conneries qu'on raconte. » Lorsqu'on lui demanda comment elle avait appris la séparation de Brad et de Jennifer, elle déclara : « Quand Brad et Jennifer se sont séparés, j'étais au Niger, dans un endroit où il n'y a pas de journaux et où personne ne ragote. » Et elle n'allait certainement pas porter un jugement sur leur relation : « Je ne savais rien de leur mariage », expliqua-t-elle. « Tout ce que je sais, c'est qu'ils semblent être des gens merveilleux et qu'ils ont l'air d'être très amis… J'aimerais que les gens puissent s'inspirer d'eux et voir à quel point ils sont proches l'un de l'autre… »

Selon les rumeurs, le mariage de Brad et de Jennifer reçut le coup de grâce quand cette dernière surprit son mari en train d'avoir une conversation très sexuelle au téléphone avec Angelina. Angelina qualifia ces rumeurs de « pures conneries » et nia aussi avoir jamais dit qu'elle avait été « une épaule pour pleurer » pour Brad. Cette dernière allégation l'avait d'ailleurs mise dans une telle colère qu'elle envoya une note à l'agent de Brad et de Jennifer disant qu'il n'y avait rien de vrai dans cette histoire et qu'elle n'avait jamais rien dit de tel. Elle déclara aussi que la photo qui avait fait tant de bruit avait été trafiquée pour faire en sorte que Brad et elle paraissent beaucoup plus près l'un de l'autre qu'ils ne l'étaient en réalité.

Malgré ses protestations, Angelina avait de toute évidence beaucoup de sentiments pour Brad : ils n'eurent peut-être aucune relation physique avant que le mariage de l'acteur ne soit terminé, mais l'amour était bel et bien là. Lorsqu'on lui demanda de parler de ce qu'elle avait vécu sur le tournage de *Mr. & Mrs. Smith*, Angelina ne tarit pas d'éloges sur son fantastique partenaire Brad, disant à quel point il était « drôle » et « dingue » ; elle alla même jusqu'à dire qu'il « embrassait bien » pendant les scènes d'amour. « Il est merveilleux. C'est un gars super », dit-elle. « Il est très terre à terre, il est très intelligent et c'est un bon acteur. Je veux dire, quitte à devoir passer tout mon temps avec quelqu'un sur un tournage aussi long que celui-là, autant que ce soit lui. »

Brad n'avait pas été moins impressionné par Angelina et il s'élevait contre sa réputation d'excentrique : « Je n'ai jamais vu personne être plus mal perçue qu'Angelina. Elle est étonnamment équilibrée, intelligente et incroyablement décente. »

Étant une femme passionnée qui se lance corps et âme dans ses relations, la seule chose qui retint Angelina de céder à ses sentiments pour Brad fut peut-être le fait qu'il était toujours marié. Les infidélités de son père avaient provoqué le divorce de ses parents et Angelina affirmait que jamais elle n'aurait de liaison avec un homme marié. « Mon père trompait ma mère, alors avoir une liaison avec un homme marié, c'est quelque chose que je ne pourrais pas me pardonner », dit-elle. « Je ne pourrais plus me regarder dans un miroir si je faisais ça. C'est pas bien de détruire un mariage. »

Le courageux journaliste d'un magazine people demanda de but en blanc à Angelina si elle avait couché avec Brad sur le tournage, ce à quoi elle répondit : « J'ai pas baisé avec Brad Pitt. Non, absolument pas. »

Jennifer elle-même a déclaré avoir décidé de croire que Brad lui était resté fidèle pendant toute la durée de leur mariage et, si cela est vrai, alors on comprend pourquoi Angelina eut tant de mal à supporter les accusations de briseuse de ménage dont elle fit l'objet. Il faut dire qu'elle n'avait jamais vraiment rien fait pour améliorer sa réputation de mangeuse d'hommes, et cette réputation revenait à présent la hanter. Si elle avait toujours aimé être franche envers les journalistes et révéler les moindres détails de sa vie, ça avait fini par lui valoir l'étiquette de la « pétasse » tandis que Jennifer était la « fille bien », et cette répartition des rôles commençait à avoir des répercutions sur elle. « Dans cette histoire, c'est du style : "T'es qui ? La marrante, la gentille, la méchante, la femme au foyer ?" On a l'impression que les gens n'arrivent pas à comprendre qu'une personne puisse être érotique, sauvage et un peu dangereuse (peut-être au point d'en être stupide) mais à la fois aimer être une mère, être une personne qui a une conscience et qui éprouve de la compassion. »

Jamais la séparation d'un couple de stars n'avait suscité autant d'émoi, et en disant cela Angelina réagissait de toute évidence à la façon dont les médias présentaient la situation : deux femmes que tout oppose se crachant à la figure à cause d'un homme. Partout aux États-Unis, des T-shirts « Équipe de Jennifer » et « Équipe d'Angelina » furent même mis en vente afin que les gens puissent montrer derrière laquelle des deux femmes ils se rangeaient ; on dit que Jennifer serait arrivée en tête de ce sondage textile à 25 contre 1, ce qui en soi était assez prévisible. L'interprétation que les médias faisaient des événements énervait aussi beaucoup Jennifer, qui acceptait très mal de voir que sa participation au triangle amoureux échappait totalement à son contrôle. « C'était horrible », raconta-t-elle plus tard. « Quand ça s'est passé, j'ai décidé de m'éteindre. Les journalistes racontaient tout et n'importe quoi et, pour pouvoir survivre à ça, je devais me détacher au maximum et être positive. »

Angelina n'aima peut-être pas jouer le rôle de la « méchante » dans cette histoire, mais après la publication le 29 avril de photos la montrant en train de jouer avec Brad et Maddox sur la plage de Diani en Afrique, il n'y avait plus grand-chose que les deux acteurs puissent faire pour prétendre qu'il n'y avait rien entre eux. Sur les photos, Angelina regarde Brad qui s'amuse avec Maddox, et l'image qu'ils renvoient n'est rien de moins que celle d'une famille parfaite.

Dans une interview à *Vanity Fair*, celle-là même où elle avait nié avoir une quelconque relation avec Brad, Angelina déclara : « Je sais que si un jour je rencontre un homme qui s'occupe bien de mon enfant, alors pour moi ça sera le bon. C'est quelque chose dont je suis persuadée. »

Et voilà que des photos jetées à la face du monde montraient Brad en train de « bien s'occuper » de son enfant. Il semble d'ailleurs que Maddox n'ait pas été pour rien dans le fait que les deux acteurs soient tombés amoureux, quand on sait le temps que Brad avait passé avec lui sur le tournage de *Mr. & Mrs. Smith*. On dit que, comme Colin Farrell avant lui, Brad avait été époustouflé de voir à quel point Angelina était fantastique avec son fils.

Une personne qui partageait l'hôtel du couple lors de ce séjour en Afrique déclara que les bruits de leurs ébats amoureux « ressemblaient aux cris d'un animal blessé. Comme si quelqu'un se faisait assassiner. » On raconte même que les agents de sécurité de l'hôtel furent appelés afin de s'assurer qu'un terrible accident ne s'était pas produit.

Voir son ex se remettre aussi rapidement avec une autre femme était une pilule que Jennifer avait bien évidemment du mal à avaler, et elle reconnaît que le comportement de Brad l'avait sidérée tout autant que les autres. « Le monde était choqué, j'étais moi-même choquée. Je ne serais pas humaine si vous disais que je n'ai jamais éprouvé de la colère, de la douleur ou de la gêne », dit-elle. « Je ne peux pas dire que ça ait été ce qui me soit arrivé de mieux cette année. Mais les emmerdes, ça arrive. »

Jennifer ne dut pas uniquement se confronter au fait que Brad était tombé amoureux d'une autre femme, mais également aux rumeurs selon lesquelles il l'avait quittée parce qu'elle avait refusé d'avoir un enfant. Il devait bien y avoir une raison pour que cette relation visiblement parfaite se soit ainsi dégradée, et tout le monde s'accordait à dire que Jennifer avait fait passer sa vie professionnelle avant sa vie sentimentale et que Brad en avait eu assez d'attendre qu'elle ait envie de s'installer. Rien n'aurait pu blesser davantage Jennifer que les nombreuses rumeurs qui disaient que si Brad avait désespérément envie d'avoir un enfant, l'ambition de sa femme et son acharnement à tout faire pour qu'on se souvienne d'elle autrement que comme Rachel Green remettaient sans cesse à plus tard leur projet de bébé. « Je ne veux pas qu'on se souvienne de moi parce que j'ai joué le rôle d'une fashion victim tarée dans *Friends* », avait-elle soi-disant déclaré. « Je veux faire des films sérieux. Personne ne se souvient de Robin Williams pour *Mork and Mindy*. »

Selon l'un des amis du couple, ces rumeurs étaient absurdes : « Quand Brad et Jen étaient mariés, avoir un bébé n'a jamais été la priorité de Brad. Pour lui, c'était un désir abstrait, alors que pour Jen c'était beaucoup plus immédiat. »

Jennifer déclara elle-même que les rumeurs selon lesquelles elle avait refusé d'avoir un enfant étaient à mille lieues de la vérité. « Est-ce que je veux avoir des enfants ? Je veux en avoir et j'en aurai », déclara-t-elle. « Les femmes qui m'influencent sont celles qui ont une famille et des enfants. » Jennifer estimait que Brad aurait pu prendre sa défense à ce sujet et dire clairement que leur séparation n'était pas à mettre sur le compte d'une prétendue réticence de sa part à tomber enceinte. En outre, il lui paraissait évident que les médias n'auraient pas persécuté un homme de cette manière. « On n'accuserait jamais un homme qui divorce de vouloir faire passer sa carrière avant sa famille », dit-elle. « Ça me fout vraiment en colère. Jamais de ma vie je n'ai dit que je ne voulais pas avoir d'enfants. » Elle avait plutôt l'air de penser que si quelque chose pouvait expliquer l'échec de leur relation, c'était son caractère bienveillant. « J'aime prendre soin des gens », dit-elle. « Et c'est clair qu'à certains moments, j'ai fait passer les besoins de Brad avant les miens. »

Comme si les photos prises en Afrique n'avaient pas été suffisamment difficiles à supporter, Jennifer dut encaisser un autre coup dur lorsque le numéro de juillet du magazine *W* publia une série de photos dépeignant la vie quotidienne d'un couple dans l'Amérique des années 60, avec Angelina et Brad dans le rôle des époux. Le dossier d'une soixantaine de pages, intitulé « *Domestic Bliss* » (« Le Bonheur domestique »), les montrait entourés d'une ribambelle de petits Brad miniatures leur faisant office d'enfants. C'est Brad, inspiré par le mariage malheureux décrit dans *Mr. & Mrs. Smith*, qui avait eu l'idée de ce projet. Le photographe Steven Klein et lui se penchèrent donc sur la vie d'un couple marié désillusionné habitant en banlieue à l'époque de l'assassinat de

Kennedy, qui mourut en 1963 (l'année de naissance de l'acteur). Il déclara qu'en restant dans la continuité des thèmes abordés dans *Mr. & Mrs. Smith*, il voulait explorer le « malaise non identifiable » qui brise de nombreux mariages apparemment parfaits. « Vous ne comprenez pas ce qui ne va pas », dit-il, « parce qu'en fin de compte, tout ce que vous avez fait, c'est vous marier. »

Sachant qu'il venait lui-même de mettre un terme à un mariage apparemment parfait et qu'il avait choisi la femme avec qui il sortait depuis pour poser avec lui sur les photos, on jugea qu'il avait fait preuve d'un manque de sensibilité effarant vis-à-vis de Jennifer, même si c'était d'art qu'il était question. Angelina et lui avaient beau incarner un couple malheureux sur les photos, cela semblait vraiment cruel de sa part de remuer ainsi le couteau dans la plaie.

Lorsqu'on lui demanda ce qu'elle pensait des photos, Jennifer répondit simplement : « Ça manque un petit peu de sensibilité. »

Ce fut d'autant plus dur pour l'actrice que Brad n'avait pas seulement eu l'idée tout seul, mais il avait en plus les droits internationaux sur les photos et gagnait de l'argent grâce à elles. Comme dit l'amie de Jennifer Kristin Hahn : « On est littéralement en train de lui arracher une dent sans anesthésie... »

À part cette série de photos, les magazines et les journaux du monde entier continuèrent à publier des clichés de Brad, Angelina et Maddox. Après son séjour en Afrique, la nouvelle petite famille continua à voyager à travers le monde, notamment au Maroc et en Éthiopie (le pays où Angelina adopterait son deuxième enfant, Zahara Marley Jolie, le 6 juillet 2005). Un mois avant l'adoption, Angelina et Brad se rendirent à la première de *Mr. & Mrs. Smith* à Los Angeles et, une fois encore, ils firent tout leur possible pour dissiper les rumeurs insinuant qu'ils étaient ensemble : ils arrivèrent séparément sur le tapis rouge, refusèrent d'être photographiés ensemble et les journalistes avaient été prévenus qu'ils ne répondraient à aucune question concernant leur relation. Ces derniers n'avaient pourtant qu'à regarder le film pour avoir leurs réponses : l'alchimie entre les acteurs est incontestable et leur passion transparaît littéralement à l'écran. Lorsqu'on lui demanda si cette alchimie était bien réelle ou si ça n'était qu'un bon jeu d'acteur, Angelina admit que ça leur était venu très naturellement.

Le jour de la première du film, Brad fut reçu sur le plateau de l'émission *Prime Time Live* de Diane Sawyer et il assura de nouveau qu'il n'y avait aucun changement majeur dans sa vie personnelle. S'il avait accepté l'interview, c'était pour promouvoir son nouveau film et parler du voyage en Afrique qu'il avait récemment fait dans le but d'aller à la rencontre d'enfants victimes de la faim. Il s'était en effet rendu en Afrique du Sud et en Éthiopie après êter allé au Kenya avec Angelina, et il ne fait aucun doute que l'idée de ce voyage lui avait été soufflée par sa nouvelle petite amie. Entre les séquences vidéo où on le voyait participer aux activités humanitaires en compagnie d'enfants africains, Diane Sawyer parvint à glisser une allusion à sa vie amoureuse mais Brad, bien préparé, réussit à rester suffisamment vague et s'interrogea même sur l'intérêt que les médias portaient à cette question. « C'est quand même bizarre de parler de ça maintenant, vous trouvez pas ? », dit-il. « Faire passer mes relations amoureuses ou leurs mésaventures avant quelque chose comme ça [la situation en Afrique]… Je comprends que vous soyez là pour divertir le public, mais quand même, c'est un peu maladroit, non ? » Il décrivit Jennifer comme une « personne extraordinaire », tandis qu'Angelina reçut le qualificatif de « fille sympa ». Ensuite, quand on lui demanda si cette « fille sympa » était sa petite amie, Brad se limita à dire : « C'est surtout qu'il n'y a pas grand-chose à dire en ce moment. Il reste beaucoup de choses à mettre en place, j'imagine… Écoutez, je ne sais pas encore de quoi demain sera fait. »

Diane Sawyer lui demanda franchement si Angelina avait été à l'origine de l'échec de son mariage avec Jennifer, ce à quoi Brad répondit : « Non, ce sont des ragots. » Ce qu'il admit, par contre, c'est que son divorce (Jennifer demanda le divorce le 25 mars, invoquant des « différends irréconciliables ») n'avait pas atténué son désir d'avoir des enfants : « Mes rêves restent les mêmes. Mes rêves deviennent de plus en plus vifs. »

Alors que les rêves de Brad devenaient de plus en plus « vifs », ceux de Jennifer avaient quant à eux tourné au cauchemar et cela dut être extrêmement difficile pour elle de constater que son ex-mari avait presque l'air excité à la perspective de vivre sans elle. « C'est une période très intéressante », avait dit Brad à Diane Sawyer. « C'est une année où je me remets en question. Je fais des choix et je vis avec. Ça me plaît. Mes erreurs, ce sont mes erreurs. Mes succès, ce sont mes succès, et je peux vivre avec ça. »

Brad n'avait jamais été réputé pour son implication dans le milieu humanitaire, et les cyniques pourraient dire que, si l'intention était bonne, cette nouvelle activité n'était que le fruit de son obsession pour Angelina et que lui-même s'était engagé dans cette voie parce qu'il souhaitait pénétrer dans l'univers de l'actrice. Angelina prenait la défense de Brad en affirmant que le monde ignorait beaucoup de choses au sujet de cet homme qui avait jusque-là été plus connu pour son physique, ses films et sa femme célèbre que pour son envie de sauver le monde de la pauvreté. « Je pense que les gens ne savent pas grand-chose sur lui, ils ne connaissent pas son sens moral, ses valeurs, comment il se comporte avec les gens, ce qui le touche, ce qu'il a appris », dit-elle. « C'est quelqu'un qui a conscience de ce qui se passe dans le monde. Il fait beaucoup de bonnes choses. Et c'est un bon père. Et donc, évidemment que c'est bien de le voir faire ça. Et en ce qui me concerne, c'est bien de pouvoir parler de ce qui me tient à cœur avec quelqu'un qui ressent la même chose. »

De la même manière que Brad avait été reçu par Diane Sawyer, Angelina se rendit sur le plateau de *Today*, l'émission d'Ann Curry sur NBC. L'actrice, pourtant célèbre pour sa franchise et pour l'enthousiasme avec lequel elle parle de ses relations amoureuses, resta cette fois beaucoup plus discrète. Ann Curry eut beau la harceler afin qu'elle admette ce qui était en train de se passer, arguant que ça ne pourrait que mettre un terme à toute l'effervescence qui entourait cette histoire, Angelina ne se laissa pas convaincre. « Les gens diront ce qu'ils ont envie de dire, et ça me pose aucun problème », dit-elle à Ann. « Ma vie continuera, et j'ai besoin de me concentrer dessus. Donc, est-ce que je dois prouver que je suis une femme décente ? J'espère bien que non. Je sais que je le suis. » Et même lorsqu'elle parla plus tard de ses sentiments pour Brad, elle resta vague et évasive. « Je comprends l'univers de Brad », dit-elle. « On est effectivement devenus proches l'un de l'autre, ça serait pareil pour n'importe quel couple travaillant d'une manière aussi intime. Mais ce que je peux vous dire, c'est qu'il n'y a pas eu de sport de chambre. Mais oui, mes sentiments pour lui se sont intensifiés. Et l'amour ? C'est quoi, l'amour ? Je ressens de l'amour pour mon petit garçon, Maddox. Et oui, je suppose qu'il y a un autre type d'amour entre Brad et moi. Tout ce que je peux dire, c'est qu'on est devenus très proches. »

Ce n'est que deux ans après s'être officiellement mise en couple avec Brad qu'Angelina avoua qu'ils savaient tous les deux au moment du tournage de *Mr. & Mrs. Smith* que ce qu'ils ressentaient l'un pour l'autre allait au-delà de la simple amitié. « Je pense qu'on était l'un comme l'autre les dernières personnes à rechercher une relation », dit-elle à *Vogue*. « Je me plaisais assez bien dans ma vie de mère célibataire avec Mad. Et puis je ne savais pas vraiment où Brad en était dans sa vie personnelle. Mais c'était évident qu'il était avec sa meilleure amie, une femme qu'il aime et qu'il respecte. » Ils ne recherchaient peut-être pas une relation, mais comme le souligne Angelina, l'attirance qu'ils avaient l'un pour l'autre était trop forte pour qu'ils la répriment : « Avec le film, on a dû faire tous ces trucs dingues ensemble et je crois que c'est comme ça que, tout à coup, cette amitié, cette alliance bizarre est apparue. Au bout de quelques mois, je me suis rendu compte : "Mon Dieu, j'ai trop hâte d'aller au boulot." Que ce soit parler d'une scène, prendre un cours de danse ou faire des cascades, tout ce qu'on a fait ensemble, on a vraiment pris beaucoup de plaisir à le faire. En fait, on est devenu une sorte de couple. »

Contrairement aux rumeurs selon lesquelles les deux acteurs auraient laissé libre cours à leurs sentiments avant que Brad ne se sépare de Jennifer, Angelina soutient que ce ne fut qu'après le tournage qu'ils comprirent ce qui était en train de se passer. « Ce n'est vraiment qu'après la fin du tournage qu'on s'est rendu compte que ça pouvait peut-être signifier plus de choses que ce qu'on s'était autorisé à croire avant. Et on savait tous les deux que ça allait avoir beaucoup de conséquences, que c'était quelque chose auquel il fallait qu'on réfléchisse sérieusement. On a passé beaucoup de temps à l'envisager, à penser, à parler de ce qu'on voulait tous les deux dans la vie, et on s'est aperçu qu'on voulait des choses très, très semblables. Après, on a continué à prendre notre temps. Ensuite, les événements ont fait qu'on pouvait finalement être ensemble, et on s'est dit que si quelque chose était possible, alors il fallait le faire. »

Et alors que Brad et Angelina (ou « Brangelina », comme on les appellerait très vite) devenaient de plus en plus proches l'un de l'autre, Jennifer resta seule pour panser ses blessures et essayer de reconstruire sa vie sans son mari. Alors qu'il parcourait le monde en compagnie de sa nouvelle petite amie et de Maddox, Brad prenait le passé avec philosophie : « Je sais que si un mariage ne correspond pas à une certaine idée qu'on s'en fait, on le considère comme un échec », dit-il. « En ce qui me concerne, je trouve que le mien a été un vrai succès. Jen a beaucoup d'influence dans ma vie. On a passé sept ans ensemble… Pour moi, c'est cinq ans de plus qu'avec n'importe qui d'autre. »

À la place de Jennifer, nombreuses sont les femmes qui auraient sauté sur la moindre occasion pour jouer les langues de vipères au sujet de leur ex et pour exprimer leur amertume. Mais elle refusa de céder à une telle tentation. Elle avoua qu'elle avait organisé des « soirées "copines à la rescousse" », qu'elle avait participé à des « séances de thérapie sérieuses » et qu'elle était plusieurs fois allée crier son désespoir sur la plage près de sa maison à Malibu, mais, dans l'ensemble, l'attitude de Jennifer vis-à-vis de leur mariage était tout aussi positive que celle de Brad. « Je ne regrette rien de cette période et je ne suis pas là pour m'autoflageller », dit-elle. « On a passé sept années très intenses ensemble, c'était une relation belle et compliquée. J'aime Brad, je l'aime vraiment. C'est un homme fantastique. Je l'aimerai jusqu'à la fin de mes jours et j'espère qu'on pourra redevenir amis. »

CHAPITRE - XVI
LORSQUE L'ENFANT PARAÎT

On dit souvent que les actes en disent plus long que les mots, et si Angelina et Brad restèrent discrets sur leur relation durant les deux premières années, c'est en images que leur histoire d'amour fut racontée. On les photographia à Tokyo, ou encore au Canada. Ils passèrent aussi Thanksgiving au Pakistan, où ils constatèrent les dégâts du tremblement de terre qui avait ébranlé le Cachemire le 8 octobre en faisant près de 100 000 victimes et en laissant des dizaines de milliers de personnes sans toit. Mais le plus important de tous leurs voyages fut celui qui les mena en Éthiopie : le 6 juillet, Brad, Angelina et Maddox se rendirent à Addis Abada pour aller chercher le deuxième enfant de l'actrice, Zahara Marley Jolie, à l'orphelinat Horizons for Children. Après l'adoption de Maddox, Angelina n'avait pas caché son intention de ne pas s'arrêter en si bon chemin, sans toutefois préciser quand elle comptait adopter un autre enfant. On dit que neuf mois avant d'aller chercher sa fille en Éthiopie, Angelina s'était rendue dans un orphelinat de Moscou (le Moscow's Baby House Number 13) et qu'elle avait craqué pour un petit garçon de sept mois blond aux yeux bleus appelé Gleb. À ce propos, Angelina déclara : « J'allais adopter ce petit garçon en Russie, mais ça n'a pas marché, donc je pense adopter un autre enfant dans à peu près six mois. Maddox a trois ans maintenant et je ne suis pas sûre qu'il soit vraiment prêt à avoir un frère ou une sœur. »

Outre la réticence de Maddox, le fait que l'adoption internationale était de plus en plus mal vue en Russie explique certainement pourquoi l'adoption de Gleb ne se concrétisa pas. Par chance pour Zahara, née sous le nom de Tena Adam le 8 janvier 2005, Angelina se tourna vers l'Éthiopie après avoir rencontré des problèmes en Russie. La mère biologique de la petite fille était morte du sida à l'âge de 22 ans et on ne connaissait pas l'identité de son père : elle vivait donc avec sa grand-mère maternelle et deux de ses tantes dans une cabane d'une seule pièce sans électricité. Comme ça avait été le cas pour Maddox, Angelina eut le coup de foudre pour cette orpheline et sut dès qu'elle eut posé les yeux sur elle que c'était l'enfant qu'elle voulait ramener chez elle. Elle l'appela « Zahara », un nom d'origine hébraïque qui signifie « fleur », et lui donna le nom de « Marley » en l'honneur du célèbre chanteur de reggae Bob Marley maintenant décédé. Plus tard, pour faire plus court, Angelina la surnommerait « Z ».

Le fait que Brad soit aux côtés d'Angelina lors d'un événement si important de sa vie (et de celle de Maddox) montrait bien qu'ils se voyaient ensemble sur le long terme, même s'ils eurent du mal à se rendre à l'évidence. « À l'époque où j'ai adopté Zahara, on était vraiment habitué à ne pas être ensemble, alors quand on est allé au rendez-vous pour discuter de l'étude du milieu familial pour l'adoption, la femme nous demanda : "Depuis combien de temps êtes-vous ensemble ? Pouvez-vous m'expliquer votre relation ?" Elle n'était pas journaliste, bien entendu. Elle faisait juste son boulot. Mais on est tous les deux devenus nerveux. On ne pouvait pas répondre aux questions. On s'est retrouvé comme deux idiots. "Qu'est-ce que vous voulez dire ? On n'est pas... On n'a jamais eu de..." On est comme deux bons amis et si on se met à parler sérieusement de notre relation, ça fait vraiment bizarre. Je veux dire, on est bien sûr capable d'être sérieux l'un envers l'autre, des fois. »

Angelina avait toujours clairement dit que les hommes avec qui elle s'engagerait sentimentalement devraient comprendre son désir d'adopter : « Si je rencontre un homme et qu'on veut s'installer ensemble, il faudra qu'il aime mon fils comme un enfant biologique et qu'il comprenne l'adoption. »

Six mois après l'adoption de Zahara, Brad ne prouva pas seulement à Angelina qu'il comprenait son désir d'adopter, mais aussi qu'il le partageait. En décembre 2005, on annonça que Brad adoptait officiellement Maddox et Zahara, et avec l'accord d'un juge de Californie, le nom des deux enfants devint Jolie-Pitt. D'après Angelina, Maddox voyait Brad comme son père bien avant qu'il ne l'adopte officiellement : « Un jour, comme ça, de nulle part, il l'a appelé papa », raconta-t-elle à *Vogue*. « C'était merveilleux. On jouait aux petites voitures par terre dans une chambre d'hôtel, et on l'a tous les deux entendu, on n'a rien dit, on s'est seulement regardé. Et après, on a juste laissé faire... Ça a probablement été le moment le plus décisif pour lui, le moment où il a décidé qu'on allait former une famille tous ensemble. »

La présence de Zahara à ses côtés ravissait Angelina, mais son bonheur fit rapidement place à l'inquiétude. Peu de temps après l'avoir ramenée aux États-Unis, Angelina se rendit compte que quelque chose n'allait pas avec sa petite fille de six mois, mais elle se rassura en se disant que Zahara ne devait pas manger suffisamment. Angelina déclara que « quand elle avait six mois, elle ne pesait même pas 3,5 kilos. Elle n'avait que la peau sur les os. »

Angelina consulta donc des médecins et sa fille fut immédiatement admise aux urgences du New York Presbyterian Hospital, où elle fut soignée pendant une semaine pour déshydratation, malnutrition et salmonellose. Comme toute bonne maman qui aime sa fille à la folie, Angelina la veilla nuit et jour (à ce moment-là, Brad récupérait d'une méningite virale dans un autre hôpital) et attendit avec angoisse que la petite Zahara prenne du poids et se rétablisse. Selon la pédiatre Jane Aronson, qui s'occupa de Zahara durant son séjour à l'hôpital, le bébé était passé « de la dépression et du sentiment d'abandon [après la mort de sa mère biologique] à l'affection et l'amour inconditionnels » de sa nouvelle mère. Elle parla aussi du lien très fort qui unissait la mère et la fille : « Zahara est en totale harmonie avec Angelina. Elles ne font qu'une, elles s'aiment à la folie. »

Au plus grand soulagement d'Angelina, l'état de santé de Zahara s'améliora rapidement et elle prit tellement de poids que Brad et elle la surnommèrent affectueusement « grassouillette ».

La santé de sa fille ne fut malheureusement pas la seule chose dont Angelina eut à se préoccuper : quand la nouvelle de l'adoption fut annoncée, un certain nombre de femmes prétendirent être la mère ou la grand-mère biologique de Zahara. Cette situation délicate rappelait beaucoup celle dans laquelle Angelina s'était retrouvée avec Maddox et l'actrice dut une nouvelle fois endurer les rumeurs remettant en question la légitimité de l'adoption de Zahara. Lorsqu'elle avait révélé les détails de l'adoption, Angelina avait pourtant très clairement dit que la mère de Zahara était morte du sida, mais cela ne suffit pas à empêcher les médias de se déchaîner au sujet de la généalogie de sa fille. Angelina dut également supporter les déclarations de la grand-mère de Zahara, qui prétendait que sa petite-fille lui avait été enlevée sans sa permission, mais un juge éthiopien statua à la fin du mois d'octobre 2005 que l'actrice n'aurait pas à repasser par tout le processus d'adoption. Dans son jugement, il déclara aussi qu'une des femmes qui se disaient être la mère biologique de Zahara mentait.

Bien qu'il travaillât alors sur deux films (*Babel* et *L'Assassinat de Jesse James par le lâche Robert Ford*), Brad fut aux côtés d'Angelina durant toute cette période difficile et on le photographia souvent en train de jouer le papa poule entre les prises, avec Maddox sur un bras et Zahara sur l'autre. Et si certains doutaient encore de son implication en tant que père, une photo particulièrement touchante le montrant avec Zahara dans les bras et un biberon dépassant de la poche de son jean vint prouver au monde que l'acteur savait quelle était sa priorité.

Quelque temps après avoir adopté Zahara, Angelina se remit elle aussi au travail et joua dans *Raison d'État* en compagnie de

Matt Damon, Joe Pesci et Robert De Niro (qui était également réalisateur). Le film, qui raconte l'histoire de la naissance de la CIA, fut tourné en République dominicaine et c'est à ce moment-là que l'on commença à soupçonner Angelina d'être enceinte. La question du bébé avait constamment été soulevée par les médias depuis que Brad et elle s'étaient mis ensemble, et les photos montrant Angelina dans des vêtements amples ne firent que jeter de l'huile sur le feu. C'est lors d'une conversation avec un travailleur humanitaire à Saint-Domingue qu'elle confirma les rumeurs : « Oui, je suis enceinte. » La nouvelle fut annoncée officiellement deux jours plus tard par l'agent de Brad, Cindy Guagenti, qui déclara le 12 janvier (soit un peu plus d'un an après la séparation de Brad et de Jennifer) : « Je confirme qu'ils attendent un enfant. Il n'y a pas grand-chose de plus à dire. »

Une fois encore, les photos parlèrent d'elles-mêmes : à la fin du mois de janvier, Angelina et Brad posèrent pour les photographes au cours d'un voyage à Haïti et c'est ainsi que le monde découvrit le ventre arrondi de l'actrice, qui était simplement vêtue d'un T-shirt moulant et d'un jean. Lorsque le couple se rendit dans une école de Port-au-Prince à l'occasion du premier anniversaire de Yéle Haïti, l'association fondée par le chanteur de hip-hop d'origine haïtienne Wyclef Jean agissant entre autres pour l'éducation, Angelina négocia un accord avec le magazine *People* l'autorisant à publier les premières photos de sa grossesse en contrepartie d'un don de 500 000 dollars à l'œuvre caritative. On pourrait penser que la moitié d'un million de dollars constitue une sacrée somme pour des photos, mais pour le magazine, elles n'avaient pas de prix. Angelina et Brad, le regard perdu dans les yeux l'un de l'autre, l'air éperdument amoureux : c'était exactement ce que le monde attendait de voir. L'actrice savait qu'elle pouvait en obtenir une somme indécente et elle utilisa encore une fois son influence pour sensibiliser le public à une cause qui lui tenait vraiment à cœur.

Angelina avait toujours aimé devoir jongler avec plusieurs choses en même temps dans sa vie. Mais cette fois, adopter un autre enfant, travailler sur un film, être enceinte et s'investir dans l'humanitaire s'avéra être un peu trop pour l'actrice et Brad fut fou d'inquiétude lorsqu'à bout de forces, elle s'effondra sur le tournage de *Raison d'État*. Les médecins inquiets déclarèrent qu'elle avait une grossesse à haut risque : mis à part son ventre, Angelina était d'une minceur alarmante et c'est pourquoi on lui demanda d'alléger son emploi du temps de ministre. Heureusement pour l'actrice, *Raison d'État* était le seul film qu'elle s'était engagée à faire avant d'apprendre qu'elle était enceinte et, une fois le tournage achevé, elle pourrait se reposer et se préparer à son premier accouchement.

Si cette grossesse rendait Angelina et Brad euphoriques, tout le monde ne partageait pas leur exaltation. Lorsque Brad avait rompu avec Jennifer, Kristin Hahn avait dit : « Ce qui me fait le plus peur pour Jen, c'est qu'ils aient un bébé prochainement, parce que ça la détruirait. »

Au cours d'une interview pour *Vanity Fair*, Jennifer s'était effondrée à la simple allusion des rumeurs sur la grossesse d'Angelina. « J'ai eu l'impression de l'avoir poignardée en plein cœur. Ses yeux se sont remplis de larmes qu'elle n'a pas pu contenir », écrivit le journaliste.

Jennifer vit non seulement sa plus grande peur devenir réalité, mais on dit aussi que Brad n'avait pas eu le courage de lui annoncer en personne qu'Angelina était enceinte et qu'elle avait appris la nouvelle de la même manière que tout le monde. Aussi dévastée fût-elle, elle confia à l'une de ses amies : « J'ai ressenti moins de dégoût en apprenant la nouvelle que ce que j'aurais imaginé. »

Ne se souciant pas des sentiments de son ex-femme, Brad n'avait plus envie de cacher son amour pour Angelina et il dit à son ami James Cruse qu'il en avait assez de réprimer ses sentiments en public. « On est tellement heureux », dit-il à James. « On en a un peu marre de jouer au chat et à la souris à propos de notre relation. Angie et moi, on s'aime à la folie. On est fou l'un de l'autre et on a envie de le crier sur tous les toits. »

Nombreux étaient les sceptiques qui prétendaient que Brad et Angelina se sépareraient une fois que le désir qui les embrasait se serait consumé, mais les deux acteurs semblaient au contraire être de plus en plus attachés l'un à l'autre. « Non seulement elle est sexy, mais en plus elle pense beaucoup aux autres », raconta Brad à l'un de ses amis. « C'est la personne la plus compatissante que j'ai jamais rencontrée. Grâce à elle, je me suis posé et je me suis demandé ce qui est important dans la vie, et c'est certainement pas faire des films ou avoir sa photo dans les magazines. »

James Cruse reconnut que depuis qu'il sortait avec Angelina, Brad était méconnaissable. « C'est un homme complètement différent de celui qui sortait avec Jennifer », dit-il.

Il n'était pas évident pour les amis communs de Brad et de Jennifer de jouer franc-jeu des deux côtés, mais le bonheur de Brad était manifeste et personne ne pouvait le nier. George Clooney, qui s'était lié d'amitié avec Brad (puis avec Jennifer) sur le tournage d'*Ocean's Eleven* et *Ocean's Twelve*, déclara : « Ça m'a vraiment fait de la peine que Brad et Jennifer se séparent, mais j'ai rencontré Angelina plusieurs fois. C'est une femme très belle et elle connaît plein de choses. Si Brad est heureux, alors je suis heureux. Je les ai vus ensemble et ils avaient l'air très content. »

Bill et Jane Pitt étaient très proches de leur ancienne belle-fille et furent dans un premier temps désespérés d'apprendre que Brad avait décidé de la quitter. Pourtant, on raconte qu'après avoir rencontré Angelina, Bill le regarda dans les yeux et lui dit : « Tu as pris la bonne décision, mon fils. »

Betty Russell, la grand-mère de Brad, lui donna elle aussi sa bénédiction : « Maintenant qu'il est avec Angelina, il a l'air vraiment heureux », dit-elle. « Il sera un bon père, la famille c'est vraiment son truc. »

Même Jon Voight, qui n'avait pas parlé à sa fille depuis des années ni fait la connaissance de Brad, déclara qu'ils formaient un « joli couple ».

Si Angelina arrêta de tourner des films à l'approche de l'heureux événement, pour rien au monde elle n'aurait mis un frein à son travail humanitaire et elle utilisa encore une fois sa notoriété pour sensibiliser le public à une cause chère à son cœur. L'actrice accorda une nouvelle interview à Ann Curry pour NBC News fin avril, mais cette fois la journaliste dut se rendre en Namibie où Angelina était en vacances avec Brad et les enfants. Ann Curry lui demanda de parler de la nouvelle mission dans laquelle elle s'était investie : il s'agissait d'améliorer le sort de 100 millions d'enfants à travers le monde que les guerres, le manque d'opportunité ou la pauvreté empêchaient d'aller à l'école. L'objectif ultime de la campagne mondiale pour l'éducation est que, d'ici à 2015, tous les enfants du monde puissent au moins recevoir une éducation primaire. Angelina avait bien conscience que Zahara aurait pu être l'un de ces enfants grandissant sans connaître les bancs de l'école, et c'est pourquoi elle était particulièrement sensible à cette cause. « Elle vient d'un pays où, chaque année, six millions d'enfants ne vont pas à l'école... Sa mère est morte du sida et personne n'aurait eu assez d'argent pour l'envoyer à l'école », expliqua Angelina. « C'est juste que je ne crois pas qu'elle aurait pu aller à l'école, surtout elle. Elle est tellement forte, tellement intelligente. Et elle a beaucoup de potentiel pour être un jour une femme formidable. » Angelina avait toujours voulu que Maddox grandisse en ayant conscience de ses racines cambodgiennes et elle voulait qu'il en soit de même pour Zahara. Elle espérait qu'en grandissant, sa fille tisserait un lien particulier avec ce pays qui l'avait vu naître : « J'espère que quand elle sera grande, elle sera active dans son pays et sur son continent. Et elle en sera d'autant plus capable qu'elle recevra une bonne éducation. »

Ann Curry n'avait bien évidemment pas l'intention de laisser Angelina échapper à des questions sur sa grossesse. Angelina, qui arborait alors un ventre bien rond, reconnut qu'elle avait eu « beaucoup de chance avec sa grossesse » parce qu'elle n'avait pas eu de nausées matinales mais dut admettre que ses hormones l'avaient rendue quelque peu « hystérique ». « Il faut croire que c'est l'effet que la grossesse a sur moi », dit-elle. « Brad me l'a dit, lui aussi. En ce moment, je me mets dans des états pas possibles. Par exemple, je deviens hystérique au point de me mettre à pleurer et de tomber du lit... Ou des fois, je vais essayer de lire et puis je vais me mettre à rigoler. Ça va durer, je sais pas moi, pendant une vingtaine de minutes. Et après, du coup, je me réinstalle et je me reconcentre. Il est en train de lire, je suis en train de lire. On est tous les deux assis là, très sérieux... et c'est reparti. C'est comme ça pendant des heures. [Rires] C'est vraiment horrible. »

L'air radieux, Angelina reconnut également : « Il y a beaucoup de choses qui me rendent heureuse. » Elle affirma d'une manière assez naïve que ni Brad ni elle ne comprenait pourquoi il y avait autant d'agitation autour de leur histoire et qu'ils trouvaient cela « plutôt marrant ». Au milieu d'un fou rire, l'actrice déclara qu'ils connaissaient le sexe du bébé mais refusa de divulguer l'information et dit : « S'il [Brad] était là, il aurait certainement compris pourquoi je rigole. C'est juste que je ne sais pas gérer ce genre de choses. » Elle ajouta : « Je ne parle pas de notre relation en public. Mais on n'en parle pas non plus à la maison. C'est une des choses rigolotes qui arrivent comme ça, et puis vous continuez votre vie, et voilà, vous êtes une famille. Mais vous n'en parlez pas. »

Angelina avait toujours soutenu qu'elle ne donnerait jamais naissance à un enfant, préférant l'adoption. Ann Curry lui demanda donc ce qui l'avait fait changer d'avis, et Angelina lui répondit qu'elle-même avait encore du mal à réaliser qu'elle portait un enfant. « J'ai encore tendance à le nier. Ça m'arrive encore de me dire des trucs bizarres, du style : "J'arrive pas à y croire." J'ai toujours été persuadée que j'allais adopter tous mes enfants et j'étais en paix avec cette idée. Et puis j'ai ressenti les choses différemment... On adoptera d'autres enfants. Mais pour l'instant, je suis enceinte. » Ça ressemblait bien à Angelina de parler des autres enfants qu'elle adopterait avant même d'avoir accouché de celui qu'elle avait dans le ventre, mais l'actrice fit remarquer que Brad et elle avaient un statut privilégié, ce qui signifiait qu'ils pouvaient se permettre de se faire épauler. « On adore les enfants, vous savez », dit-elle à Ann. « Et on a la chance d'avoir les moyens de pouvoir demander de l'aide quand on en a besoin. Donc je crois pas qu'on ait vraiment l'intention de s'arrêter là. On parle d'en avoir beaucoup. »

L'attachement de l'actrice pour l'Afrique et ses habitants était connu de tous et c'est pourquoi personne ne s'étonna lorsqu'Angelina (qui n'avait comme toujours que faire des conventions) annonça qu'elle souhaitait accoucher en Namibie, où elle partit s'installer avec Brad, Maddox et Zahara deux mois avant la date prévue de la naissance. La plupart des actrices hollywoodiennes seraient tout sauf emballées par l'idée d'aller donner naissance à un enfant dans un pays en voie de développement, mais Angelina souhaitait échapper à la ferveur médiatique que Brad et elle subissaient aux États-Unis et elle pensa qu'il n'y avait pas de meilleur endroit que l'Afrique pour accoucher dans le calme et la sérénité. Elle était bien évidemment consciente que les soins médicaux auxquels elle aurait accès seraient beaucoup moins sophistiqués qu'aux États-Unis, mais si les médecins étaient assez bien pour les Namibiens, alors ils seraient assez bien pour elle. On pense que l'idée ne souleva pas non plus l'enthousiasme de Brad, qui s'inquiétait que la mère de son enfant ne puisse pas être correctement assistée en cas de complication lors de l'accouchement, mais Angelina ne lui laissa pas voix au chapitre. Si Jennifer avait déclaré qu'elle pensait avoir fait passer les sentiments de Brad avant les siens quand ils étaient mariés, il ne faisait pas l'ombre d'un doute que dans cette nouvelle relation, c'était Angelina qui portait la culotte. Elle n'était pas moins têtue qu'à l'époque où elle était une adolescente rebelle et, une fois qu'elle se fut mis cette idée en tête, personne ne put plus faire grand-chose pour la lui enlever. En outre, partir accoucher en Afrique permettrait aussi à Brad de quitter sa maison de Malibu suffisamment longtemps pour qu'elle soit réaménagée. Brad l'avait achetée avant de se marier avec Jennifer et elle ressemblait un peu à une garçonnière, ce qui n'était pas l'idéal pour élever des enfants. Il s'y réinstalla après leur rupture et, quand il eut promis d'en faire une maison mieux adaptée à des enfants, Angelina accepta d'y emménager avec sa tribu.

Sur le chemin de la Namibie, la petite famille fit une halte prolongée à Paris pour voir la mère d'Angelina, à qui on avait diagnostiqué un cancer des ovaires sept ans auparavant. Même s'ils en auraient eu les moyens, Angelina insista pour qu'ils ne logent pas dans une luxueuse demeure, préférant au contraire habiter un appartement très simple. Brad était ravi d'être à Paris car c'était pour lui l'occasion d'apprendre à mieux connaître sa belle-mère, de qui Angelina était si proche, mais il fut une nouvelle fois frustré par les décisions de sa petite amie. Angelina arguait qu'il était moins probable qu'on les dérange s'ils restaient discrets, ce qui lui permettrait de passer des bons moments avec sa mère autrement que sous les flashes des journalistes. À un moment, elle envisagea même d'accoucher en France afin que sa mère adorée puisse être auprès d'elle, mais la tentation de l'Afrique fut finalement plus forte.

Avant d'arriver à l'hôtel de Burning Shore où la famille s'installerait jusqu'à l'accouchement, Angelina et Brad avaient réservé les sept chambres et les cinq suites (au prix de 185 000 livres sterling) pour deux mois afin de s'assurer qu'ils ne seraient pas dérangés. L'objectif principal était de se reposer et de se préparer à l'arrivée de leur enfant, mais les deux acteurs prirent toutefois le temps d'aller à la rencontre des locaux. Le gouvernement namibien déploya les grands moyens pour les aider à préserver leur intimité : il refusa l'entrée sur le territoire aux journalistes venus couvrir l'événement qui n'avaient pas une autorisation écrite des deux acteurs, fit arrêter des photographes et confisqua leurs photos, posta de nombreux agents de sécurité autour de leur hôtel et installa de grandes plates-bandes de plantes sur la plage pour soustraire la famille aux regards indiscrets, autant d'efforts qui furent très appréciés par les grandes stars. Parmi les personnes qu'on autorisa à pénétrer sur le territoire figurait James Haven, ce frère qu'Angelina chérissait tant et qu'elle voulait voir à ses côtés pour ce moment à marquer d'une pierre blanche. Angelina souhaitait accoucher par voie naturelle sans aller à l'hôpital, mais le moment venu le bébé se présenta par le siège et l'actrice dut être emmenée au Cottage Medi-Clinic Hospital de la station balnéaire de Swakopmund pour subir d'urgence une césarienne. L'opération se passa bien et, le 27 mai 2006, Angelina donna naissance à une petite fille, Shiloh Nouvel Jolie-Pitt. Jason Rothbart, le gynécologue du couple qui avait fait le voyage en Namibie pour la naissance, fit l'annonce suivante :

Angelina a subi une césarienne parce que le bébé se présentait par le siège. Le bébé est en bonne santé et pèse 3,1 kilos. Brad a été présent aux côtés d'Angelina pendant toute la durée de l'opération et c'est lui qui a coupé le cordon ombilical de sa fille. L'opération et la naissance se sont parfaitement bien passées.

Cela faisait des années qu'un événement people n'avait pas été autant attendu (à seulement huit semaines, Shiloh serait immortalisée en cire par le musée Madame Tussauds à New York) et, dès que la naissance du bébé de Brad et d'Angelina fut annoncée, tout le monde se précipita pour comprendre la signification de son nom. Ils avaient beau ne pas être du genre à suivre les modes des célébrités, Brangelina firent cette fois une exception en choisissant un nom sortant de l'ordinaire. En appelant leur fille Shiloh Nouvel, Brad et Angelina avait fait en sorte d'allier le passé et le présent : son premier prénom, Shiloh, est d'origine hébraïque et signifie « la paisible » ou « le cadeau », tandis que son deuxième prénom, Nouvel, parle de lui-même. Avec « Jolie », Angelina avait elle-même reçu un deuxième prénom d'origine française et on pense qu'elle souhaitait en faire une sorte de tradition familiale. De nombreuses rumeurs insinuèrent à un moment que l'enfant allait recevoir un prénom namibien, mais elles étaient finalement sans fondement.

Sachant que le couple avait fait des milliers de kilomètres jusqu'en Afrique pour préserver son intimité au moment de la naissance, on s'attendait à ce qu'il ne fasse que très peu de commentaires sur l'événement. Pourtant, comme la majorité des nouveaux parents, Angelina et Brad débordaient tellement de joie qu'il leur fut impossible de ne pas l'exprimer. « C'est la chose la plus merveilleuse qui nous soit arrivée », dit Angelina après son accouchement, et Brad, tout aussi ravi, s'exclama : « Quand notre fille Shiloh est née, c'était un moment merveilleux, beau, spirituel. Angelina a été incroyable et je me sens béni. Notre fille est ce qu'il y a de plus beau, de plus précieux pour nous. »

James Haven décrivit aussi ce qu'il éprouva quand il vit sa nièce pour la première fois : « Je suis entré dans la chambre et j'ai été tellement bouleversé que j'ai dû ressortir. Voir le père, la mère, la fille… c'était un tableau tellement beau que ça a été plus fort que moi. Je n'ai jamais vu [Angelina] plus heureuse. »

On lui avait confié Maddox et Zahara pendant l'accouchement et il les emmena avec lui pour qu'ils rencontrent leur petite sœur. Alors que Maddox déclara qu'elle était « belle », Zahara, qui n'avait qu'un an et demi, ne fut pas aussi enchantée que son frère par l'arrivée de la petite dernière. « "Z" est un peu jalouse parce que [Shiloh] est une fille », reconnut Angelina. « Mais Maddox l'adore. Pour lui, c'est comme avoir un petit animal qu'il peut prendre dans ses bras et observer. Je m'étais préparée à protéger mes autres enfants. Je m'étais préparée à leur donner plus d'amour et d'attention, parce qu'il y aurait quelque chose de différent avec Shiloh. »

Dans une interview qu'elle donna six mois après la naissance de sa fille, Angelina créa la controverse en affirmant qu'elle avait plus de sentiments pour ses enfants adoptés que pour Shiloh. Elle déclara au magazine *Elle* : « Tout le monde pense qu'on préfère ses enfants biologiques, mais je me demande s'il y [a] vraiment une différence. D'ailleurs, je me suis rendu compte du contraire. J'ai énormément d'amour pour Maddox et Z parce que ce sont des survivants, ils ont déjà traversé beaucoup d'épreuves. Shiloh a été plutôt privilégiée depuis sa naissance et j'ai tendance à avoir moins de sentiments pour elle. Quand j'ai rencontré mes autres enfants, ils avaient six mois, ils avaient déjà une personnalité. Un nouveau-né… ça sert vraiment à rien ! Je fais attention de ne pas ignorer ses besoins simplement parce que je pense que les autres sont plus vulnérables. »

Marcheline n'assista peut-être pas à la naissance de sa petite-fille, mais cela n'atténua en rien la joie qu'elle ressentit devant cet événement capital et elle déclara : « L'arrivée du troisième enfant de Brad et d'Angelina me remplit de joie. Maddox, Zahara et Shiloh sont des enfants qui reçoivent énormément d'amour. Ils ont des parents très tendres et attentionnés qui les aiment et sont là pour eux, pour quoi que ce soit. »

Alors que les parents de Brad firent le voyage jusqu'en Namibie pour rencontrer leur petite-fille, Jon Voight ne put faire parvenir ses félicitations à Angelina que par l'intermédiaire des médias : « Je suis vraiment très heureux pour eux deux. J'ai du mal à trouver les mots pour dire à quel point je suis profondément heureux pour les parents [de Shiloh], et à quel point je suis heureux que cette petite demoiselle soit parmi nous. »

Si l'accouchement s'était relativement bien passé, Angelina avoua plus tard que donner naissance à un enfant avait été une expérience bien plus stressante que ce qu'elle avait imaginé. « J'étais sûre que tout allait bien se passer, et puis au dernier moment je suis devenue cette maman qui était sûre que tout allait mal se passer. Tout à coup, j'ai été terrifiée à l'idée qu'elle ne prenne pas sa première respiration. Je ne pensais qu'à ça. Tout ce que je voulais, c'était l'entendre pleurer. »

Pour remercier les Namibiens de leur chaleureuse hospitalité, Brad et Angelina accordèrent une interview à la télévision nationale dans laquelle ils s'extasièrent sur la manière dont ils avaient été accueillis et dirent à quel point ils aimaient ce pays. « Ils ont fait preuve d'une extraordinaire gentillesse et ont fait de notre séjour un moment très précieux », déclara Brad à la Namibian Broadcasting Corporation.

« Ça a choqué les gens qu'on choisisse d'aller en Namibie, ils pensaient qu'on mettait la vie de notre enfant en danger », dit Angelina. « Mais on s'était renseigné sur le pays. Nous voulons dire au monde à quel point ce pays et ses habitants sont magnifiques. On n'aurait pas pu recevoir de meilleurs soins médicaux aux États-Unis. »

Mis à part quelques rumeurs selon lesquelles plusieurs militants d'associations humanitaires leur auraient reproché d'exercer leur influence dans le pays, tout le monde s'accorda à dire que le couple hollywoodien avait été le bienvenu en Namibie et le ministre adjoint de l'environnement et du tourisme, Léon Jooste, confirma cette impression en déclarant : « Shiloh Nouvel Jolie-Pitt sera autorisée à recevoir la nationalité namibienne, si ses parents le souhaitent. »

Après un séjour de deux mois en Namibie, Brad et Angelina repartirent le 11 juin en faisant un don de 300 000 dollars à la maternité où Angelina avait séjourné. Ils firent la promesse de retourner dans ce pays auquel ils s'étaient tant attachés : « On est fiers que notre fille soit née ici et on s'en va en emportant avec nous des souvenirs affectueux et une grande envie de revenir. »

De retour aux États-Unis, le couple ne fut pas surpris de constater que le public avait une soif intarissable de photos de leur bébé. Une fois de plus, ils décidèrent de donner aux médias ce qu'ils voulaient à la condition que ces derniers fassent des dons importants à une œuvre caritative dont le nom ne fut pas divulgué. Les différentes rédactions se livrèrent une guerre sans merci pour obtenir les premières photos de Shiloh et ce fut finalement le magazine *People* qui remporta les enchères en obtenant les droits pour l'Amérique du Nord pour une somme de 4,1 millions de dollars (selon les rumeurs, le magazine *Hello!* avait payé 3,5 millions de dollars pour des photos). C'était un peu cher, mais les images furent à la hauteur des espérances du public : Shiloh Nouvel était aussi belle que ce à quoi on pouvait s'attendre en mélangeant Angelina Jolie et Brad Pitt. Avec ses cheveux noirs, sa moue parfaite et son tout petit nez, elle avait réellement l'air « paisible » dans les bras de ses parents qui posaient pour les photographes. Sur toutes les photos, Brad et Angelina semblent ensorcelés par elle et Brad n'avait pas menti quand il avait dit à Diane Sawyer en 2004 : « [Les petites filles] me font craquer... Je fonds littéralement. »

Brad et Angelina avaient fait beaucoup de chemin depuis qu'ils étaient ensemble et rien n'aurait pu rendre l'acteur plus heureux que cet événement qui venait de bouleverser sa vie. En l'espace d'un an et demi, il était passé d'un mariage malheureux à la vie d'un père de trois enfants affectueux et engagé dans sa vie de famille. Il est clair que rencontrer Angelina avait été la meilleure chose qui lui fût jamais arrivée. « Vous savez, j'ai eu mon heure de gloire », dit-il. « Avoir des enfants, ça vous empêche de ne penser qu'à vous, et je suis vraiment content de ça. C'est absolument sensationnel. Qu'ils soient vos enfants biologiques ou que vous les adoptiez, ils sont tous de votre sang. J'en ai tellement marre de penser à moi. C'est une réelle joie et un amour très profond... Avoir des enfants, c'est la chose la plus extraordinaire que j'aie jamais faite. »

CHAPITRE - XVII
BRAD, BÉBÉS... ET APRÈS ?

Après la naissance de Shiloh, la question que tout le monde avait sur les lèvres était de savoir si Brad et Angelina allaient passer à l'étape suivante et se marier, et, dans ce cas, quand ils comptaient le faire. Jusqu'ici, le couple n'a néanmoins pas donné l'impression d'avoir envie de se jeter à l'eau. Il y a plusieurs théories à ce sujet, notamment qu'Angelina est réticente à se refaire passer la bague au doigt après deux mariages ratés, et ce en dépit des supplications de Brad. Selon la grand-mère de l'acteur, c'est au contraire Brad qui remet cet éventuel projet à plus tard parce qu'il se sent encore coupable envers Jennifer : « Le jour de leur mariage, Brad avait promis à son ex-femme qu'ils seraient ensemble pour toujours mais ce n'est pas comme ça que ça s'est passé. C'est un homme sensible qui veut s'assurer que, cette fois-ci, il pourra tenir ses promesses. »

Angelina ne parut pas non plus emballée par l'idée et déclara : « Ce n'est pas dans nos projets. On ne se mariera jamais. On se concentre sur les enfants et on est bien entendu très engagés ensemble vis-à-vis d'eux, comme parents... On n'a pas besoin de faire une cérémonie par-dessus ça. On est légalement liés à nos enfants, pas l'un envers l'autre, et je crois que c'est le plus important. » Elle a pourtant laissé entendre que, contrairement à ce que disait la grand-mère de Brad à ce propos, il était plus attiré qu'elle par l'idée du mariage. « Si, quand ils seront grands, les enfants veulent qu'on se marie, alors on pourra le faire. C'est une question délicate », dit-elle.

Brad n'a pour sa part pas fait beaucoup de commentaires à ce sujet. En revanche, il a déclaré qu'il considérerait la question quand les mariages homosexuels seront légaux aux États-Unis : « Angelina et moi envisagerons le mariage quand tous ceux qui désirent se marier dans ce pays seront légalement autorisés à le faire. »

Malgré la réticence des deux acteurs, il se peut qu'un événement très marquant dans la vie d'Angelina ait changé la donne. Il s'agit du décès de Marcheline, cette mère qu'Angelina chérissait tant : après s'être battue contre son cancer pendant sept ans, Marcheline Bertrand perdit finalement son combat le 27 janvier 2007 à l'âge de 56 ans, et, trois heures avant qu'elle ne meure, Angelina et Brad se précipitèrent au Cedars-Sinai Hospital de Los Angeles pour être auprès d'elle. Si au fil des années Angelina avait pu se préparer à ce tragique événement, elle fut bien évidemment éperdue de douleur de voir partir cette femme dont elle avait été si proche tout au long de sa vie. Dans un communiqué que son frère et elle firent en commun, Angelina déclara : « Il n'y a pas de mot pour décrire la femme et la mère merveilleuse qu'elle était. Elle était notre meilleure amie. »

En 2006, Angelina avait couvert sa mère d'éloges au cours d'une interview : « Elle nous a élevés et nous a aidés à devenir les personnes qu'on est. Nous sommes presque toute sa vie et je crois que nous l'aidons à se sentir épanouie. »

Selon les rumeurs, l'une des dernières choses que Marcheline dit à sa fille fut : « Épouse cet homme. » On pense que la dernière volonté de sa mère a eu un impact énorme sur Angelina. Un ami proche de la famille raconta : « Marcheline a pris la main d'Angie et lui a dit : "Épouse cet homme. C'est un ange envoyé pour veiller sur toi." » Cet ami déclara également : « Elle a demandé à Brad de prendre soin d'Angelina et des enfants. Puis elle a regardé sa fille dans les yeux et lui a redit ce qu'elle lui avait répété pendant des mois. »

On dit qu'Angelina fut « littéralement bouleversée » par la requête de sa mère et que Brad, qui était devenu très proche de Marcheline depuis qu'il sortait avec sa fille, avait lui aussi pris son souhait très au sérieux. « Brad n'a pas arrêté d'essayer de la convaincre de l'épouser mais elle a toujours tenu bon », raconta l'ami de la famille. « Maintenant, elle va tenir la promesse qu'elle a faite à sa mère sur son lit de mort. Je crois qu'elle avait toujours un peu rêvé que si un jour elle épousait Brad, ça serait Marcheline qui l'accompagnerait à l'autel. Malheureusement, ce n'est pas possible. Mais Marcheline considérait Brad comme son fils, et ça montre à quel point Brad et Angelina sont proches. Marcheline adorait Brad. »

D'après un ami très proche d'Angelina, la mort de Marcheline a aussi mis en relief le vide que sa dispute avec son père a laissé dans sa vie. « La mort de Marcheline n'a rien fait pour combler le fossé entre Angelina et son père. Elle ne lui a jamais pardonné de les avoir abandonnés et je pense qu'elle emportera cette rancœur dans sa tombe. Elle redoutait ce moment. Elle avait déjà l'impression d'avoir perdu son père, et maintenant c'est sa mère. »

Maintenant que sa mère l'a quittée, Angelina aura peut-être terriblement besoin de la stabilité qu'elle trouverait dans un mariage avec Brad, ou peut-être ne changera-t-elle pas d'avis et refusera de s'engager officiellement avec l'homme qu'elle aime. Quoi qu'il en soit, depuis que leur relation a mûri, le couple s'est rendu compte que le mariage n'est pas la seule question sur laquelle ils portent un regard différent : Brad voudrait s'installer à plein temps dans leur maison de Malibu tandis qu'Angelina a encore envie de déployer ses ailes et de parcourir le monde. Alors que Brad est plutôt casanier, Angelina est déterminée à ce que ses enfants soit des « citoyens du monde ». « On aimerait avoir un pied-à-terre aux États-Unis. Mais j'aimerais que ça ne soit pas uniquement aux États-Unis », dit-elle. « J'adorerais envoyer les enfants dans des écoles internationales et vivre au milieu de nulle part en Afrique ou en Asie, et ne revenir [aux États-Unis] que pour travailler. »

Brad n'est apparemment pas non plus enthousiaste à l'idée d'adopter un autre enfant aussi rapidement après la naissance de Shiloh, contrairement à Angelina qui a envie d'offrir un foyer à un autre bébé aussi vite que possible, sans se laisser impressionner par le stress que ça pourrait ajouter à leur vie. Tout ce qui lui reste à faire, c'est choisir l'endroit où elle ira chercher son prochain enfant. « Le prochain, on l'adoptera », dit-elle. « On ne sait pas encore où. On trouvera un compromis en fonction de ce qui est bien pour Maddox et Z maintenant. On se demandera, vous savez, si ça sera un garçon, une fille, de quel pays, de quelle origine, ce qui sera le mieux pour les enfants. » Bien qu'elle ait eu une grossesse assez peu contraignante, Angelina a aussi avoué qu'il lui était impossible d'envisager de donner naissance à tous les enfants qu'elle souhaiterait avoir. Lorsqu'on lui demanda combien d'enfants elle voulait, elle répondit : « Treize. Mais si y'a bien un truc dont je suis sûre, c'est qu'il n'y a pas moyen que je les expulse tous ! »

Angelina souffrit de dépression post-natale après la naissance de Shiloh, ce qui explique peut-être pourquoi elle préfère adopter plutôt qu'avoir un autre enfant biologique. À cette époque, elle ne devait pas uniquement répondre aux besoins de ses trois enfants, mais également faire face à la maladie de sa mère, ce qui fit un peu trop pour l'actrice qui n'est d'habitude pourtant pas du genre à se laisser abattre. Dans une interview donnée peu après son accouchement, elle déclara : « Pas plus tard qu'aujourd'hui, j'ai donné le sein à ma fille et ça m'a fatiguée. Je ne sais pas comment je vais réussir à m'en remettre. »

Les quelques kilos qu'elle avait pris pendant sa grossesse fondirent comme neige au soleil et il ne reste à présent pas grand-chose de ses formes, d'autant plus que seulement deux mois après la naissance de Shiloh, Brad dut se remettre au travail pour tourner *Ocean's Thirteen* en compagnie de son vieil ami George Clooney. Angelina s'était toujours enorgueillie d'être une femme incroyablement indépendante, mais on dit qu'elle n'apprécia pas du tout de voir Brad sortir avec les autres acteurs du tournage alors qu'elle avait besoin de son aide à la maison. George Clooney étant l'un des célibataires les plus connus au monde, beaucoup pensèrent qu'il avait une mauvaise influence sur Brad et que leurs petites sauteries énervaient beaucoup Angelina.

Depuis, les deux acteurs ont conclu un marché et se sont tous les deux engagés à ne pas être absents de la vie de famille pendant trop longtemps. « Brad et moi, on envisage de ne réaliser qu'un seul projet par an, comme ça on peut consacrer tout notre temps aux enfants. »

Dès que le tournage d'*Ocean's Thirteen* fut achevé, Angelina fit son retour au cinéma en jouant dans un film produit par Plan B, la société de production de Brad et de son ex-femme. *Un cœur invaincu* raconte l'histoire vraie de Daniel Pearl, un journaliste d'investigation qui fut kidnappé puis assassiné au Pakistan en 2002. Le fait qu'Angelina accepte d'incarner Mariane Pearl, la femme du journaliste, souleva une polémique pour deux raisons. La première, c'est que Jennifer Aniston envisageait initialement de jouer Mariane Pearl mais on lui refusa finalement le rôle après sa rupture avec Brad ; la deuxième, c'est que certains militants pour la cause noire pensèrent qu'il était déplacé qu'Angelina joue le rôle d'une métisse. Angelina ne se laissa pourtant pas impressionner et sauta sur cette opportunité, à la fois parce que le sujet du film lui tenait à cœur et parce qu'elle pourrait ainsi passer une longue période de temps en Inde (le tournage n'eut pas lieu au Pakistan pour des raisons de sécurité) avec Brad et les enfants.

Angelina mit tout son cœur et toute son âme dans son interprétation de Mariane ; pourtant, en goûtant aux joies de la maternité et en rencontrant l'homme avec qui elle pouvait partager tous ses rêves et tous ses espoirs, elle s'était rendu compte que certaines choses importaient plus dans la vie que le travail et elle n'avait plus autant d'ambition sur un plan professionnel. « C'est juste que ça m'intéresse moins qu'avant », admit-elle. « Je suis heureuse en faisant autre chose. »

La Angelina que l'on connaît aujourd'hui est une version beaucoup plus calme, sage et sereine de celle qui débula sur la scène hollywoodienne il y a des années de cela, et il semble que son insatisfaction et sa désillusion vis-à-vis du monde ne soit à présent rien de plus qu'un lointain souvenir. En Brad, elle a trouvé à la fois la stabilité et l'excitation, un meilleur ami et un amant, et quelqu'un qui, selon toute vraisemblance, partagera sa vie pendant très longtemps. Avant de le rencontrer, elle avait dit que ce qui posait le plus de problèmes dans ses relations, c'était que ses compagnons ne semblaient jamais vraiment la comprendre : « J'ai été aimée, je me suis amusée et j'ai beaucoup appris, mais jamais je n'ai rencontré quelqu'un qui pensait de la même manière que moi. Quelqu'un qui voyait tout ce que j'aime en moi. »

En Brad, c'est une âme sœur qu'elle a trouvée. C'est un homme qui comprend et accepte son besoin de se rebeller et qui n'essaye pas de l'y enfermer. Il admira tout autant son implication dans l'humanitaire que ses talents de mère, et comprit que la vie qu'elle choisirait de mener ne serait jamais conventionnelle.

L'un des collègues avec qui Angelina avait travaillé sur *Tomb Raider* dit un jour au sujet de l'actrice : « Elle n'est définitivement pas normale et c'est ce qui est le plus attirant chez elle. Je pense que son partenaire devra être quelqu'un de spécial pour gérer ça. »

Ce « partenaire spécial », c'était Brad. Angelina savait la chance qu'elle avait de l'avoir trouvé : « Il est romantique, il prend le temps de discuter avec moi, il est attentionné et il est super avec les enfants », dit-elle. « Qu'est-ce qu'une fille peut demander de plus ? »

Ne se contentant pas de trois enfants, Angelina adopta Pax Thien Jolie (Pham Quang de son nom d'origine) six semaines seulement après la mort de sa mère. Il venait d'avoir trois ans lorsqu'Angelina se rendit à l'orphelinat Tam Binh à Ho Chi Minh (Viêt Nam) accompagnée de son fils aîné, Maddox. Bien qu'elle fût ravie et excitée à la perspective d'emmener Pax avec elle, M. Nguyen Van Trung, le directeur de l'orphelinat, raconta que la première rencontre formelle ne se passa pas exactement comme prévu. « Il s'était réveillé à six heures du matin, comme tous les autres enfants », dit-il. « Il avait mis des habits neufs et était très excité. » Pourtant, lorsqu'Angelina s'agenouilla pour lui parler et le prendre dans ses bras, le petit garçon se mit à pleurer. N'étant pas du genre à se laisser déstabiliser, Angelina emmena simplement Pax dans une autre pièce et le calma. « Elle m'a dit qu'elle comprenait, qu'il était normal qu'un enfant ait peur. Elle semblait vraiment bien savoir s'y prendre avec les enfants », raconta M. Nguyen. « Plus tard ça allait mieux, il était très joyeux, très heureux. Il a même joué avec Maddox, son nouveau grand frère. »

Angelina ne passa que vingt minutes à l'orphelinat. Pax, caché derrière un parapluie pour échapper aux photographes, fut emmené dans une voiture aux vitres teintées. Peu de temps après, Angelina l'y rejoignit et ils se rendirent tous les deux à la cérémonie d'adoption qui avait lieu non loin de là. On dit qu'Angelina laissa échapper quelques larmes lorsque les derniers papiers d'adoption furent signés et que Pax devint officiellement son fils, à neuf heures heure locale.

Si Brad soutenait sa compagne dans cette nouvelle initiative, c'est pourtant en tant que mère célibataire qu'Angelina adopta Pax, la législation vietnamienne interdisant l'adoption d'enfants par des couples non mariés. Trevor Neilson, le porte-parole d'Angelina, déclara : « Brad voulait vraiment être là [au Viêt Nam], mais il travaille en ce moment sur un film à Los Angeles et son contrat l'a empêché d'y aller. » Un mois plus tard, Angelina fit les démarches nécessaires pour que son partenaire soit impliqué de manière plus officielle dans l'adoption de Pax, et le nom de Pitt fut ajouté à celui de leur nouveau fils.

En parlant de sa famille arc-en-ciel, Angelina reconnut qu'à ce moment-là, de toute leur petite tribu, c'était bizarrement leur fille biologique Shiloh qui ressortait du lot. « Elle ressemble à Brad », dit Angelina. « C'est marrant, parce qu'avec ses cheveux blonds et ses yeux bleus, ça va limite être l'intruse de la famille. »

Angelina, à qui mener plusieurs choses de front n'avait jamais fait peur, commença à tourner *Wanted : Choisis ton destin* en avril 2007. Brad veillant sur leur progéniture, elle était libre de poursuivre sa carrière et choisit de partager la vedette de ce film d'action vaguement inspiré de *Wanted* (la courte série de bandes dessinées de Mark Millar) avec d'autres acteurs de renom comme James McAvoy et Morgan Freeman. Il faut bien le reconnaître, le rôle de Fox (la meurtrière sexy et mystérieuse qu'Angelina incarne dans ce succès au box-office) n'était pas le plus difficile qui lui avait été donné de jouer, d'autant plus qu'interpréter Lara Croft dans *Tomb Raider* avait clairement fait d'elle l'héroïne d'action par excellence (d'ailleurs, *Wanted* lui valut un People's Choice Award de l'actrice de film d'action préférée).

Son rôle suivant dans *L'Échange* fut une tout autre paire de manches. Dans ce film inspiré d'une histoire vraie et dirigé par la légende hollywoodienne Clint Eastwood, l'actrice est au sommet de son art. Angelina joue le rôle de Christine Collins, une mère célibataire des années 20 dont le fils disparaît pendant qu'elle est au travail. Après des mois d'inquiétude, la police lui annonce qu'ils l'ont retrouvé ; pourtant, elle sait que le petit garçon qu'on lui présente n'est pas son fils. Le film la suit dans son cheminement déchirant, alors qu'elle tente désespérément de prouver qu'il ne s'agit pas de son fils. Angelina, maman dévouée de quatre enfants, s'identifia complètement à Christine Collins et elle a depuis avoué qu'elle avait failli refuser le rôle tant elle trouvait son histoire tragique. « Au début, quand j'ai lu le script, je pouvais pas décrocher, et puis je me suis dit : "Non, je ne le prends pas" », raconte-t-elle. « Je ne voulais pas m'investir dans le projet parce que c'était trop triste. Mais après, j'arrêtais pas de parler de Christine. Je me suis surprise à vouloir parler d'elle aux gens que je rencontrais, pour qu'ils connaissent cette femme extraordinaire. Dans le script, ils avaient inséré des coupures de journaux datant de 1928 qui parlaient de cette histoire. Savoir que ça s'est vraiment passé, voir les preuves, c'était incroyable. Ça paraît trop bizarre pour être vrai. »

Angelina est pourtant la première à reconnaître que participer au film l'a rendue un peu folle. « Quand je travaillais sur ce film, j'étais un peu folle, j'avais les émotions à fleur de peau », admet-elle. « Je pouvais vraiment pas m'enlever cette histoire de la tête. C'est déchirant à voir et c'était déchirant à faire. Pendant le tournage, j'étais beaucoup plus parano par rapport à mes enfants, où ils étaient, ce qu'ils faisaient. »

L'actrice raconte la grosse frayeur qu'elle eut un jour où elle pensait que Shiloh avait disparu : « C'était un week-end, je me souviens que j'avais fait une sieste, Shiloh était endormie dans son berceau et quand je me suis réveillée, elle n'était plus là. J'étais morte d'inquiétude. Et en fait, il ne s'était rien passé. Brad l'avait emmenée au parc avec les autres enfants. Mais l'histoire de Walter m'a hantée. Pendant toute la durée du tournage, je prenais sans cesse mes enfants dans mes bras et je les gardais tout près de moi. »

Pour Angelina, le lien existant entre une mère et son enfant est plus fort que tout, même que celui qui l'unit à Brad. « J'aime Brad », dit-elle. « Et si quelque chose lui arrivait, je serais effondrée… Mais si quoi que ce soit arrivait à mes enfants… J'arrive même pas à y penser. Ça me fait trop mal. »

Angelina, encore très marquée par la mort de sa mère, reconnaît qu'elle a beaucoup communié avec elle pendant le tournage du film. « Le premier truc que Brad m'a dit après avoir vu le film, c'est : "C'est ta mère que j'ai vue…" Quand elle est décédée, je ne pouvais pas regarder des photos d'elle, je fondais en larmes. Et puis je me suis regardée dans la glace et j'ai retrouvé ses traits dans les miens, les mêmes cheveux bruns, le même sourire. D'une certaine manière, c'est elle que j'ai jouée dans le film. Ça m'a fait beaucoup de bien de passer du temps avec elle de cette manière. »

Pour Angelina, Christine Collins et sa mère avaient la même passion, le même instinct protecteur : « Elle s'appelait Marcheline mais pour rigoler on l'appelait marshmallow, parce que c'était la femme la plus douce, la plus tendre que la terre ait jamais portée. Elle était très douce et ne se mettait jamais en colère, elle n'aurait jamais juré, même pour sauver sa vie. Mais quand il s'agissait de ses enfants, c'était une lionne, et c'est pour ça que le film me fait beaucoup penser à elle. C'est d'elle que je me suis inspirée, de cette femme élégante qui avait la force de savoir ce qui est juste. »

Alors que l'actrice faisait l'éloge de cette mère qui lui manque tant, Clint Eastwood, pour sa part, n'avait que des compliments à la bouche pour décrire sa collaboration avec Angelina. « J'ai toujours admiré son talent », dit-il. « Angelina est très belle, il n'y a pas de plus beau visage que le sien, et ça l'a parfois gênée dans sa carrière. Ça serait facile d'oublier qu'elle a vraiment du talent, mais après avoir vu ça, on réalise que c'est une personne bien et très talentueuse. » Le talent d'Angelina ne passa d'ailleurs pas inaperçu et son rôle dans *L'Échange* lui valut une nomination aux oscars. Mais, avant ça, elle agrandit la famille.

Avant de rencontrer Brad, Angelina avait toujours soutenu qu'elle ne ressentait pas la nécessité d'avoir des enfants biologiques quand tellement d'enfants malchanceux avaient besoin d'un foyer dans ce monde. Pourtant, l'arrivée de Shiloh avait bouleversé ses convictions et l'actrice souhaitait une nouvelle fois donner naissance à un enfant. Bien que l'expérience ait été forte en émotion, c'est pendant le tournage de *L'Échange* que le couple prit la décision d'essayer d'avoir un autre bébé. « Je me disais : "T'es sûre que tu veux tomber enceinte dans un tel état émotionnel ?" », raconta-t-elle. « J'étais tellement à vif. » Malgré les réserves d'Angelina, le couple se lança dans l'aventure et il ne fallut pas longtemps avant qu'elle n'attende un autre heureux événement. « Maintenant on en rigole, on se dit qu'on y a peut-être mis un peu trop d'énergie vu que ce sont des jumeaux ! », plaisanta-t-elle. « Ça a été une énorme surprise, on était morts de rire quand on nous l'a annoncé. » Brad et Angelina, bien que ravis et très excités, restèrent très discrets sur leur situation pendant de nombreux mois. Si la presse titrait depuis longtemps sur le fait qu'Angelina était peut-être enceinte et qu'il pouvait s'agir de jumeaux, ce fut Jack Black, son partenaire dans *Kung Fu Panda* (un film d'animation dans lequel Angelina prête sa voix à la Tigresse), qui confirma accidentellement les rumeurs. Lors d'une conférence de presse au Festival de Cannes, Jack Black montra le ventre arrondi d'Angelina et dit : « Avec ce qu'il y a là-dedans, *Sept à la maison* va avoir de la concurrence ! » Heureusement, cela fit rire Angelina que la mèche ait été vendue mais lorsqu'on lui demanda si elle connaissait le sexe des bébés, elle répondit que Brad et elle « ne souhaitaient pas divulguer l'information ».

Le couple a nié les rumeurs prétendant qu'ils avaient eu recours à une fécondation in vitro et pour Angelina, il n'était pas complètement étonnant qu'elle soit enceinte de jumeaux étant donné qu'il y en avait dans la famille. « Il y a des jumeaux du côté de la mère de Brad et on avait rigolé en pensant à cette éventualité, mais on ne pensait pas que ça arriverait », dit-elle. Avec la franchise qu'on lui connaît, la star expliqua également dans une interview comment son gros ventre avait donné encore plus de piquant à sa vie sexuelle avec Brad. Alors que la plupart des femmes auraient du mal à se sentir sexy en étant enceintes de deux enfants, Angelina raconta : « Pour le sexe, c'est génial. Ça vous rend beaucoup plus créatif, et donc vous prenez votre pied. Et en tant que femme, on est tellement ronde, tellement pleine. » Ce qui ne veut pas dire qu'elle trouva cela facile de s'occuper de quatre enfants avec une telle grossesse. « Ce qui se passe, c'est que Brad les soulève pour me les mettre dans les bras à chaque fois qu'ils veulent monter », dit-elle. « Je ne me penche pas, je n'ai qu'à crier "Chéri !" et il vient en courant pour me les mettre dans les bras. »

Sachant qu'Angelina avait donné naissance à Shiloh Nouvel en Namibie, personne ne fut surpris d'apprendre que le couple souhaitait que leurs jumeaux voient le jour ailleurs qu'aux États-Unis. C'est en France qu'ils choisirent d'avoir leurs enfants, certainement en raison des origines canadiennes françaises de Marcheline. Le couple ayant beaucoup de bonnes relations, il n'est pas étonnant qu'il ait été invité à séjourner dans le palace de style florentin (d'une valeur de 30 millions de livres) du milliardaire Paul Allen, le cofondateur de Microsoft, quelques semaines avant la naissance. Grâce aux deux héliports du domaine situé près de Saint-Jean-Cap-Ferrat, sur la Riviera, Angelina pourrait être transportée à l'hôpital en moins de temps qu'il faut pour le dire si le besoin se présentait. On dit que le couple, ne laissant rien au hasard, avait à sa disposition un pilote d'hélicoptère de l'armée prêt à décoller 24 h/24 ainsi qu'une équipe composée de deux infirmières expérimentées, d'une sage-femme et d'un gynécologue en cas d'urgence. Peut-être Angelina avait-elle de bonnes raisons de prendre autant de précautions : sa seconde grossesse lui avait causé de nombreux problèmes de santé comme du diabète gestationnel, les jambes lourdes et une pression sanguine basse. Les rumeurs disent aussi que l'actrice s'est évanouie quatre fois au moins durant sa grossesse et qu'elle pensa même à un moment avoir perdu les bébés parce qu'elle ne les sentait plus bouger.

Knox Leon et Vivienne Marcheline naquirent par césarienne le 12 juillet 2008 à la Fondation Lenval à Nice, pesant seulement 3,1 kg et 2,7 kg respectivement. Knox arriva le premier à 18 h 27 et sa petite sœur le suivit juste une minute après. Les jumeaux reçurent leurs prénoms de divers membres de la famille : le grand-père de Brad, Hal Knox Hillhouse, l'arrière-arrière-grand-père d'Angelina, Leon, et bien entendu sa mère Marcheline. « Knox » suit aussi parfaitement la tendance des prénoms de ses fils, qui se terminent tous par un X, et on pense qu'ils choisirent «Vivienne» tout simplement pour refléter le pays dans lequel les jumeaux étaient nés. Au sujet de la naissance,

Angelina déclara : « Je savais qu'ils seraient prématurés, comme tous les jumeaux, donc ça m'a rassurée de voir qu'ils étaient grands et qu'ils criaient à pleins poumons. » Brad, très fier d'être papa, décrivit l'accouchement comme « absolument héroïque » et expliqua dans une interview peu de temps après que les jumeaux étaient en bon chemin pour ressembler à leurs parents. « Selon moi, Vivienne ressemble à Angelina, que ce soit son attitude, son esprit ou son physique », dit-il. « Elle est très élégante, comme sa mère. Et Knox... il me ressemble un peu. Il aime la musique, comme son papa. Mais quand il est né, il ressemblait à Vladimir Poutine ! »

Angelina n'était pas moins conquise : « Les jumeaux, c'est juste les deux petites choses les plus mignonnes qui soient », dit-elle. « Ils sont allongés l'un à côté de l'autre. Ce qui est super avec les jumeaux, c'est qu'avec l'autre, ils ont tout le temps de la compagnie. Vous les voyez tous les deux, ils se regardent, ils se sentent, ils se touchent et c'est vraiment beau à regarder. On en vient presque à penser qu'en ayant un seul bébé, il se sentirait tout seul. Ils commencent à sourire beaucoup. Knox ressemble à Brad et Vivienne me ressemble. Ils développent des personnalités intéressantes. Knox a l'air plutôt relax, alors que Vivienne fait plus de bruit. »

Même une super-maman comme Angelina dut bien reconnaître qu'il n'était pas de tout repos de s'occuper de jumeaux en plus de quatre autres enfants. À propos des repas des jumeaux, Angelina déclara : « On essaye de les faire manger en même temps, histoire de mieux gérer le temps, mais ça commence à faire du monde au comptoir ! » À un moment, l'actrice pensa qu'elle serait capable de les nourrir en même temps : « Vous vous dites : "Ah, si y'en a qui y arrivent, alors je peux y arriver aussi." Mais ça paraît beaucoup plus facile dans les bouquins que ça l'est en réalité. » De fait, après trois mois d'allaitement, Angelina dut avouer qu'elle « aurait difficilement pu continuer plus longtemps ».

À propos du fait d'être passée de quatre à six enfants aussi rapidement, Angelina, toujours en décalage, déclara : « C'est marrant et c'est mignon. Le truc, c'est qu'une fois qu'on a dépassé trois ou quatre enfants c'est la folie de toute façon, donc avec six c'est juste un peu plus le bazar, mais on gère. »

Avec autant d'enfants à leur charge, la plupart des couples auraient du mal à trouver du temps pour eux, mais Angelina révéla qu'elle et Brad essayaient toujours de se consacrer du temps l'un à l'autre. « Même quand on ferme la porte à clé, ça n'empêche pas les enfants de venir frapper ! », avoua-t-elle. « On essaye souvent de prendre un bain tous les deux tard dans la nuit, pour s'asseoir ensemble et discuter, mais ils entendent l'eau et veulent sauter dans la baignoire avec nous. » Ce qui ne veut pas dire qu'elle se sent délaissée par Brad ; au contraire, son amour pour Angelina est plus profond que jamais. « Je suis avec un homme qui est suffisamment évolué pour regarder mon corps et le trouver encore plus beau, à travers le voyage qu'il a fait et ce qu'il a créé », expliqua-t-elle. « C'est véritablement comme ça qu'il le voit. Du coup, je me sens beaucoup plus sexy. J'ai la chance de vivre avec les personnes qui me sont les plus chères au monde, dont Brad qui est mon meilleur ami et un père fabuleux. Notre vie est vraiment, vraiment difficile, mais on s'amuse aussi beaucoup. On est là l'un pour l'autre et il y a beaucoup d'amour dans notre vie. Et avoir de l'amour dans sa vie, c'est plus important que tout. »

Sa famille a beau être plus importante que tout aux yeux d'Angelina, elle n'en demeure pas moins l'une des actrices les plus convoitées de sa génération, et cela en dépit du fait que ce soit Kate Winslet qui ait remporté l'oscar de la meilleure actrice cette année. Pourtant, ayant réalisé que la vie ne se résumait pas à la gloire, Angelina n'a plus autant d'ambition qu'auparavant. Elle n'abordait d'ailleurs le sujet de sa nomination aux oscars que pour dire à quel point elle désirait que Brad remporte le sien (il avait été nominé dans la catégorie du meilleur acteur pour *L'Étrange Histoire de Benjamin Button*, mais ce fut finalement Sean Penn qui le remporta pour son rôle dans *Milk*). Avant la cérémonie, Angelina déclara : « J'espère que *Benjamin Button* va faire un carton ce soir ; je suis à fond derrière Brad. J'ai vraiment de la chance d'avoir eu un oscar par le passé, mais beaucoup de gens qui n'en ont jamais gagné ont pourtant eu de très belles carrières. Je pense qu'il faut garder la tête sur les épaules et comprendre ce que valent vraiment les choses, même si elles sont bien… Ça devrait pas changer ce qu'on pense de notre travail. »

Le plus révélateur, c'est que quand on lui demanda où elle plaçait sa carrière dans la liste de ses priorités, Angelina déclara : « Je dirais les enfants en premier, puis Brad et ensuite mon travail humanitaire. Donc ça fait quoi, quatrième ? » Dernièrement, elle a insinué qu'elle pourrait même mettre un jour un terme à sa carrière d'actrice : « Je n'ai pas l'intention de faire des films pendant encore très longtemps. Je suis prête à en faire encore quelques-uns, puis je m'effacerai et je me préparerai à être grand-mère un jour. Donc ma priorité n'est pas de continuer à ce rythme, d'être une star et d'entrer au panthéon de la gloire. Je crois que c'est bien, j'ai pu raconter des histoires, j'ai eu assez de succès pour raconter celles que j'avais envie de raconter et pour gagner de l'argent. Mais il y a un temps pour tout, et vous savez, j'espère ne plus avoir besoin de faire ça plus tard dans ma vie. Le plus important ce sont mes enfants, j'en ai beaucoup et j'ai l'immense responsabilité de faire en sorte qu'ils soient bien éduqués et qu'on soit là pour eux. »

S'il y a bien une chose dont Angelina n'a pas à douter, c'est le soutien de son partenaire : Brad est dévoué à l'amour de sa vie comme au premier jour et lui a assuré que quelle que soit la décision qu'elle prendrait, il serait là pour elle. « On a eu une grande discussion sur "Est-ce que je dois recommencer à travailler ?" et Brad m'a apporté un soutien magnifique », dit-elle. « Il m'a dit : "Ton travail, c'est une partie de toi et tu devrais le faire. Ça va aller, les bébés seront dans ta loge, et les enfants viendront te voir quand ils n'auront pas école. Ça va bien se passer." »

Avec de tels encouragements de la part de l'homme qu'elle aime, il n'est pas étonnant qu'Angelina ait signé pour faire un nouveau film, *Love and Honour*, qui explore le règne de l'impératrice Catherine II de Russie pendant les années de la guerre d'indépendance des États-Unis. En décidant de retrouver les plateaux de tournage après la naissance des jumeaux, Angelina se dit qu'avoir ses propres projets, en dehors de sa vie de famille, ne pourrait que rendre sa vie encore plus épanouissante. « J'ai de la chance car Brad est un très bon père et il reste à la maison quand je vais au travail, et inversement. Et puis toutes les mères savent que parfois, prendre un peu de temps pour soi fait de vous une meilleure mère. »

Il n'en demeure pas moins que le rôle de mère est le plus important de la vie d'Angelina et, quelques mois seulement après avoir eu Knox et Vivienne, Angelina reconnut que la seule chose qui les empêchait d'adopter un autre enfant était les procédures légales. « On ne peut pas recommencer le processus avant que notre dernier enfant ait six mois, pour voir comment la famille s'en sort », expliqua-t-elle. On pense que quand Brangelina se jetteront une nouvelle fois à l'eau, ils adopteront un petit garçon de Birmanie. Le couple s'est rendu dans un de camp de réfugiés birmans lors d'un voyage en Thaïlande et on dit qu'ils en sont revenus le cœur brisé par tant de souffrance.

On penserait qu'après avoir eu six enfants ensemble, Angelina et Brad seraient plus enclins à offrir au monde le mariage luxueux qu'il attend mais, malgré leurs déclarations d'amour publiques et leur engagement l'un envers l'autre, le couple désire toujours éviter toute forme d'union légale. En revanche, il ne fait aucun doute qu'Angelina est aujourd'hui plus heureuse que jamais et que c'est en très grande partie à Brad qu'elle doit ce bonheur. « On est une famille avant tout, et pour moi il n'y a pas de plus gros engagement », dit-elle. « Je n'ai pas l'impression qu'il y ait quoi que ce soit qui manque. J'ai rencontré la bonne personne et je n'aime pas être sans lui. Désormais, je n'aime plus être seule. »

FILMOGRAPHIE

1982 **Lookin' to Get Out** ... Tosh

1993 **Cyborg 2** ... Casella « Cash » Reese

1993 **Angela & Viril** ... Angela

1993 **Alice & Viril** ... Alice

1995 **Without Evidence** ... Jodie Swearingen

1995 **Hackers** ... Kate Libby/« Acid Burn »

1996 **Mojave Moon** ... Eleanor « Elie » Rigby

1996 **Love Is All There Is** ... Gina Malacici

1996 **Foxfire** ... Margret « Legs » Sadovsky

1997 **Sœurs de cœur** ... Georgia Virginia Lawshe Woods
(titre original : *True Women*) (TV)

1997 **George Wallace** ... Cornelia Wallace (TV)

1997 **Le Damné** ... Claire
(titre original : *Playing God*)

1998 **Gia** ... Gia Marie Carangi (TV)

1998 **Urban Jungle** ... Gloria McNeary
(titre original : *Hell's Kitchen*)

1998 **La Carte du cœur** ... Joan
(titre original : *Playing by Heart*)

1999 **Les Aiguilleurs** ... Mary Bell
(titre original : *Pushing Tin*)

1999 **Bone Collector** ... Amelia Donaghy
(titre original : *The Bone Collector*)

1999 **Une vie volée** ... Lisa Rowe
      (titre original : *Girl, Interrupted*)
2000 **60 Secondes chrono** ... Sara « Sway » Wayland
      (titre original : *Gone in 60 Seconds*)
2001 **Lara Croft: Tomb Raider** ... Lara Croft
2001 **Péché originel** ... Julia Russell / Bonnie Castle
      (titre original : *Original Sin*)
2002 **7 Jours et une vie** ... Lanie Kerrigan
      (titre original : *Life or Something Like it*)
2003 **Lara Croft - Tomb Raider: le Berceau de la vie** ... Lara Croft
      (titre original : *Lara Croft - Tomb Raider: The Cradle of Life*)
2003 **Sans frontière** ... Sarah Jordan
      (titre original : *Beyond Borders*)
2004 **Taking Lives - Destins violés** ... Illeana
      (titre original : *Taking Lives*)
2004 **Gang de requins** (voix) ... Lola
      (titre original : *Shark Tale*)
2004 **Capitaine Sky et le Monde de demain** ... Franky
      (titre original : *Sky Captain and the World of Tomorrow*)
2004 **The Fever** ... Revolutionary
2004 **Alexandre** ... Olympias
      (titre original : *Alexander*)
2005 **Mr. & Mrs. Smith** ... Jane Smith
2006 **Raisons d'État** ... Clover Wilson
      (titre original : *Good Shepherd*)
2007 **La Légende de Beowulf** ... la mère de Grendel
      (titre original : *Beowulf*)
2007 **Un cœur invaincu** ... Mariane Pearl
      (titre original : *A Mighty Heart*)
2008 **Kung Fu Panda** ... Master Tigresse (voix)
      (titre original : *Good Shepherd*)
2008 **Wanted : choisis ton destin** ... Fox
      (titre original : *Wanted*)
2008 **L'Échange** ... Christine Collins
      (titre original : *Changeling*)

Imprimé en mars 2009 sur les presses de l'imprimerie «La Source d'(
63039 CLERMONT-FERRAND
Imprimé en France
Pour le compte de Music & Entertainment Books
ISBN : 978-2-35726-014-6
Dépôt légal : mars 2009

www.musicbooks.fr
Directeur d'édition : Eddy Agnassia
Collection coordonnée par Flore Law de Lauriston
Relecture et correction : Dorian Tort
Composition et Mise en page : Anthony Gaucher